Linuxコマンドブック ビギナーズ

川口拓之・田谷文彦・三澤明 著

SB Creative

本書に関するお問い合わせ

この度は小社書籍をご購入いただき誠にありがとうございます。小社では本書の内容に関するご質問を受け付けております。本書を読み進めていただきます中でご不明な箇所がございましたらお問い合わせください。なお、お問い合わせに関しましては以下のガイドラインを設けております。恐れ入りますが、ご質問の際は最初に下記ガイドラインをご確認ください。

●ご質問の前に
小社Webサイトで「正誤表」をご確認ください。最新の正誤情報を下記のWebページに掲載しております。

本書サポートページ　https://isbn2.sbcr.jp/02826/

●ご質問の際の注意点
- ご質問はメール、または郵便など、必ず文書にてお願いいたします。お電話では承っておりません。
- ご質問は本書の記述に関することのみとさせていただいております。従いまして、○○ページの○○行目というように記述箇所をはっきりお書き添えください。記述箇所が明記されていない場合、ご質問を承れないことがございます。
- 小社出版物の著作権は著者に帰属いたします。従いまして、ご質問に関する回答も基本的に著者に確認の上回答いたしております。これに伴い返信は数日ないしそれ以上かかる場合がございます。あらかじめご了承ください。

●ご質問送付先
ご質問については下記のいずれかの方法をご利用ください

Webページより
上記のサポートページ内にある「お問い合わせ」をクリックし、要綱に従ってご質問をご記入の上、送信ボタンを押してください

郵送
郵送の場合は下記までお願いいたします。

〒106-0032
東京都港区六本木2-4-5
SBクリエイティブ　読者サポート係

はじめに

以前は，コマンドを覚えることはLinuxを扱う上で避けて通ることのできない必須事項でした。現在では，GUI環境が充実し，コマンドを知らなくてもWindowsやmacOSといったOSと同じような扱いやすさでさまざまな作業を行うことが可能となっています。

しかしながら，GUIによる操作は，わかりやすい反面，画面上に見えるものしか扱うことができないという制約があります。対して，コマンドでの操作は，単純な機能を組み合わせることで，高度な機能を実現することができます。一度，コマンドの扱いを覚えると，GUIでは煩雑に感じられた操作がちょっとした工夫で簡単に実現できる楽しさを味わうことができます。また，クラウドコンピューティングが普及してきたことで，サーバー側の操作の際に，コマンドを利用する機会が増えてきたのではないでしょうか。

とはいえ，実際に初級者の方が最初に学ぶにあたって，敷居が高く感じられるのも事実です。本書は，Linuxのコマンドを学ぶ上で感じるとっつきにくさや難しさを少しでも緩和し，自然に身につけることができるように工夫をしています。

そのために，本書では膨大な数のコマンドを機械的に網羅するのではなく，日常的に使っていく上で有用であろうコマンドを選り抜き，使用目的ごとに掲載しています。また，各コマンドの解説を，具体的に試しながら学べる入門ページといつでも引けるリファレンスページに分けていますので，これからLinuxの使い方を覚えたい初級者の方から，リファレンスとして活用したい中級者の方まで，幅広い読者の方に長くご利用いただけるのではないかと考えています。初級者が中級以降へとステップアップし，さらにはシステム管理者になる手がかりとして利用していただけたら幸いです。

最後に，本書を執筆する機会を与えてくださった国立情報学研究所の佐藤一郎教授ならびに，共著者として共に労苦を味わってきた，前田雄一郎氏，伊藤真人氏，小巻賢二郎氏，小野斉大氏，下忠健一氏に感謝いたします。特に，本書の実現にあたって，編集・出版の労をとっていただいたSBクリエイティブの杉山聡氏に厚く御礼申し上げます。

2020年 初春

著者一同

本書の読みかた

本書の中心となるコマンドの解説は
「**入門ページ**」と「**リファレンスページ**」から構成されます。

●入門ページは，Linuxの知識がない方がゼロから読み解けるように
コマンドの動作についての詳細を紹介したページです。
はじめから通して読み進めることで，コマンドを学ぶことができます。
「やってみよう」「もっとやってみよう」に沿って，実際にコマンド
を試してみることで，コマンドの動作を身につけることができます。

●コマンドの実行例は，
基本的にUbuntuの環境
での結果です。

自分のユーザ情報を表示する

whoami, groups, id

自分のユーザ情報を表示するには，whoamiコマンド，groupsコマンド，idコマンドを使います。idコマンドはwhoamiコマンドおよびgroupsコマンドの機能を含みます。

やってみよう

まず，自分のユーザ名をwhoamiコマンドで表示してみましょう。

```
$ whoami⏎
maltman
```

実行結果から，自分のユーザ名はmaltmanとわかります。

次に，自分の所属するグループを表示してみましょう。所属するグループの表示にはgroupsコマンドを使います。

```
$ groups⏎
users
```

実行結果から，ユーザmaltmanはグループusersに所属していることがわかります。この例では，1つのグループしか表示されませんが，複数表示される場合もあります。

もっとやってみよう

idコマンドを使うと，whoamiコマンド，groupsコマンドよりも細かい情報を表示することができます。

```
$ id⏎
uid=500(maltman) gid=100(users) groups=100(users) …(略)
```

idコマンドを引数なしで実行すると，自分のユーザID（ユーザ名），グループID（グループ名），所属するグループID（グループ名）を表示します。

●リファレンスページは，コマンドのオプションや引数を忘れてしまったり，使用例を確認したいときに参照してください。
いつでも困ったときにすぐに利用できます。

●書式
コマンドの書式です。書式が複雑な場合は
よく利用する書式のみを表記しています。
書式の記号は，以下を表します。

［対象］	：対象があってもなくてもよい
対象1〔対象2〕	：対象1と対象2のどちらでもよい
対象...	：対象を複数指定できる

書式

whoami
groups［ユーザ名］
id［オプション］［ユーザ名］

パス：/usr/bin/whoami，/usr/bin/groups，/usr/bin/id

●パス
コマンドのパスです。
bashの内部コマンドの場合はその旨も表記しています。
パッケージでインストールするコマンドのパスは，
メジャーなパッケージのパスにしています。

●主なオプション（idコマンド）

-G	所属グループIDのみを表示します。
-g	グループIDのみを表示します。
-u	ユーザIDのみを表示します。
-n	他のオプションと併用すると，ID表示でなく，名前による表示にします。

●主なオプション
本書では有用なオプションのみに厳選して紹介しています。

●使用例

・自分のユーザ名を表示します。

```
$ whoami
```

・自分の所属するグループ名を表示します。

```
$ groups
```

・ユーザuserの所属するグループ名を表示します。

```
$ groups user
```

・自分のユーザ情報を細かく表示します。

```
$ id
```

・ユーザuserのユーザ情報を細かく表示します。

```
$ id user
```

●使用例
具体的によく利用する例を
紹介しています。

●動作環境について

本書のコマンドは，Ubuntu 18.04 LTS，Ubuntu 19.10，Fedora 31，CentOS 8，Debian 10で動作確認を行っています。Ubuntuについては，Ubuntu 20.04の開発版でも確認しています。またシェルの内部コマンドはbashを採用しています。

実行例や画面は，Ubuntu 18.04 LTSの表示を優先的に掲載しています。

リファレンスページのパス表記は，Ubuntu 19.10，Fedora 31，CentOS 8，Debian 10のものです。Ubuntuは19.10から多くのコマンドのパスが変わりました。このパスがUbuntu 20.04以降にも引き継がれると考えられるため，Ubuntu 19.10 のパスを表記しています。Ubuntu 18.04 LTS では多くのコマンドが，/usr/bin，/usr/sbinディレクトリではなく/bin，/sbinディレクトリにあります。

一部，標準ではインストールされないコマンドも紹介しています。パッケージなどでインストールが必要です。また，環境設定，コマンドのバージョンによって動作が変わる場合もあります。ご了承ください。

CONTENTS

第1章　Linuxの基本操作

第2章　ファイルの操作

第3章　プログラムの管理

第4章　ユーザ・システム情報の表示・変更

第５章　高度なファイル操作

第６章　コマンドの便利な使い方

第7章　シェルとシェルスクリプトを使いこなす

第8章　ユーザとシステムの管理

第9章　ネットワークを使いこなす

第10章　ファイルシステムを使いこなす

第11章　パッケージのインストール

付録

コラム目次

第 1 章

Linuxの基本操作

ログイン

Linuxをはじめとする UNIX系のOSでは，複数のユーザで同時に1台のコンピュータを使用することができます。そのため，ユーザはコンピュータを利用する前に，「これから誰が利用しようとしているのか？」ということをコンピュータに対して知らせる必要があります。このコンピュータを利用できる状態にする手続きのことを，**ログイン**といいます。

ログインするには，コンピュータ上での自分の名前である**ユーザ名**と，そのユーザ本人であることを認証するための**パスワード**を入力しなければなりません。この2つは，個人で自分のコンピュータにLinuxをインストールしたのであれば，そのときに設定しているはずです。もし，管理者のいるコンピュータであれば，その管理者に依頼してユーザ名とパスワードを発行してもらいましょう。

ユーザ名とパスワードの入力は通常は図1-1のようなGUI（グラフィカルユーザインターフェイス）のダイアログに対して行います[†1]。

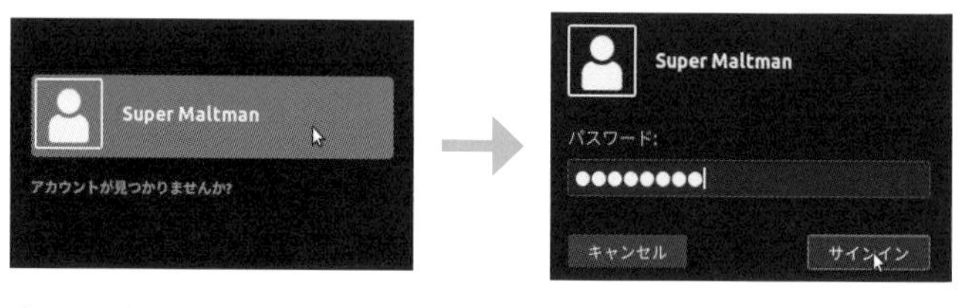

図1-1　ログインダイアログの一例

ただし，環境や設定によっては次のように文字だけの画面上で入力する場合もあります[†2]。

---

†1：ログインダイアログの画面は環境によって異なります。また，自動でログインすることもあります。以降の画面もすべて一例です。

†2：コンピュータが正常に起動しなかった場合にもこのようなログイン画面になることがあります。

```
login: maltman ↵      ←─ ユーザ名を入力します
Passowrd:             ←─ パスワードを入力します
```

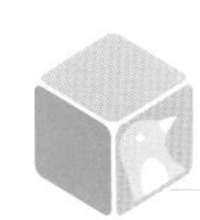

デスクトップの基本操作

コンピュータにログインすると，図1-2のようなGUIのデスクトップが表示されます[†3]。

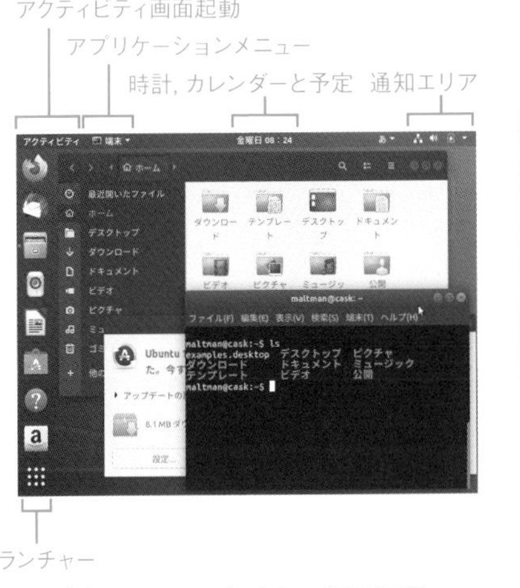

(a) Ubuntuのデスクトップ画面の例

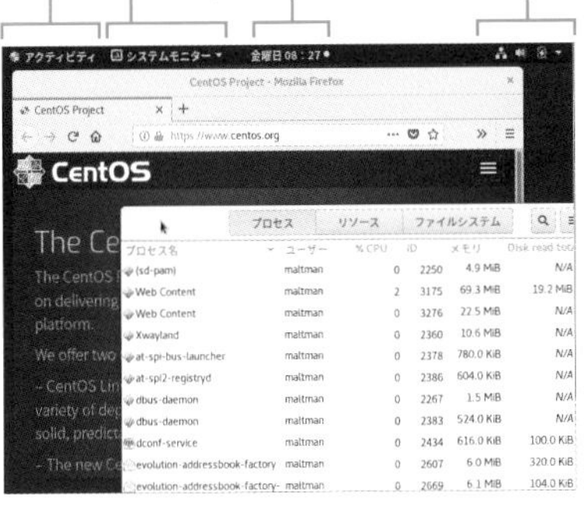

(b) CentOSのデスクトップ画面の例

図1-2　デスクトップ画面

メニューやアイコンを使ってプログラムの起動やシステムの設定をするといった点はWindowsやmacOSと同じなので，操作の勝手はつかみやすいことでしょう。デスクトップ上の各部には次のような機能があります。

†3：ユーザの環境によって異なることがあります。また，このようなGUIが表示されない環境の場合は，次の節に進んでください。

①アクティビティ画面起動

コンピュータのさまざまな情報に簡単にアクセスできるウィンドウを表示します。アプリケーションランチャーやファイルの検索バーなどを備えています。

②通知エリア

ネットワークや電源についての情報が表示されます。ログアウト（p.20）やシャットダウン（p.21）もここからできます。

③アプリケーションメニュー

クリックするとアクティブな（選択している）アプリケーションのメニューが表示されます。

④ランチャー

よく使うアプリケーションのショートカットです。CentOSではアクティビティ画面を起動すると表示されます。

⑤時計，カレンダーと予定

トップバーの時計をクリックすると，現在の日付，月ごとのカレンダー，今後の予定のリスト，新しい通知が表示されます。

テキスト，画像，サウンドなどのファイルや，インターネット，メール，システム管理などを扱う多くのアプリケーションは，アクティビティ画面から起動できますが，これらのアプリケーションはすべてコマンド入力により起動することもできます。

コマンドの入力

それでは，試しに**コマンド**を入力してみましょう。コマンドとはコンピュータに対する命令で，ユーザはコマンドを通じてさまざまな操作を行ったり，情報を得たりします。

コマンドを入力するには図1-3のように端末（ターミナル）エミュレータと呼ばれるプログラムを起動します[†4]。

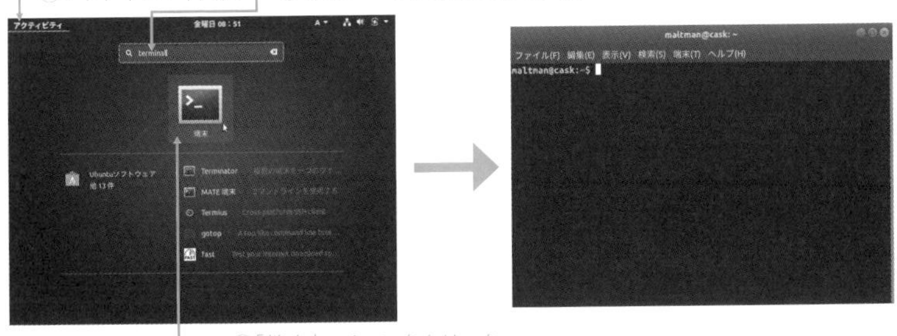

図1-3　端末（ターミナル）エミュレータの起動[†5]

端末エミュレータのウィンドウ上には，次のような**プロンプト**と呼ばれるものが表示されます。

```
$
```
←プロンプト

このプロンプト“$”はユーザの環境設定によって異なった文字になります。コンピュータの名前が表示されることもあれば，自分のユーザ名が表示されることもあります。本書ではシンプルに“$”という表記で統一しています。

例として，“pwd”というコマンドを入力してみます。意味は第2章で解説しますので，ここではコマンドを入力するということを体験してください。

---

†4：ログイン時にGUIが表示されない環境であれば，ログインした時点でそのままコマンドの入力を行えます。また図に示す起動方法は一例です。環境によっては，デスクトップの起動と同時に端末エミュレータが存在したり，端末の起動方法が異なる場合もあります。

†5：ランチャの端末アイコンを右クリックするとショートカットを作成するメニューが出ます。

入力するコマンドは次の実行例の太字部分です。コマンド入力の最後には⏎（Enterキー，Returnキー）を入力します。本書では，ユーザが入力するコマンドなどの文字列を太字で表します。それを参考にコマンドを入力してください。

```
$ pwd⏎              ←── コマンドを入力します
/home/maltman       ←── 実行結果が表示されます（ユーザによって結果は異なる）
$                   ←── 次のコマンドが入力できます
```

上記の例では，なにやら文字が表示されました。このように，コマンドを入力することで，コンピュータに何かしらの動作を行わせることができます。

ログアウト

コンピュータ上での作業が終了したら，自分が利用をやめることをコンピュータに知らせなければいけません。ログインしたままコンピュータを放置しておくと，他人が自分のユーザ名でコンピュータを使えてしまうからです。

作業を終了し，コンピュータの利用を終える手続きを**ログアウト**といいます。ログアウトするには，図1-4のように通知エリアからログアウトを選択します。

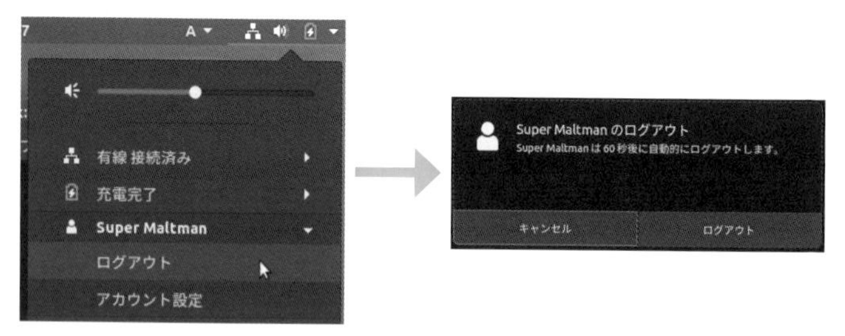

図1-4　通知エリアからログアウトの例

図1-4のようなGUIを使用していない環境では，画面上のプロンプトに対して，次のようにlogoutコマンドを入力することで，ログアウトできます。

```
$ logout⏎
```

シャットダウン

コンピュータの電源を落とすには，**シャットダウン**と呼ばれる操作が必要です。

ところが，個人で管理していないコンピュータ，すなわち会社や学校などで管理しているようなコンピュータでは一般のユーザがシャットダウンを行うことはできません。これは，正しい手順でシャットダウンを行わないとデータが破損したりほかのコンピュータにも影響を及ぼすことがあるためです。また，1台のコンピュータを複数のユーザが同時に使用している可能性もあることから，誰もが自由にシャットダウンを行うわけにはいかないという理由もあります。

しかし，ネットワーク上でほかのコンピュータから利用されるコンピュータ(サーバ）ではなく，個人的に利用しているコンピュータであれば，シャットダウンしても問題ないでしょう。GUIのデスクトップを利用できるのであれば，シャットダウンは図1-5のように，通知エリアから行うことができます。

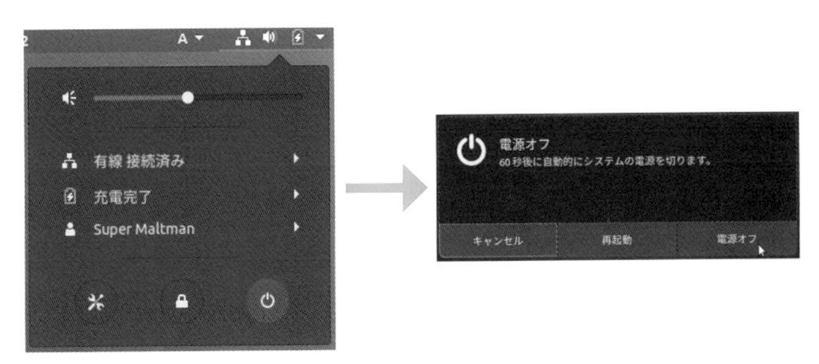

図1-5　通知エリアからシャットダウンする例

シャットダウンはコマンドでも可能です。そのためのshutdownコマンドは「システムを停止・再起動する」(p.266）で解説します。また，個人で管理していないコンピュータなどでは，shutdownコマンドの実行に**スーパーユーザ**（管理者）の権限が必要となる場合があります。suコマンドでスーパーユーザに変身したり，一般ユーザーのままsudoコマンドを使うことでスーパーユーザ権限でコマンドを実行できます。これらは「スーパーユーザに変身する」(p.246)，「別のユーザ権限でコマンドを実行する」(p.248）で詳しく解説します。

Column ●LinuxのGUI環境

LinuxなどのUNIX系OSで利用されているGUI環境（マウスやグラフィックスを使ってコンピュータを操作する環境）は**ウィンドウシステム**というプログラムがベースになっています。

ウィンドウシステムはGUIの基本的な機能を担当しています。Linuxのウィンドウシステムは，これまではX Window Systemが一般的でしたが，執筆時点ではその後継となるWaylandに変わりつつあります。一方，ウィンドウの見た目などを決めているのはウィンドウマネージャやグラフィカルシェルという別のプログラムです。これらのプログラムはデスクトップ環境という多くのプログラムの集まりのなかの1つとして利用されています。

デスクトップ環境にはGNOME，KDE，Xfceなどがあります。図1-2のデスクトップ画面は，GNOMEのグラフィカルシェルであるGNOME Shellがウィンドウシステムの上で動作しているものです。また，以下の図(a)のデスクトップ画面ではKDEのウィンドウマネージャKWinが動作しています。ほかにも，古くからあるウィンドウマネージャの1つとしては図(b)のAfterStepが挙げられます。

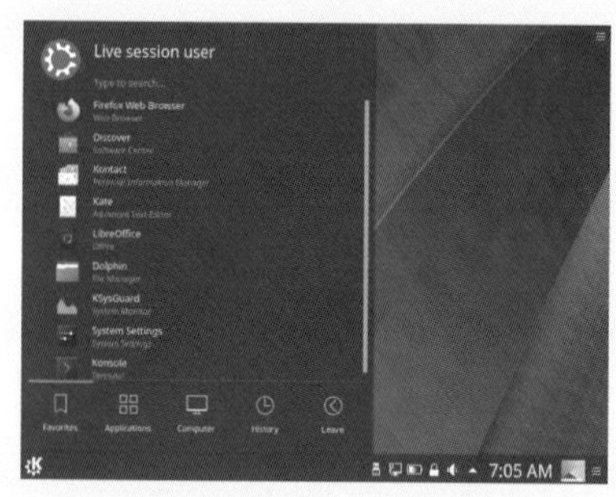

(a) KDE (KWin) の画面

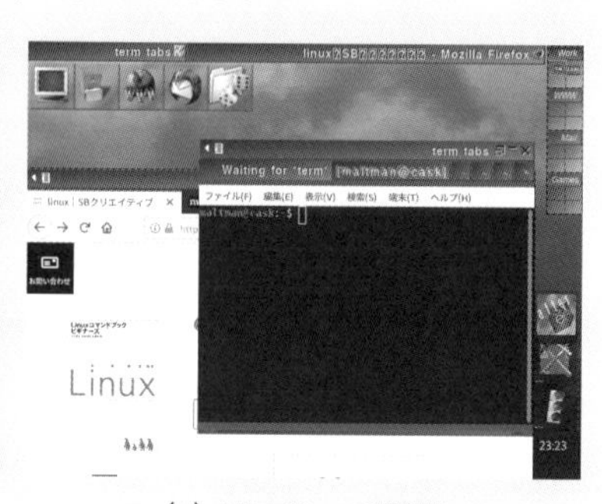

(b) AfterStepの画面

かつてはGUI環境はユーザ自身がxinitコマンドやstartxなどのコマンドで起動しなければ使えませんでした。最近のLinuxではインストール直後からウィンドウシステムが自動的に起動している場合がほとんどなので意識する機会は少ないですが，裏ではこのようなシステムが動いていることを知識として覚えておきましょう。

コマンドとオプション，引数(ひきすう)

ファイルやディレクトリの操作，アプリケーションの起動，システムの設定や情報の表示などといったほとんどの動作は，コマンド入力によって行うことができます。本書のメインテーマである「コマンド」についてもう少し詳しく解説します。

先ほど説明したように，コマンドはコンピュータに対する命令です。このコマンドは，単一の機能しか持っていないわけではなく，オプションや引数を与えることによってさまざまな操作を行うことができます。オプションや引数は，次のようにコマンドの後ろに並べることで指定します。

$ **コマンド［オプション〔引数〕］［オプション〔引数〕］…**

オプションとは，それぞれのコマンドが提供する付加的な機能を実行するものです。オプションを指定することでコマンドの実行を制御したり，結果の出力形式を変更することができます。多くの場合“-”（ハイフン）にアルファベットが続く形式で入力します。

引数とは，コマンドやオプションに対して渡すデータ（パラメータ）のようなものです。引数を指定することによって，ある入力値（引数）に対応する結果を得ることができます。

オプションや引数は，それぞれのコマンドによって指定できるものが異なります。また，オプションや引数がないコマンドもあります。逆に複数のオプションや引数を指定できるコマンドもあります。引数が複数ある場合，左から順に「第1引数」，「第2引数」……というように呼びます。

本書で最初に学ぶlsコマンドを使って具体的な例を示します。実行した結果がどうなるかは，ここでは考えなくてかまいません。

第2章から，さまざまなコマンドの使い方について，具体的なオプションや引数をまじえて，実践的に解説していきます。

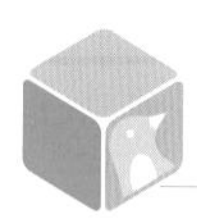

オンラインマニュアル

多くのコマンドには，オンラインマニュアルが用意されています。オンラインマニュアルを参照するには，次のようにmanコマンドに，引数として調べたいコマンド名を与えます。

```
$ man コマンド名
```

たとえば，lsというコマンドのオンラインマニュアルを参照するには，以下のように入力します。

```
$ man ls ⏎
```

すると，lsコマンドが提供する機能や使用方法の概要，および指定可能なオプションや引数の解説が画面に表示されます。

コマンドの用法を知りたい場合や，どのようなオプションや引数が指定できるのかを調べるには，このオンラインマニュアルを利用するとよいでしょう。

なお，オンラインマニュアルの参照を終了するには，[q]を入力します。manコマンドは，オンラインマニュアルの表示にlessコマンドやmoreコマンドなどのページャを利用します。これらの操作については第5章を参照してください。

また，多くのコマンドでは--helpオプションをつけて実行することで，簡単なヘルプを表示できます。こちらの方法も利用するとよいでしょう。

```
$ コマンド名 --help
```

たとえば，lsコマンドの簡易ヘルプを表示するには，以下のように入力します。

```
$ ls --help ⏎
```

ファイルとディレクトリの概念

ここでは，Linuxを活用してさまざまなデータを扱っていくうえで知っておく必要のある，ファイルとディレクトリの概念について説明します。

コンピュータ上で扱われるデータには，文書や画像，音声，電子メールなど，さまざまな種類があります。これらのデータは，コンピュータ上ではすべて**ファイル**という概念で扱われます。さまざまな形式のデータを別々のものとして扱わずに，ファイルという抽象的な，統一された概念で扱うことによって，これらのデータに対する基本的な操作（削除や移動など）を共通の方法で行うことが可能になっています。

通常，ファイルは内容や種類に応じて分類・整理してまとめておきます。こうしたファイルの置き場所のことを**ディレクトリ**といいます。ディレクトリは，ファイルをしまっておくための箱やフォルダにたとえられることが多いのですが，箱の中に箱をしまうといったことも可能で，実際に図1-6のように階層化されています。このような階層構造のことを，逆さになっている木のような形状から，**ツリー構造**といいます。そして，ツリー構造の一番根元に位置するディレクトリのことを**ルートディレクトリ**といいます。

ファイル内のデータの操作は，それぞれのデータ形式を扱うアプリケーションを用いて行いますが，ファイルそのものは各種のLinuxのコマンドを用いて扱います。ファイルやディレクトリを扱うためのコマンドは第2章で詳しく解説します。

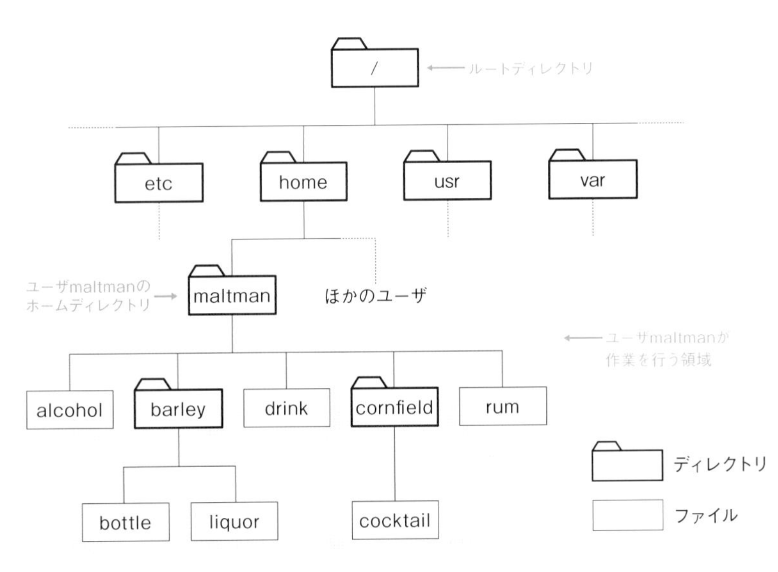

図1-6　ファイル，ディレクトリの概念図

ファイル，ディレクトリの位置

ユーザは，必ずツリー構造上のどこかのディレクトリにいます。とくに現在，ユーザ自身がいるディレクトリのことを**カレントディレクトリ**といいます。ログインした時点では，**ホームディレクトリ**と呼ばれる自分専用のディレクトリがカレントディレクトリとなります。ホームディレクトリでは，ファイルやディレクトリの作成，削除，移動などの操作を自由に行うことができ，通常の作業はこのディレクトリ，またはここよりも下の階層にあるディレクトリ（サブディレクトリ）で行います。

ユーザが直接操作することができるファイルまたはディレクトリは，カレントディレクトリにあるものだけです。したがって，カレントディレクトリ以外のディレクトリに存在するファイルやディレクトリを操作するには，次のいずれかの方法で行います。

(a) 操作の対象が存在するディレクトリに移動する
(b) 操作の対象を指定する際に，それらが存在するディレクトリも指定する

(a)，(b) のどちらの場合でも，対象となるファイルやディレクトリが存在する場所（ディレクトリ）を特定する必要があります。ある場所からある場所への経路のことを**パス**（path）といい，パスによってツリー構造上の位置を指定します。パスの指定には**絶対パス**と**相対パス**という2つの方法があります。

絶対パス

絶対パスは，ルートディレクトリから目的となるディレクトリへの経路を表します。したがって，カレントディレクトリがどこであろうと，あるファイルやディレクトリを指定するためのパスは同じになります。

それでは，この絶対パスを用いてファイルを指定する方法を見ていきましょう。まず，ルートディレクトリ自体の指定は，次のように表します。

```
/
```

ですから，図1-6のルートディレクトリにあるディレクトリusrは，

```
/usr                     ………図1-7①
```

のようにして表します。

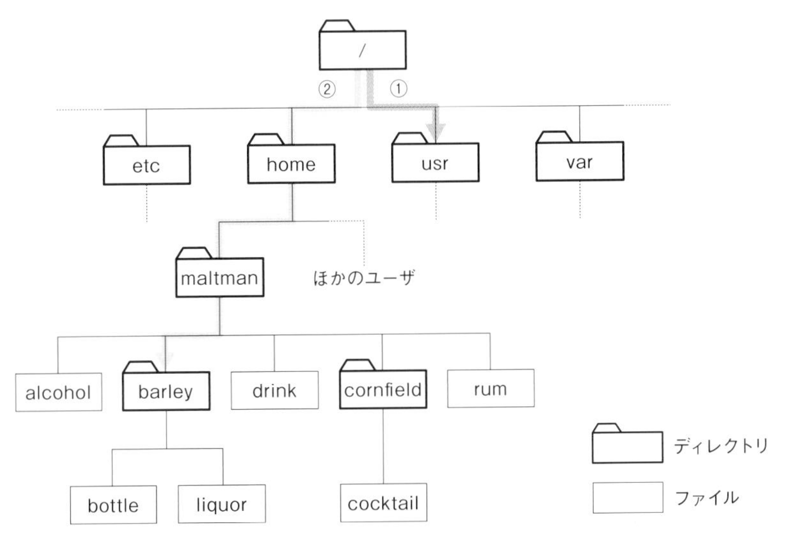

図1-7　絶対パスでの経路

今度は，図1-6におけるディレクトリbarleyを表してみましょう。

ルートディレクトリからたどると，図1-7②のようにディレクトリhomeの中のディレクトリmaltmanの中のディレクトリbarleyとなるので，次のように表します。

/home/maltman/barley　　………図1-7②

このように，ディレクトリの階層は“/”で区切って表記します。

また，上記のディレクトリbarley内のファイルbottleの指定は，次のようになります。

/home/maltman/barley/bottle

なお，各ユーザのホームディレクトリは，~maltmanのように“~”（チルダ）記号にユーザ名を続ける形式で表すこともできます。つまり，/home/maltmanと~maltmanは，どちらもユーザmaltmanのホームディレクトリを表します。単に~と指定すると，自分のホームディレクトリを表します。

相対パス

相対パスは，現在の自分の位置，すなわちカレントディレクトリから目的となるディレクトリへの経路を表します。したがって，カレントディレクトリが異なれば，目的のディレクトリは同じであっても，パスは異なります。

それでは，カレントディレクトリが/home/maltman/barleyであるときに，図1-6のディレクトリusrやファイルbottleを相対パスで指定してみましょう。

```
./../../../usr    ………①
./bottle          ………②
```

上記のたどった経路は，図1-8のようになります。

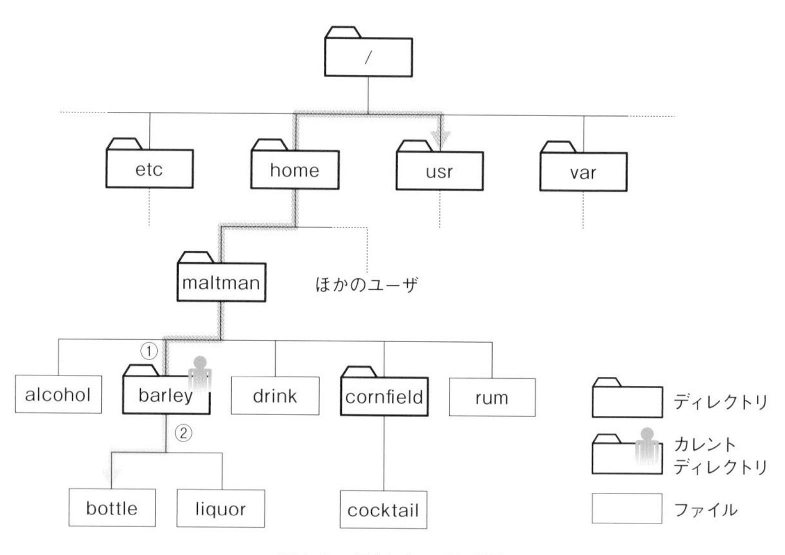

図1-8　相対パスでの経路

このように，相対パスによる経路の指定を行う際には，“.” や “..” という記号を用います。“.” はカレントディレクトリを表し，“..” は1段上の階層のディレクトリ（**親ディレクトリ**という）を表します（“./” は入力しなくてもかまいません）。

パス表記

パスの表記について，まとめてみましょう。

まず，パス表記形式については表1-1のようになります。

■表1-1　パス表記形式

パス表記例	意　味
/**ディレクトリ**/……/**ファイル**	絶対パス表記
./**ファイル**	相対パス表記
ファイル	相対パス表記から "./" を省略した表現

絶対パス表記は必ずルートディレクトリ / からはじまります。それに対して，相対パス表記はカレントディレクトリを基準としますので，"./" からはじまるか，もしくは "./" を省略した形式となります。

次に簡略化された表現を，表1-2にまとめます。

■表1-2　簡略化表現

表現例	意　味
.	カレントディレクトリ
..	親ディレクトリ
~	自分のホームディレクトリ
~**ユーザ名**	特定のユーザのホームディレクトリ

. はカレントディレクトリ，.. は親ディレクトリを表します。~ は自分のホームディレクトリを表し，~**ユーザ名**とすることで自分以外のユーザのホームディレクトリを表します。

たとえば，自分がユーザmaltmanで，カレントディレクトリがホームディレクトリmaltmanであるとします。このとき，ユーザmaltmanのホームディレクトリにあるalcoholというファイルを表すには，表1-3のようなさまざまな形式があります。コマンド入力の際には，どの形式を用いてもかまいません。

■表1-3　ファイルalcoholに対する表現

例	意　味
/home/maltman/alcohol	絶対パス表記
./alcohol	相対パス表記
alcohol	相対パス表記から，"./" を省略
~/alcohol	自分のホームディレクトリからの相対パス表記
~maltman/alcohol	特定のユーザのホームディレクトリからの相対パス表記

ユーザ，グループ，パーミッション

これまでに何度か述べましたが，Linuxをはじめとする UNIX 系の OS では，1つのコンピュータに複数の人が同時にログインして利用できます。このような OS では，誰がログインしているかや誰がどのファイルを読み書きできるかなどを管理しています。

OS は個々のユーザを**ユーザID**と呼ばれる数値で管理しています。しかし，管理者がそれぞれのユーザを数値で管理するのは大変です。そこで，ユーザIDとは別に**ユーザ名**（ユーザネーム，ログイン名，ログインネームなどとも呼ばれる）という文字列で，ユーザを管理できるようになっています。このようにコンピュータが管理しやすい番号を，人がわかりやすい文字列に置き換えることは，UNIX 系の OS ではよく使われる方法です。

また，何人かのユーザを**グループ**としてまとめて管理できます。代表的なグループには，users，adm などがあります。ユーザは必ずグループに所属することになっています。ユーザが主として所属するグループは**プライマリグループ**と呼ばれ，ユーザが新しく作ったファイルやディレクトリは，そのユーザのプライマリグループのものとして管理されます。さらに，1つのユーザが複数のグループに所属することもできます。グループにもユーザのときと同じように**グループID**という番号が割り振られています。

このように，複数のユーザが同時にコンピュータを利用できる Linux では，ファイルの管理に気をつけなければなりません。たとえば，すべてのユーザがコンピュータにあるすべてのファイルを読み書きできてしまうと，誤ってほかのユーザのファイルを削除してしまったり，メールの内容を勝手に見られたりといったトラブルを招きかねません。このような問題を回避するために，Linux ではひとつひとつのファイルやディレクトリに「読み込み権限」「書き込み権限」「実行権限」を設定できるようになっています。この設定を**パーミッション**（保護モード）といいます。パーミッションの読み込み，書き込み，実行の各権限は，「ファイルなどを所有しているユーザ（オーナといいます）」「1つのグループ」「ログインできるすべてのユーザ」のそれぞれに対して設定することができます。

ここまで述べたこと具体的に確認してみましょう。たとえば，表1-4に示すようなユーザとグループが存在するとします。ここで，ユーザ maltman がオーナでグループがusersのファイルbeer_recipeがあるとします。このファイルのパーミッションは，同じグループのユーザのみが読み込み可能で，オーナのみが書き込み可能になっているとします。このとき図1-9のように，ユーザmaltmanやグループusersに所属しているユーザmakerは，ファイルbeer_recipeを読むことができますが，グループusersに所属していないユーザwine-growerは読めません。また，オーナのユーザmaltmanはファイルbeer_recipeを編集することができますが，ユーザmakerやユーザwine-growerは書き込むことができません。

■表1-4　ユーザ，所属グループ，プライマリグループの例

ユーザ名	所属グループ	プライマリグループ
maltman	users	users
maker	users,winary	users
wine-grower	winary	winary

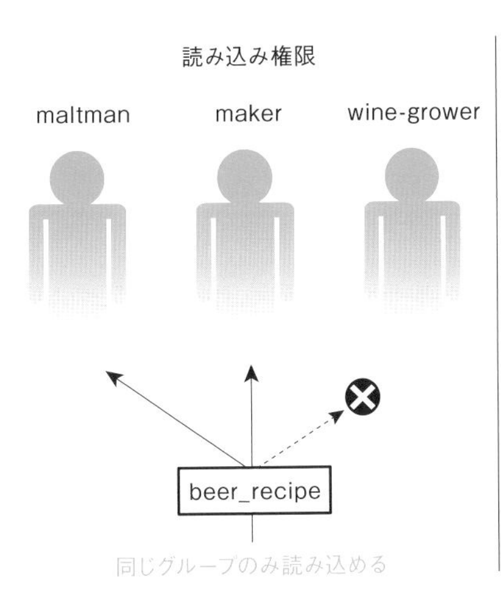

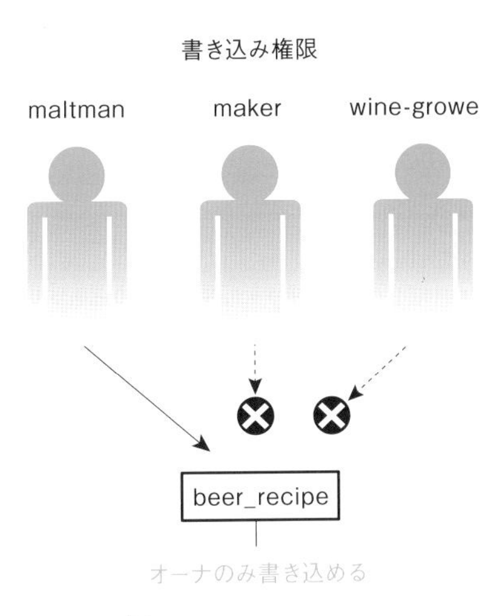

図1-9　パーミッションの例

ここで紹介したユーザ，グループ，パーミッションなどに関するコマンドは第5章と第8章で紹介します。

本書を読み進めるにあたって

本書では説明を具体的でわかりやすくするために“maltman”というユーザで実行例を示します。ユーザmaltmanにはユーザIDやユーザ名のほかにもグループやホームディレクトリなどの情報が決められています（表1-5）。また，maltmanはUbuntu 18.04 LTSがインストールされたcask.example.co.jpというコンピュータにログインして作業していることとします（表1-6）。本書を読み進めるにあたっては，こうしたユーザやコンピュータに固有の情報については読者各自の環境に合わせて置き換えてください。

■表1-5　ユーザmaltmanのプロパティ

ユーザ名	maltman
ユーザID	500
フルネーム	Super Maltman
ホームディレクトリ	/home/maltman
所属グループ	users
グループID	100
プライマリグループ	users

■表1-6　使用するコンピュータ

ホスト名	cask.example.co.jp
ディストリビューション	Ubuntu 18.04 LTS

さらに，ホームディレクトリのファイル構成もシンプルにしています。通常はホームディレクトリにさまざまなファイルやディレクトリが置かれていますが，本書では一部の設定ファイルのみが存在し，ディレクトリは1つもないことにしています。

ほかにも使用しているディストリビューションやバージョンの違いなど，環境によって，本書での例とは実行結果が異なることがあります。そのような場合でも，実行結果の大切なところは必ず解説していますので，あまり違いを気にせずに，自分の結果と比べながら読み進めてください。

第2章

★ ★

ファイルの操作

ファイル名を表示する

ls

ディレクトリ内にあるファイルやディレクトリを調べるには，lsコマンドを使います。

やってみよう

それでは試しに，ディレクトリ/varを表示してみましょう。

```
$ ls /var↵
backups  crash  local  log   metrics  run   spool
cache    lib    lock   mail  opt      snap  tmp
```

lsコマンドは，引数で指定されたディレクトリ内（引数がなければカレントディレクトリ内）に存在するファイルやディレクトリを，アルファベット順に表示します[†1]。

上記の例では，筆者の環境でのディレクトリ/varを表示しました。皆さんの環境では，この例とは異なるディレクトリ構成になっているかもしれませんが，気にする必要はありません。

もっとやってみよう

オプションなしでlsコマンドを実行すると，ファイルとディレクトリ，実行ファイルなどの区別がつきません。これらを区別したいときには，-Fオプションを使うと便利です。

```
$ ls -F /var↵
backups/  crash/  local/  log/   metrics/  run@   spool/
cache/    lib/    lock@   mail/  opt/      snap/  tmp/
  ↑               ↑
ディレクトリ       └シンボリックリンク
```

†1：オプションなしでlsを実行した場合，文字に色がついている場合があります。これは，「“ls”という入力を“ls --color=auto”とみなす」という設定がログイン時にされているからです（エイリアス，p.197）。このようなときには，コマンドの先頭に“\”（バックスラッシュ）をつけて，“\ls”のように入力することで，純粋に“ls”を実行したときの結果が得られます。ほかのコマンドでも同様な場合がありますので，ご注意ください。

lsコマンドに-Fオプションをつけて実行すると，分類記号が付加されるので見やすくなります。

付加される分類記号はいろいろありますが，次の3種類が代表的です。

■表2-1　-Fオプションによって付加される分類記号

記号	意　味
/	ディレクトリ
@	シンボリックリンク (p.163)
*	実行可能ファイル (p.152)

またlsコマンドは，通常では"."（ドット）ではじまるファイルやディレクトリ（以降，本書ではドットファイルと呼ぶ）を表示しません。ドットファイルを表示するには，-aオプションをつけて実行します。試しに，-aオプションを使ってカレントディレクトリ（図2-1）を表示してみましょう。

```
$ ls↵  ←── ドットファイルは表示されません
$ ls -aF↵
./   ../  .bash_logout   .bashrc   .profile
↑    ↑
│    └─親ディレクトリ
└─カレントディレクトリ
```

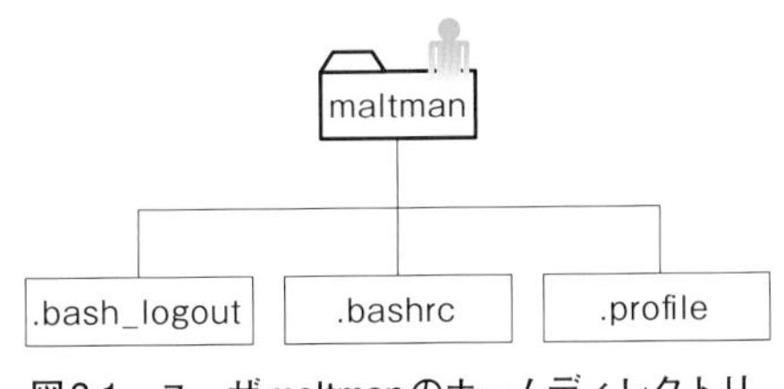

図2-1　ユーザmaltmanのホームディレクトリ

上記の例では，ユーザは自分のホームディレクトリにいるので，引数なしのlsコマンドの実行により，ホームディレクトリ内のファイルとディレクトリを表示したことになります。-aオプションをつけて実行することによってドットファイルが表示されました。

ここで，ディレクトリ“.”はカレントディレクトリを表し，ディレクトリ“..”は親ディレクトリを表します。

.bash_logout，.bashrc，.profileなどのドットファイルはプログラムの開始時などに読み込まれる設定が書かれた重要なファイルです。そのため，誤ってアクセスされることがないように通常は表示されないようになっています。ここで挙げた3つのファイルはbashというプログラムの設定ファイルで，第7章で詳しく説明します。また，ホームディレクトリにはこれら以外にもさまざまなプログラム用のドットファイルがありますが，読者の環境によって大きく異なるため，本書では取り上げません。

さらに各ファイル（ディレクトリ）の細かい情報を表示するには，-lオプションをつけて実行します。

```
$ ls -al↵
合計 136
drwxr-xr-x 18 maltman users 4096 11月 11 09:38 .
drwxr-xr-x  3 root    root  4096 10月  3 19:08 ..
-rw-r--r--  1 maltman users  220 10月  3 19:08 .bash_logout
-rw-r--r--  1 maltman users 3637 10月  3 19:08 .bashrc
-rw-r--r--  1 maltman users  675 10月  3 19:08 .profile
```

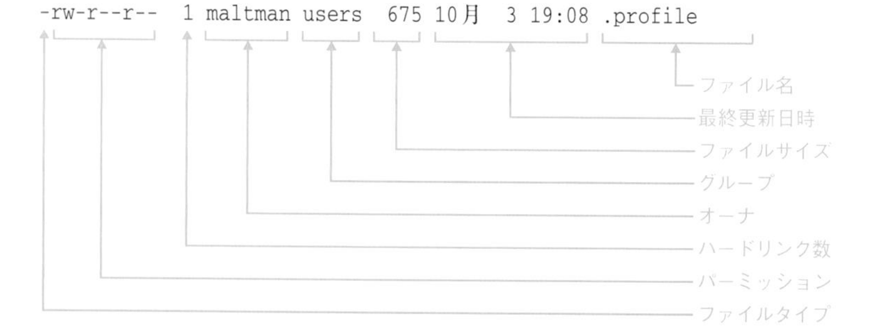

表示される各フィールドの内容は，上記のとおりです。なお，ファイルタイプには代表的なものとして，“d”（ディレクトリ），“l”（シンボリックリンク），“-”（通常のファイル）があります。

また，ほかのフィールドの詳しい解説は，ハードリンクについては「ファイルに別名をつける」（p.164）で，パーミッションについては「ファイルのパーミッションを変更する」（p.152）で，オーナとグループについては「ファイルの所有者や所属グループを変更する」（p.150）で行います。

書式

ls [オプション] [ディレクトリ〔ファイル〕...]

パス：/usr/bin/ls

●主なオプション

-a	通常のファイル(ディレクトリ)のほかにドットファイルも含めて表示します。
-d	ディレクトリを引数としたとき，中身を表示するのではなくほかのファイルと同じようにディレクトリ名を表示します。
-F	分類記号(表2-1，p.35)を付加して表示します。
-l (エル)	最終更新日時やファイル(ディレクトリ)のオーナ，パーミッションなどを表示します。
-t	ファイル(ディレクトリ)をアルファベット順ではなく，最終更新日時に従って最近更新された順に並べます。
-R	サブディレクトリ内のファイル(ディレクトリ)もすべて表示します。
-h	-lオプションと同時に指定すると，ファイルサイズが大きい場合にK(キロ)，M(メガ)，G(ギガ)などの適当な単位をつけてサイズを表示します。
-1 (いち)	1行に1つのエントリを表示します。
--color=auto	ファイルやディレクトリを種類ごとに異なる色で表示します。

●使用例

- カレントディレクトリ内のファイルを表示します。

```
$ ls
```

- ディレクトリdir内のファイルを表示します。

```
$ ls dir
```

- ディレクトリdir内のファイルの詳しい情報を表示します。

```
$ ls -l dir
```

- カレントディレクトリ内のファイルを，分類記号つきで表示します。

```
$ ls -F
```

- カレントディレクトリ内のファイルを，ドットファイルも含めて表示します。

```
$ ls -a
```

ディレクトリを作成する

mkdir

ディレクトリを作るには，mkdirコマンドを使います。

やってみよう

カレントディレクトリにmaltという名前のディレクトリを作成してみましょう。

```
$ ls -F⏎          ←——何も表示されないので，カレントディレクトリはからっぽです
$ mkdir malt⏎
$ ls -F⏎
malt/
```

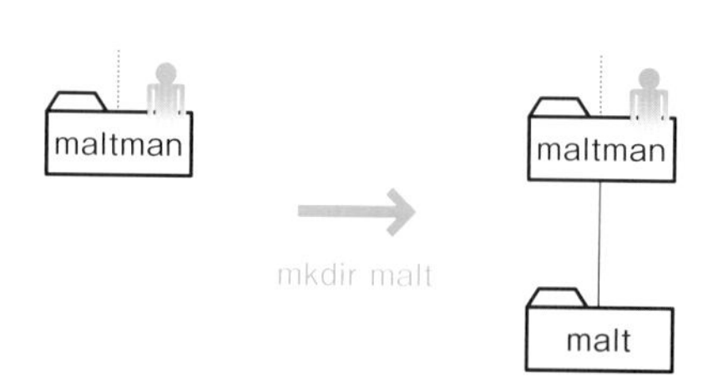

図2-2　カレントディレクトリにディレクトリを作る

mkdirコマンドは引数に指定した名前のディレクトリを作成します。

もっとやってみよう

次は，一度に複数のディレクトリを作ってみましょう。

```
$ ls -F⏎
malt/
$ mkdir barley wheat⏎
$ ls -lF⏎
合計 12
drwxr-xr-x 2 maltman users 4096 11月 11 10:23 barley/
drwxr-xr-x 2 maltman users 4096 11月 11 10:22 malt/
drwxr-xr-x 2 maltman users 4096 11月 11 10:23 wheat/
```

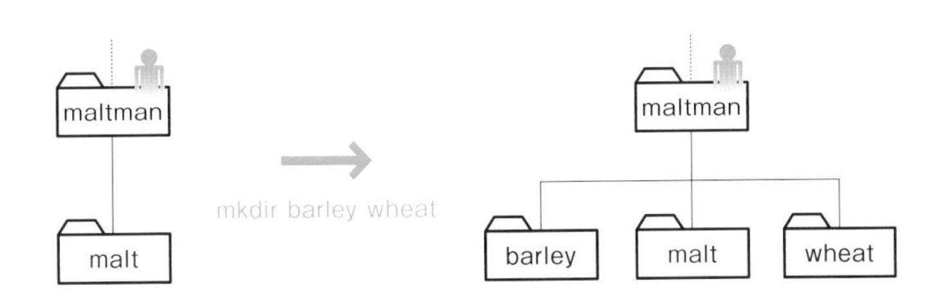

図2-3　一度に複数のディレクトリを作る

上記のようにmkdirコマンドに複数の引数を指定することで，一度に複数のディレクトリを作成することができます。

書式

mkdir［オプション］ディレクトリ...

パス：/usr/bin/mkdir

●主なオプション

-m *mode*	作成するディレクトリのパーミッションを*mode*で指定した値にします（*mode*の値についてはchmodコマンド，p.152)。
-p	引数に指定したディレクトリのパスが存在しない場合，その中間ディレクトリも含めて新たにディレクトリを作成します。

●使用例

・ディレクトリdirを作成します。

```
$ mkdir dir
```

・複数のディレクトリdir1，dir2，dir3をまとめて作成します。

```
$ mkdir dir1 dir2 dir3
```

・カレントディレクトリにディレクトリdir1がないとき，dir1とそのサブディレクトリdir2を同時に作成します。

```
$ mkdir -p dir1/dir2
```

ファイルの内容を表示する

cat

テキストファイルの内容を表示するには，catコマンドを使います。

やってみよう

ホームディレクトリには，まだ内容を表示するのに適したファイルがありません。そこで，まずエディタを使って，次の内容のテキストファイルを作ってみてください[†2]。

●ファイルliquor●

```
Language is a type of communication protocol that emerges and
develops through a self-organizing process in a multi-agent
environment. In this paper, using a language game model, we observe
```

ホームディレクトリにファイルliquorを作成したら，その内容を表示してみましょう。

```
$ ls -F⏎
barley/  liquor   malt/    wheat/
$ cat liquor⏎
Language is a type of communication protocol that emerges and
develops through a self-organizing process in a multi-agent
environment. In this paper, using a language game model, we observe
```

catコマンドは引数で指定したファイルの内容を表示します。また，引数が指定されていないときには，標準入力（p.172）から読み込んだ内容を表示します。

---

†2：このファイルの内容はあくまでも例です。まったく同じにする必要はありません。また，Linuxにはさまざまなテキストエディタがあります。伝統的なものはemacs（p.370）やvim（p.378）ですが，キーボードだけで操作できるように作られているのでわかりづらいと感じるかもしれません。GUIが動いていれば，geditという操作がわかりやすいエディタを起動できます。それぞれのエディタはvim，emacs，geditというコマンドで起動できます。

もっとやってみよう

catコマンドでは引数を複数個指定することができます。前述の例と同様に，エディタを使って次の内容のファイルcocktailを作ったとします。

● ファイルcocktail ●

```
and discuss such dynamic properties of languages among
communicative agents. We regard language simply as combinations of
"words" (symbols) and "meanings" (semantics), namely vocabularies.
```

ファイルliquorに続けてファイルcocktailを一度に表示してみましょう。

```
$ ls -F↵
barley/   cocktail  liquor    malt/     wheat/
$ cat liquor cocktail↵
Language is a type of communication protocol that emerges and
develops through a self-organizing process in a multi-agent
environment. In this paper, using a language game model, we observe
and discuss such dynamic properties of languages among
communicative agents. We regard language simply as combinations of
"words" (symbols) and "meanings" (semantics), namely vocabularies.
```

上記のように，引数に複数のファイル名を指定すると，指定したファイルの内容がつながって表示されます。“*con*cat*enate*” がcatコマンドの名前の由来ですが，その名のとおりファイルを「連結」できるというわけです。

書式

cat［オプション］［ファイル...］

パス：/usr/bin/cat

●主なオプション

-n	表示する内容に行番号をつけます。
-b	-nオプションと同様に行番号をつけますが，空行をカウントしません。
-A	すべての制御文字を表示します。

●使用例

- ファイルfile1の内容を表示します。

```
$ cat file1
```

- ファイルfile1，file2，file3をつなげて表示します。

```
$ cat file1 file2 file3
```

- リダイレクト（p.174）を利用して，ファイルfile1とファイルfile2を連結してfile3に保存します。

```
$ cat file1 file2 > file3
```

- 標準入力（p.172）から入力された内容をファイルfile1に書き込みます。

```
$ cat > file1
  ←── 書き込みたい内容を記述します
Ctrl + d        ←── 入力を終了します
```

ファイルをコピーする

cp

ファイルをコピーするには，cpコマンドを使います。

やってみよう

カレントディレクトリにあるファイルcocktailを，ディレクトリwheatにコピーしてみましょう。

```
$ ls -F↵
barley/    cocktail   liquor     malt/      wheat/
$ ls -F wheat↵  ←——ディレクトリwheatはからっぽなので，何も表示されません
$ cp cocktail wheat↵
$ ls -F↵
barley/    cocktail   liquor     malt/      wheat/
$ ls -F wheat↵
cocktail
```

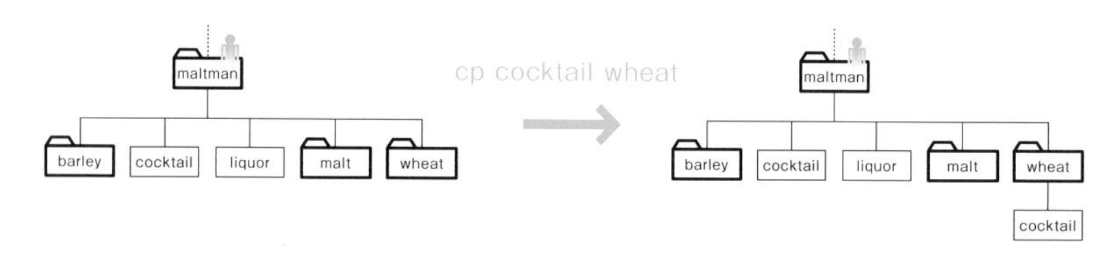

図2-4　ファイルcocktailをディレクトリwheatにコピー

cpコマンドは，第1引数で指定されたファイルを，第2引数で指定されたディレクトリにコピーします。

もっとやってみよう

複数のファイルを一括して，ディレクトリにコピーすることもできます。今度は，カレントディレクトリにあるファイルliquorとファイルcocktailを，ディレクトリmaltにコピーしてみましょう。

```
$ ls -F⏎
barley/   cocktail  liquor    malt/     wheat/
$ ls -F malt⏎  ←ディレクトリmaltはからっぽなので，何も表示されません
$ cp liquor cocktail malt⏎
$ ls -F malt⏎
cocktail  liquor
```

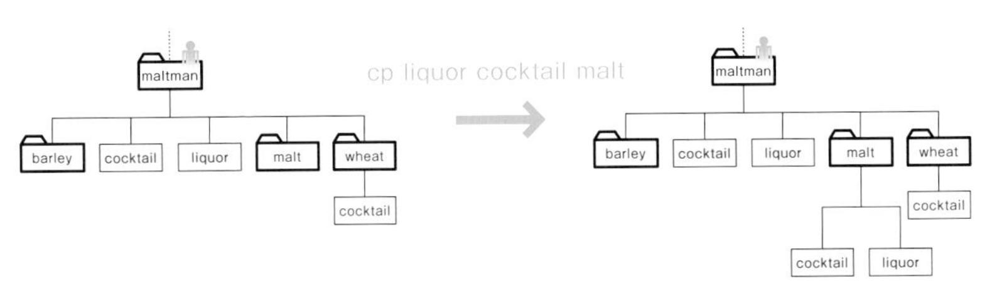

図2-5　複数のファイルを一括してコピー

上記のようにcpコマンドで引数が3つ以上の場合には，最後の引数で指定されたディレクトリに，前の引数で指定されたすべてのファイルをコピーします。

また，誤って上書きコピーしてしまうのを防ぐには，-iオプションを使います。先ほどファイルliquorをコピーしたディレクトリmaltに，再びファイルliquorをコピーしてみましょう。

```
$ ls -F⏎
barley/   cocktail  liquor    malt/     wheat/
$ ls -l malt⏎
合計 8
-rw-r--r-- 1 maltman users 189 11月 12 03:37 cocktail
-rw-r--r-- 1 maltman users 190 11月 12 03:37 liquor
$ cp -i liquor malt⏎
cp: 'malt/liquor' を上書きしますか? n⏎
$ ls -l malt⏎         ↑本当に上書きしてよいか聞いてきますので，
合計 8                  ここでは“n”(Noの意味)を入力しましょう
-rw-r--r-- 1 maltman users 189 11月 12 03:37 cocktail
-rw-r--r-- 1 maltman users 190 11月 12 03:37 liquor
                               └─────────┘
                                    ↑
     日時が変わっていないので，上書き─┘
     されていないことがわかります
```

```
$ cp liquor malt ⏎
$ ls -l malt ⏎
合計 8
-rw-r--r-- 1 maltman users 189 11月 12 03:37 cocktail
-rw-r--r-- 1 maltman users 190 11月 12 03:41 liquor
```

上書きされて，日時が新しくなっています

-iオプションを指定すると，上書きの際に本当に上書きしてよいかどうかを確認するメッセージが表示されます。誤って上書きしようとしている場合にはキャンセルすることができます。cpコマンドが上書きの確認をしてきたら，“y”または“n”を入力して⏎を押します。“y”はYesの意味で上書きを実行しますが，“n”はNoの意味なので上書きを行いません。cpコマンドを実行する際には，安全のために，常に-iオプションをつけることをお勧めします。

ディレクトリをまるごとコピーする場合は-rオプションを使います。cpコマンドをオプションなしで実行した場合，ディレクトリはコピーの対象になりません。

それでは，例としてディレクトリbarleyをディレクトリmaltにコピーしてみましょう。

```
$ ls -F ⏎
barley/   cocktail   liquor    malt/    wheat/
$ ls -F malt ⏎
cocktail   liquor
$ cp barley malt ⏎
cp: -r not specified; omitting directory 'barley'  ←ディレクトリはコピーできないというエラーです
$ ls -F malt ⏎
cocktail   liquor  ←ディレクトリbarleyはコピーされていません
$ cp -r barley malt ⏎
$ ls -F malt ⏎
barley/   cocktail   liquor  ←-rオプションにより，ディレクトリbarleyがディレクトリmaltにコピーされました
```

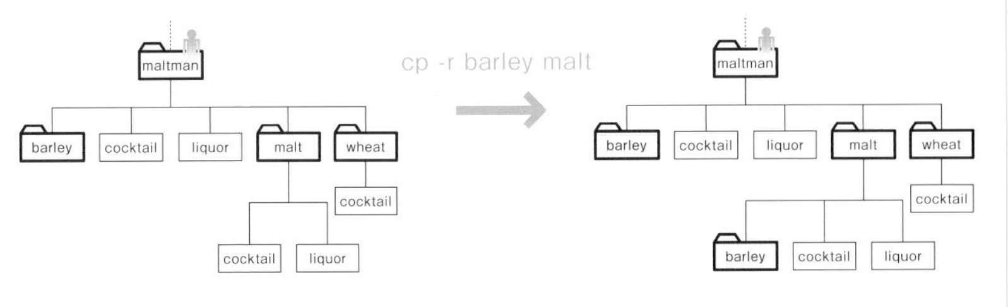

図2-6　ディレクトリをまるごとコピー

この例を見るとわかるように，オプションなしではディレクトリ barley はコピーされませんでしたが，-r オプションを使えばきちんとディレクトリがコピーされます。このように，-r オプションによりディレクトリごと（中にディレクトリやファイルがあるときは，それもすべて）コピーすることができます。

なお，違う名前でコピーすることもできますが，その方法は「ファイル名を変更する」(p.55) で紹介します。

書式

cp［オプション］コピー元ファイル〔ディレクトリ〕... コピー先ディレクトリ

パス：/usr/bin/cp

●主なオプション

-i	同名のファイルが存在する場合には，上書きするかどうかをユーザに確認します。
-f	-iオプションとは逆に，ユーザに確認せずにすべての上書きを行います。
-r	ディレクトリごとコピーします。
-d	シンボリックリンクとハードリンクを，そのままリンクとしてコピーします。
-p	日付，フラグなどのファイル情報をできる限りそのままにコピーします。
-v	コピー元ファイルとコピー先ファイルの名前を表示します。
-a	コピー元ファイルの構成と属性を可能な限り保持してコピーします。
-u	同名のファイルが存在する場合には，コピー元ファイルのほうがコピー先ファイルよりも新しいときにだけコピーします。

●使用例

- ファイルfileをディレクトリdirにコピーします。

```
$ cp file dir
```

- ファイルfile1，file2，file3を，まとめてディレクトリdirにコピーします。

```
$ cp file1 file2 file3 dir
```

- ディレクトリdir1をまるごとディレクトリdirにコピーします。

```
$ cp -r dir1 dir
```

●よく使うエイリアス

```
cp -i
```

ファイルを移動する

mv

ファイル（ディレクトリ）を移動するには，mvコマンドを使います。コマンドの書式はcpコマンドとほぼ同じです。

やってみよう

カレントディレクトリにあるファイルcocktailを，ディレクトリbarleyに移動してみましょう。

```
$ ls -F↵
barley/   cocktail  liquor    malt/     wheat/
$ ls -F barley↵     ←何も表示されないので，ディレクトリbarleyはからっぽです
$ mv cocktail barley↵
$ ls -F↵
barley/  liquor    malt/     wheat/  ←ファイルcocktailがなくなっています
$ ls -F barley↵
cocktail            ←ファイルcocktailはディレクトリbarleyに移動しました
```

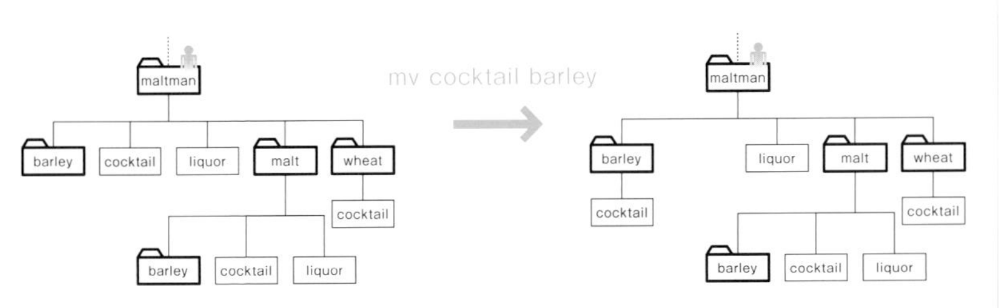

図2-7　ファイルcocktailを，ディレクトリbarleyに移動

mvコマンドの書式はcpコマンドと似ており，第1引数で指定したファイル（ディレクトリ）を第2引数で指定したディレクトリに移動します。ただしcpコマンドと違い，コピーではなく移動なので，移動元のファイルcocktailがカレントディレクトリからなくなっていることに注意してください。

もっとやってみよう

複数のファイルを一括して移動することもできます。今度は，カレントディレクトリにあるファイルliquorとディレクトリmaltを，ディレクトリbarleyに移動してみましょう。

```
$ ls -F
barley/  liquor   malt/    wheat/
$ ls -F barley
cocktail
$ mv liquor malt barley
$ ls -F
barley/  wheat/
$ ls -F barley
cocktail  liquor    malt/
```

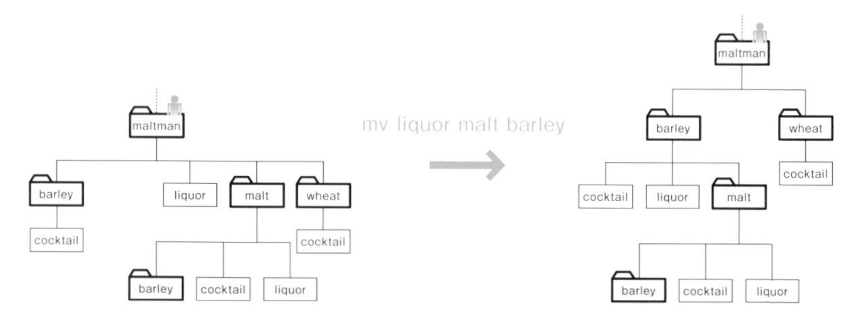

図2-8　複数のファイルを一括して移動

引数を3つ以上指定した場合は，最後の引数で指定したディレクトリに，前の引数で指定したファイル（ディレクトリ）をすべて移動します。

ところで，cpコマンドの場合はディレクトリをコピーする際にはオプションを指定する必要がありましたが，mvコマンドではオプションを指定しなくてもディレクトリを移動できます。

また，mvコマンドではcpコマンドと同様，誤った上書きを防ぐために-iオプションを使えます。

ディレクトリbarleyにあるファイルcocktailをカレントディレクトリにコピーし，その上にさらにファイルcocktailを移動（上書き）してみましょう。

```
$ ls -F↵
barley/  wheat/
$ ls -F barley↵
cocktail  liquor   malt/
$ cp barley/cocktail .↵  ←── "." はカレントディレクトリを表します
$ ls -F↵
barley/   cocktail  wheat/
$ mv -i barley/cocktail .↵
mv: './cocktail' を上書きしますか？ n↵
                                 └上書きしてよいか確認してきます
$ ls -F barley↵
cocktail  liquor   malt/  ←── "n" を選択したのでファイルcocktailは残っています
$ mv barley/cocktail .↵
$ ls -F barley↵
liquor  malt/     ←── ファイルcocktailは移動したので，なくなっています
$ ls -F↵
barley/   cocktail  wheat/
```

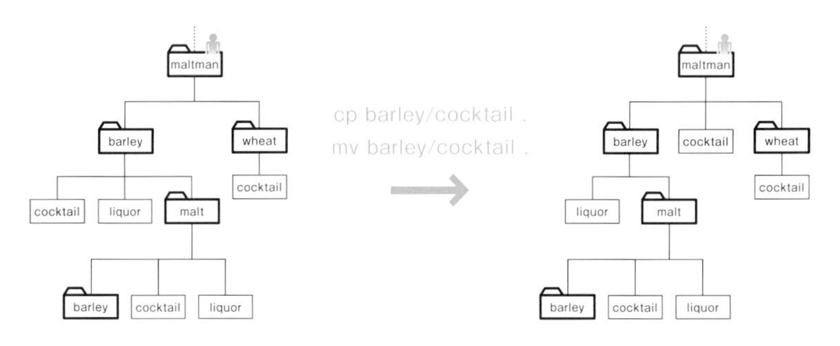

図2-9　ファイルcocktailの上書き移動

-iオプションによる上書き確認はcpコマンドとまったく同じです。

上記の例を見ると，-iオプションなしでmvコマンドを実行すると，ファイルcocktailが自動的に上書き移動されてしまうことがわかります。

書式

mv［オプション］移動元ファイル〔ディレクトリ〕... 移動先ディレクトリ

パス：/usr/bin/mv

●主なオプション

-i	同名のファイルが存在する場合には，上書きするかどうかをユーザに確認します。
-f	-iオプションとは逆に，ユーザに確認せずにすべての上書きを行います。
-v	移動元ファイルと，移動先や変更後ファイルの名前を表示します。
-b	ファイルを上書きする場合には，ファイル名の末尾に"~"（チルダ）がついたファイル名でバックアップを作成します。
-u	同名のファイルが存在する場合には，移動元ファイルのほうが移動先ファイルよりも新しいときにだけ移動します。

●使用例

・ファイルfileをディレクトリdirに移動します。

```
$ mv file dir
```

・ファイルfile1，file2，ディレクトリdir1を，まとめてディレクトリdirに移動します。

```
$ mv file1 file2 dir1 dir
```

● よく使うエイリアス

```
mv -i
```

ファイル名を変更する

mv, cp

ファイル名（ディレクトリ名）を変更するには，mvコマンドを使います。mvコマンドはファイルの移動に加え，ファイル名（ディレクトリ名）を変更することができます。

やってみよう

カレントディレクトリにあるファイルcocktailを“rum”という名前に変更してみましょう。

```
$ ls -F
barley/   cocktail  wheat/
$ cat cocktail
and discuss such dynamic properties of languages among
communicative agents. We regard language simply as combinations of
"words" (symbols) and "meanings" (semantics), namely vocabularies.
$ mv cocktail rum
$ ls -F
barley/  rum      wheat/  ←── ファイルcocktailが“rum”という名前に変わりました
$ cat rum                 ←── ファイルの内容はcocktailのときと同じです
and discuss such dynamic properties of languages among
communicative agents. We regard language simply as combinations of
"words" (symbols) and "meanings" (semantics), namely vocabularies.
```

図2-10　ファイル名の変更

名前を変更するには，mvコマンドの第1引数に変更元ファイル（ディレクトリ）を，第2引数に変更後の名前を指定します。

この例を見ると，ファイルcocktailのcatコマンドの実行結果とファイルrumのcatコマンドの実行結果が同じになりましたので，単にファイルの名前が変わっただけということがわかります。

同様にディレクトリ名も変更できます。カレントディレクトリにあるディレクトリwheatを“cornfield”という名前に変更してみましょう。

```
$ ls -F↵
barley/   rum        wheat/
$ ls -F wheat↵
cocktail
$ mv wheat cornfield↵
$ ls -F↵
barley/      cornfield/   rum      ←ディレクトリwheatが“cornfield”という名前
$ ls -F cornfield↵                   に変わりました
cocktail                           ←ディレクトリの内容はwheatのときと同じです
```

図2-11　ディレクトリ名の変更

この例では，ディレクトリwheatのlsコマンド結果とディレクトリcornfieldのlsコマンド結果が同じですので，単にディレクトリの名前が変わっただけということがわかります。

もっとやってみよう

cpコマンドを使って，ファイルやディレクトリを，元とは違う名前でコピーすることもできます。ディレクトリcornfield内のファイルcocktailを，カレントディレクトリに“alcohol”という名前でコピーしてみましょう。

```
$ ls -F⏎
barley/     cornfield/  rum
$ ls -F cornfield⏎
cocktail
$ cat cornfield/cocktail⏎
and discuss such dynamic properties of languages among
communicative agents. We regard language simply as combinations of
"words" (symbols) and "meanings" (semantics), namely vocabularies.
$ cp cornfield/cocktail ./alcohol⏎          ← ディレクトリ . はカレント
                                                ディレクトリを表します
$ ls -F⏎
alcohol     barley/     cornfield/  rum     ← カレントディレクトリに
                                                ファイルalcoholが増えました
$ cat alcohol⏎
and discuss such dynamic properties of languages among
communicative agents. We regard language simply as combinations of
"words" (symbols) and "meanings" (semantics), namely vocabularies.
```

図2-12　コピーと同時に名前を変更

上記のように，cpコマンドの第2引数にディレクトリ名でなくファイル名を指定することにより，元のファイルとは別の名前のコピーを作成することができます。ここでは，さらにファイルcocktailとファイルalcoholに対してcatコマンドを実行し，内容が一致していることを確認しました。

また，mvコマンドもcpコマンドと同様に，移動と同時に移動先ファイル名を変更することができます。mvコマンドを使って，ディレクトリbarleyにあるファイルliquorを，カレントディレクトリに“drink”という名前で移動してみましょう。

```
$ ls -F⏎
alcohol     barley/     cornfield/  rum
$ ls -F barley⏎
liquor    malt/
$ cat barley/liquor⏎
Language is a type of communication protocol that emerges and
develops through a self-organizing process in a multi-agent
environment. In this paper, using a language game model, we observe
$ mv barley/liquor ./drink⏎
$ ls -F⏎                                  ┌─カレントディレクトリに
                                          ↓ ファイルdrinkが増えました
alcohol     barley/     cornfield/  drink       rum
$ ls -F barley⏎
malt/    ←──ディレクトリbarleyからは，ファイルliquorがなくなっています
$ cat drink⏎     ←──ファイルdrinkの内容は，元のファイルliquorと同じです
Language is a type of communication protocol that emerges and
develops through a self-organizing process in a multi-agent
environment. In this paper, using a language game model, we observe
```

図2-13　移動と同時に名前を変更

上記の例からわかるように，先ほどのcpコマンドの例と同様，mvコマンドでも第2引数に移動先としてファイル名を指定すると，ファイルの移動と同時に名前を変更できます。

書式

mv ［オプション］ 変更元ファイル〔ディレクトリ〕
　移動先ファイル名〔ディレクトリ名〕
cp ［オプション］ 変更元ファイル〔ディレクトリ〕
　コピー先ファイル名〔ディレクトリ名〕

パス：/usr/bin/mv，/usr/bin/cp

●主なオプション

共通

-i　同名のファイルが存在する場合には，上書きするかどうかをユーザに確認します。

-f　-iオプションとは逆に，ユーザに確認せずにすべての上書きを行います。

cpコマンド

-r　ディレクトリごとコピーします。

-p　日付，フラグなどのファイル情報をできる限りそのままにコピーします。

●使用例

・ファイルfile1の名前をfile2に変更します。

```
$ mv file1 file2
```

・ディレクトリdir1にあるファイルfile1を，ディレクトリdir2に移動すると同時に，名前をfile2に変更します。

```
$ mv dir1/file1 dir2/file2
```

・ディレクトリdir1にあるファイルfile1を，ディレクトリdir2にコピーすると同時に，名前をfile2に変更します。

```
$ cp dir1/file1 dir2/file2
```

●よく使うエイリアス

```
mv -i
cp -i
```

ファイルを削除する

rm

ファイルを削除するには，rmコマンドを使います。

やってみよう

カレントディレクトリにあるファイルalcoholを削除してみましょう。

```
$ ls -F
alcohol    barley/    cornfield/  drink    rum
$ rm alcohol
$ ls -F
barley/    cornfield/  drink    rum
```

図2-14　ファイルの削除

上記のように，rmコマンドは引数で指定したファイルを削除します。

もっとやってみよう

今度はカレントディレクトリのファイルdrink，rumをまとめて削除してみましょう。

```
$ ls -F
barley/    cornfield/  drink    rum
$ rm drink rum
$ ls -F
barley/    cornfield/
```

図2-15　ファイルをまとめて削除

上記のように，rmコマンドの引数には削除したいファイルを複数個指定できます。

また，cpコマンドやmvコマンド同様に，rmコマンドでも-iオプションをつけることで，削除するときに確認することができます。ディレクトリbarleyからファイルcocktailをカレントディレクトリにコピーして，試してみましょう。

```
$ ls -F↵
barley/     cornfield/
$ ls -F cornfield↵
cocktail
$ cp cornfield/cocktail .↵
$ ls -F↵
barley/     cocktail    cornfield/
$ rm -i cocktail↵
rm: 通常ファイル 'cocktail' を削除しますか? y↵  ←本当に削除してよいか確認してきます。ここでは“y”を選択します
$ ls -F↵
barley/     cornfield/
```

上記の例を見るとわかるように，-iオプションをつけると，ファイルcocktailを削除する際に確認を求めてきます。ここでは確認時に“y”を選択したため，ファイルは削除されました。

一度削除したファイルは二度と戻ってきませんので，cpコマンドやmvコマンドと同様に，rmコマンドでも常に-iオプションをつけて実行することをお勧めします。

書式

rm［オプション］ファイル...

パス：/usr/bin/rm

●主なオプション

-i	削除するかどうかをユーザに確認します。
-f	-iオプションとは逆に，ユーザに確認せずにすべて削除します。

●使用例

・ファイルfileを削除します。

```
$ rm file
```

・ファイルfile1，file2，file3をまとめて削除します。

```
$ rm file1 file2 file3
```

●よく使うエイリアス

```
rm -i
```

ファイルの日付を変更する

touch

ファイル（ディレクトリ）の最終更新日時を変更するには，touchコマンドを使います。**最終更新日時**とは，そのファイルを一番最後に変更した日時のことです。

やってみよう

それでは，カレントディレクトリにあるディレクトリcornfieldの最終更新日時を現在の時刻に変えてみましょう。

```
$ ls -lF
合計 8
drwxr-xr-x 3 maltman users 4096 11月 12 03:55 barley/
drwxr-xr-x 2 maltman users 4096 11月 12 03:36 cornfield/
$ date
2019年 11月 12日 火曜日 21:27:06 JST
$ touch cornfield
$ ls -lF
合計 8
drwxr-xr-x 3 maltman users 4096 11月 12 03:55 barley/
drwxr-xr-x 2 maltman users 4096 11月 12 21:27 cornfield/
```

変更前の日時

dateコマンド（p.110）は現在時刻を表示

現在の日時に変わります

オプションをつけないでtouchコマンドを実行すると，引数で指定したファイル（ディレクトリ）の最終更新日時を現在時刻に設定します（網掛け部分）。

もっとやってみよう

今度は，現在時刻でなく任意の日時に変えてみましょう。

```
$ ls -lF
合計 8
drwxr-xr-x 3 maltman users 4096 11月 12 03:55 barley/
drwxr-xr-x 2 maltman users 4096 11月 12 21:27 cornfield
```

```
$ touch -t 201911010203 cornfield↵
$ ls -lF↵
合計 8
drwxr-xr-x 3 maltman users 4096 11月 12 03:55 barley/
drwxr-xr-x 2 maltman users 4096 11月  1 02:03 cornfield/
```

（201911010203：西暦 月 日 時 分）

（11月 1 02:03 ← 指定した日時に変わります）

-tオプションに続いて日時を指定すると，最終更新日時を指定した日時に変更することができます。上記の例では，ディレクトリcornfieldの日時を2019年11月1日2時3分に設定しています（日時の指定方法はワンポイントを参照）。

また，引数で指定したファイルが存在しなければ，自動的にそのファイルをファイルサイズ0で作成します。例として，カレントディレクトリに“bottle”という名前のファイルを作成してみましょう。

```
$ ls -F↵
barley/     cornfield/
$ touch bottle↵
$ ls -lF↵
合計 8
drwxr-xr-x 3 maltman users 4096 11月 12 03:55 barley/
-rw-r--r-- 1 maltman users    0 11月 12 21:34 bottle
drwxr-xr-x 2 maltman users 4096 11月  1 02:03 cornfield/
```

図2-16　ファイルサイズ0のファイル作成

引数で指定したファイルbottleは存在していなかったため，新規に作成されました。lsコマンドを実行してみると，ファイルサイズが0と表示され，ファイルの中身がからっぽだということがわかります。

書式

touch ［オプション］ ［ファイル〔ディレクトリ〕...］

パス：/usr/bin/touch

●主なオプション

-c	引数で指定したファイルが存在しない場合，新規に作成しません。
-r *file*	最終更新日時を*file*の日時に合わせます。
-t *time*	最終更新日時を*time*に変更します。

●使用例

- ファイルfileの最終更新日時を，現在時刻に変更します。

```
$ touch file
```

- ファイルfileの最終更新日時を，2020年01月31日23時59分に変更します。

```
$ touch -t 202001312359 file
```

- ファイルが存在しない場合，からっぽのファイルfileを新規に作成します。

```
$ touch file
```

●ワンポイント

日時の指定には，次のような特有の表記方法を用います。

[[西暦上2桁]西暦下2桁]月日時分[.秒]

西暦は上2桁を省略すると，下2桁の値に従って適当に決定されます。また，西暦すべてを省略すると現在の西暦が採用され，秒を省略すると00秒を指定したことになります。

例として，2019年8月31日18時27分00秒の指定方法をいくつか紹介します。

・201908311827.00

・1908311827.00

・1908311827

カレントディレクトリを表示・変更する

pwd, cd

カレントディレクトリを表示するにはpwdコマンドを，カレントディレクトリを変更（つまりディレクトリ間を移動）するにはcdコマンドを使います。

やってみよう

現在のカレントディレクトリがホームディレクトリであることを確認して，カレントディレクトリ内のディレクトリbarleyに移動してみましょう。

```
$ pwd ↵            ←── カレントディレクトリを表示します
/home/maltman
$ ls -F ↵
barley/     bottle     cornfield/
$ cd barley ↵
$ pwd ↵            ←── カレントディレクトリを表示します
/home/maltman/barley
```

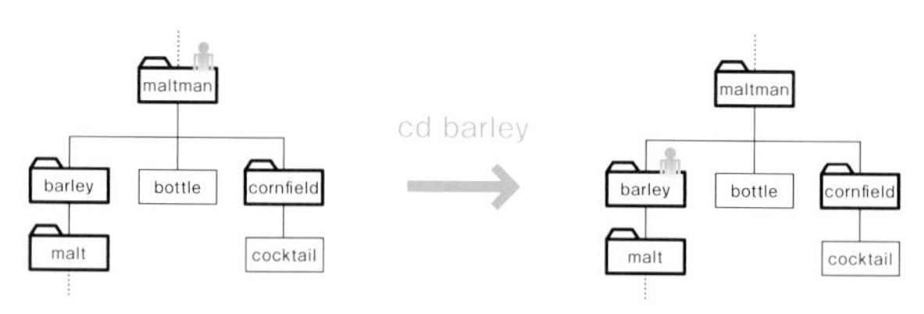

図2-17　ディレクトリの移動

上記の例では，まずpwdコマンドでカレントディレクトリを表示しました。pwdコマンドはカレントディレクトリを絶対パス表記で表示します。次にcdコマンドで，ホームディレクトリ内にあるディレクトリbarleyに移動しました。pwdコマンドの実行結果からも正しく移動できたことがわかります。

もっとやってみよう

ホームディレクトリに戻りたいときは，引数なしでcdコマンドを実行します。

```
$ pwd ↵
/home/maltman/barley
$ cd ↵
$ pwd ↵
/home/maltman
```

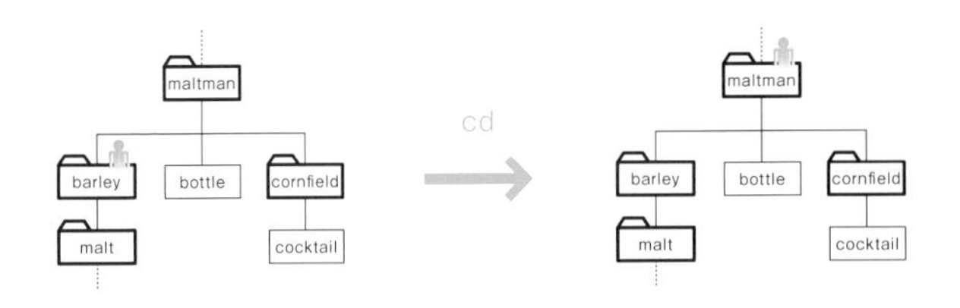

図2-18　ホームディレクトリへ移動

上記の例のように，cdコマンドを引数なしで実行した結果，カレントディレクトリがホームディレクトリになることがわかります。

また，ホームディレクトリを表す特別な表現として“~”(チルダ）があります。今度は，ディレクトリbarleyに移動してから，ディレクトリcornfieldに移動してみましょう。

```
$ pwd↵
/home/maltman
$ ls -F↵
barley/     bottle      cornfield/
$ cd barley↵
$ pwd↵
/home/maltman/barley
$ cd ~/cornfield↵          ←── "~"はホームディレクトリを表します
$ pwd↵
/home/maltman/cornfield
$ cd↵
$ pwd↵
/home/maltman
```

上記の例では，ディレクトリbarleyからディレクトリcornfieldに移動する際に，ホームディレクトリを表す“~”を利用して絶対パス表記を簡易化しています。pwdコマンドの実行結果から，cdコマンドを実行するたびにカレントディレクトリが変化したことがわかります。なお，“~”はcdコマンドだけでなく，あらゆるコマンドに利用できる一般的な表記法です。

書式

pwd
cd［ディレクトリ名］

パス：/usr/bin/pwd，シェルの内部コマンド（cd）

●使用例

・カレントディレクトリを表示します。

```
$ pwd
```

・ディレクトリdirに移動します。

```
$ cd dir
```

・ホームディレクトリに移動します。

```
$ cd
```

●ワンポイント

cdコマンドを引数なしで実行したときは，環境変数HOME（p.202）で指定されたディレクトリに移動します。つまり，cdコマンドを引数なしで実行した場合にホームディレクトリに戻るのは，環境変数HOMEがユーザのホームディレクトリに設定されているからです。

ディレクトリを削除する

rmdir, rm

ディレクトリを削除するには，rmdirコマンドを使います。また，rmコマンドでも，特定のオプションを指定することで，ディレクトリごと削除することができます。

やってみよう

それでは，ディレクトリbarley/malt/barleyを削除してみましょう。

```
$ pwd ↵
/home/maltman
$ ls -F ↵
barley/     bottle      cornfield/
$ ls -F barley ↵
malt/
$ ls -F barley/malt ↵
barley/   cocktail   liquor
$ ls -F barley/malt/barley ↵   ←ディレクトリbarley/malt/barleyはからっぽです
$ rmdir barley/malt/barley ↵   ←ディレクトリbarley/malt/barleyを削除します
$ ls -F barley/malt ↵
cocktail   liquor   ←ディレクトリbarley/malt/barleyが削除されています
```

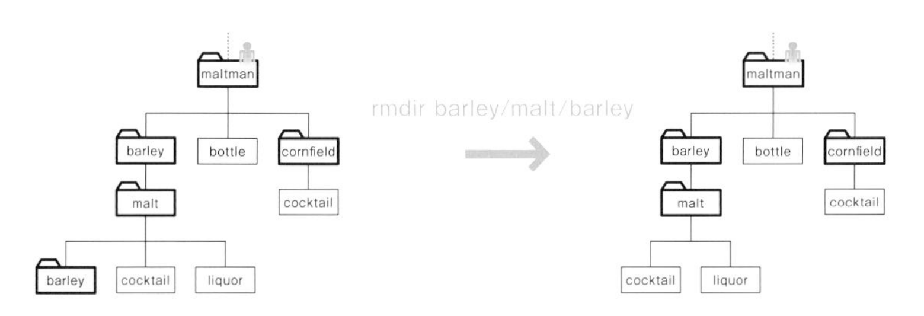

図2-19　ディレクトリの削除

上記の例により，rmdirコマンドを実行した結果，ディレクトリbarley/malt/barleyが削除されたことがわかります。

もっとやってみよう

今度は，ディレクトリbarleyを削除してみましょう。

```
$ ls -F↵
barley/      bottle      cornfield/
$ rmdir barley↵
rmdir: 'barley/' を削除できません: ディレクトリは空ではありません
$ ls -F↵
barley/      bottle      cornfield/  ←ディレクトリbarleyは残っています
```

ディレクトリがからっぽでないというエラーメッセージが表示されました。このようにrmdirコマンドはからっぽでないディレクトリを削除できません。

からっぽでないディレクトリをまるごと削除するには，rmコマンドに-rオプションをつけて実行します。その際，エイリアス（p.197）でrmコマンドを“rm -i”に置き換えていると，ディレクトリ内の各ファイルごとに確認を求めてきます。確認しないならば，-fオプションを明示的につけるとよいでしょう。

それでは，rmコマンドを-rオプションつきで実行して，ホームディレクトリにあるディレクトリbarleyを削除してみましょう。

```
$ ls -F↵
barley/      bottle      cornfield/
$ rm -rf barley↵
$ ls -F↵
bottle      cornfield/
```

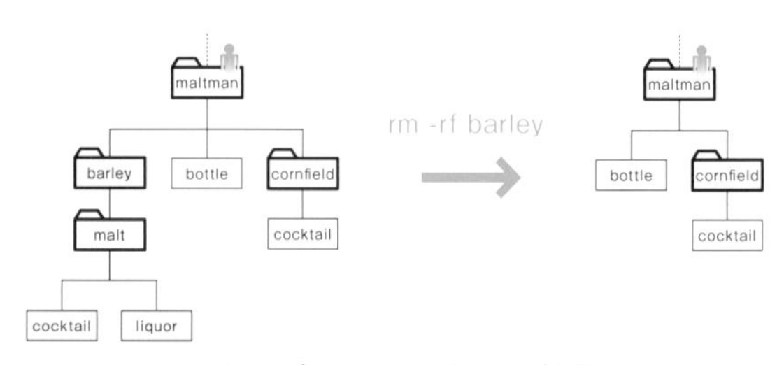

図2-20　ディレクトリのまるごと削除

上記のように，rmコマンドを-rオプションつきで使うことで，からっぽでないディレクトリでもまるごと削除することができます。

書式

rmdir［オプション］ディレクトリ...
rm -r［その他のオプション］ディレクトリ...

パス：/usr/bin/rmdir，/usr/bin/rm

●主なオプション（rmdir コマンド）

-p	引数に指定したディレクトリのパスが存在する場合，その中間ディレクトリも含めてディレクトリを削除します。

●主なオプション（rm コマンド）

-r	引数で指定されたディレクトリをまるごと削除します。
-i	削除の場合にユーザに確認します。
-f	-iオプションとは逆に，ユーザに確認せずにすべてを削除します。

●使用例

- からっぽのディレクトリ dir を削除します。

```
$ rmdir dir
```

- ディレクトリ dir をまるごと削除します。

```
$ rm -rf dir
```

●よく使うエイリアス

```
rm -i
```

プログラムの存在するパスを表示する

which, whereis

コマンドを入力したときに実行されるプログラムがどこにあるかを調べたいときには，whichコマンドを使います。whereisコマンドを使うと実行ファイルの他にもプログラムに関連したファイルがどこにあるかを調べることができます。

やってみよう

crontabコマンドを入力したときにどこにあるプログラムが実行されるか，whichコマンドで調べてみましょう。

```
$ which crontab ↵
/usr/bin/crontab
```

crontabプログラムはディレクトリ/usr/binにあることがわかります。

もっとやってみよう

crontabコマンドに関連するファイルがどこにあるのか調べてみましょう。

```
$ whereis crontab ↵
crontab: /usr/bin/crontab /etc/crontab
/usr/share/man/man1/crontab.1.gz /usr/share/man/man5/crontab.5.gz
```

実行結果によるとcrontabプログラムおよび設定ファイルは，/usr/bin/crontab，/etc/crontabの位置にあり，crontabコマンドのオンラインマニュアルは/usr/share/man/man1/crontab.1.gz，/usr/share/man/man5/crontab.5.gzであることがわかります。

whereisコマンドは，引数で指定したプログラムの実体が存在するパス，プログラムのオンラインマニュアルが存在するパス，プログラムのソースファイルディレクトリが存在するパスを調べます。明示的に指定しない場合は，次に示すパスを対象として検索を行います。

- プログラムの検索………………………システムの標準パスと環境変数PATH
- オンラインマニュアルの検索…………環境変数MANPATH
- ソースファイルディレクトリの検索…システムの標準パス

システムの標準パスは，ディレクトリ/binやディレクトリ/sbinなど多数あります。詳しくはwhereisコマンドのオンラインマニュアルを参照してください。

書式

which［オプション］コマンド名...
whereis［オプション］コマンド名...

パス：/usr/bin/which, /usr/bin/whereis

●主なオプション（which コマンド）

-a	名前が同じプログラムが検索対象のパス上に複数あるとき，すべてを表示します。

●主なオプション（whereis コマンド）

-b	プログラム（バイナリ）や設定ファイルが存在するパスのみを表示します。
-m	オンラインマニュアルの存在するパスのみを表示します。
-s	ソースファイルディレクトリが存在するパスのみを表示します。
-B *path*	プログラム（バイナリ）検索に使うパスを *path* にします。
-M *path*	オンラインマニュアル検索に使うパスを *path* にします。
-S *path*	ソースファイルディレクトリ検索に使うパスを *path* にします。
-f	-B, -M, -S の各オプションによりパスを指定した場合に，そのパス指定の終わりを表すために必要となります。

●使用例

- ls コマンドのプログラムがあるパスを表示します。

```
$ which ls
```

- pwd コマンドに関連するファイルのパスを表示します。

```
$ whereis pwd
```

- rm コマンドのオンラインマニュアルがあるパスのみを表示します。

```
$ whereis -m rm
```

- プログラム検索パスをディレクトリ /bin および /usr/bin に指定して，crontab コマンドのプログラムのパスを表示します。

```
$ whereis -B /bin /usr/bin -f crontab
```

端末の表示内容を消去する

clear

端末の表示内容を消去するには，clearコマンドを使います。引数やオプションはありません。実行すると，端末に現在表示されている内容が消去されます。

やってみよう

試しに，lsコマンドに-lオプションをつけて実行し，clearコマンドで消去してみましょう。

```
$ ls -l⏎
合計 4
-rw-r--r-- 1 maltman users    0  1月 31  2019 bottle
drwxr-xr-x 2 maltman users 4096 11月  1 02:03 cornfield
$ clear⏎
```

すると，“ls -l”で表示した内容が消去され，端末を立ち上げた直後のように何も表示されていない状態になります。

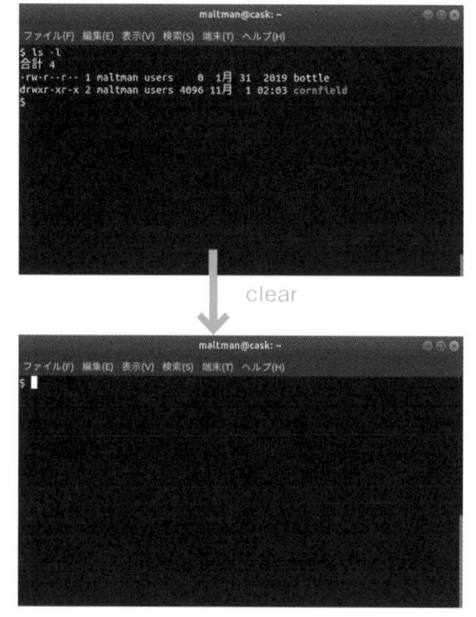

図2-21　表示内容の消去

書式

```
clear
```

パス：/usr/bin/clear

●使用例

• 端末の表示内容を消去します。

```
$ clear
```

Column ●端末画面のスクロール

端末エミュレータでは右端にあるスクロールバーを動かすことで表示内容をスクロールできます。Shift + Page Up および Shift + Page Down を押すことで，上下にスクロールすることも可能です。

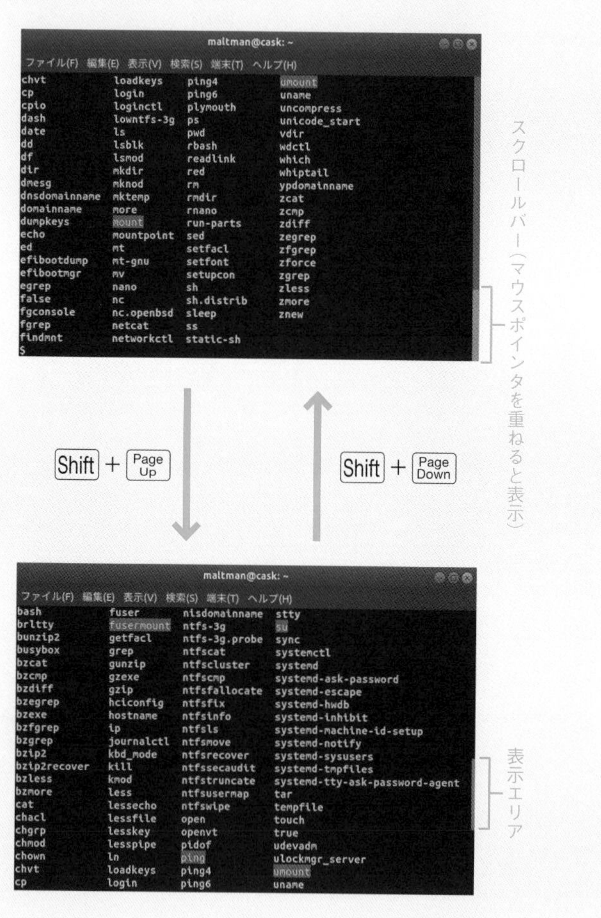

第３章

プログラムの管理

バックグラウンドで実行する

&

GUI上で動作するアプリケーションなどは多くの場合，実行してもすぐに終了するわけではなく，作業が完了するまで立ち上がったままになります。

その間，コマンドを入力したシェル（コマンドの解釈・実行を行うプログラム，p.188）は待ち状態になり，続けて次のコマンドを入力することができなくなってしまいます。このような場合，“&”（アンパサンド）を最後につけてコマンドを入力すると，そのコマンドを実行しながらもシェルは待ち状態に入らず，そのまま次のコマンドを入力することができます。

やってみよう

試しに，xeyesプログラム[†1]（目玉がマウスポインタの方向を見るプログラム）に“&”をつけて実行してみましょう。

```
$ xeyes &⏎
[1] 7170
$            ←── プロンプトが戻っています
```

図3-1　xeyesプログラムをバックグラウンドで実行

上記のように，シェルがプログラムの終了を待たずに，次のコマンド入力を受けつけているようなとき，そのプログラムは**バックグラウンド**で実行されています。逆に，次のコマンド入力ができない状態のときは，そのプログラムは**フォアグラウンド**で実行されています。

また，xeyesプログラムをバックグラウンドで実行した結果，表示された“[1]”のことをジョブ番号，“7170”をプロセスIDと呼びます（ジョブとプロセスについてはコラム，p.83）。この番号は，実行するたびに変わります。

もっとやってみよう

複数のプログラムを同時にバックグラウンドで実行することもできます。試しに，xeyesプログラムを3つバックグラウンドで実行してみましょう。

```
$ xeyes &⏎
[1] 7070
$ xeyes &⏎
[2] 7173
$ xeyes &⏎
[3] 7174
$
```

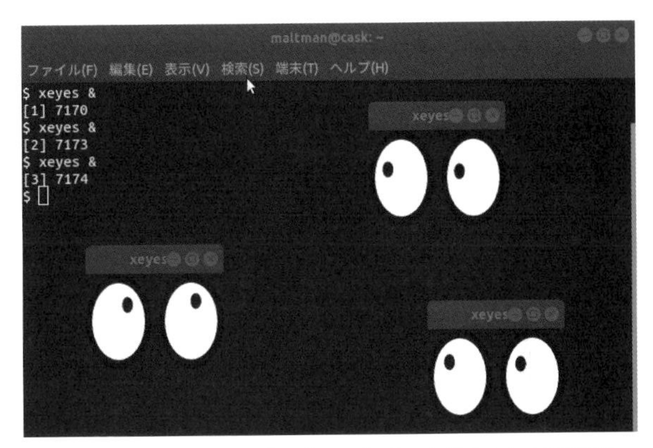

図3-2　複数のxeyesプログラムをバックグラウンドで実行

GUI上で動くプログラムは，実行後すぐには終了せずに，作業が終わるまでそのまま立ち上げておくことのほうが多いでしょう。ですから，フォアグラウンドで実行してしまうと，次のコマンドを実行するために，端末をさらに起動することになってしまいます。プログラムをバックグラウンドで実行することで，同じシェル上で次のコマンドの実行が可能となるので，デスクトップをより快適に利用することができます。

†1：環境によっては，パッケージのインストールが必要です。パッケージのインストールは第11章を参照してください。Ubuntu，Debianの場合はx11-appsパッケージ，CentOS，Fedoraの場合はxorg-x11-appsパッケージを指定します。

実行中のプログラムを中断・終了する

Ctrl ＋ z，Ctrl ＋ c

ページャやエディタなどで作業をしているとき，その作業を一旦中断して別の作業を行い，その後で前の作業を中断したときの状態から再開できると便利です。Linuxでは，Ctrlを押しながらzを押すことでプログラムを中断することができます。再開するときは，後述するfgコマンド（p.84）を使います。

また，作業中のプログラムを強制的に終了したい場合には，Ctrlを押しながらcを押します。

実行中のプログラムを中断する

それでは，テキストファイルを閲覧するlessコマンド（p.130）でファイルcocktailを見ている最中に一旦中断してみましょう（図3-3）。

```
$ cd cornfield↵
$ less cocktail↵
```

(a) lessコマンドを
　フォアグラウンドで実行

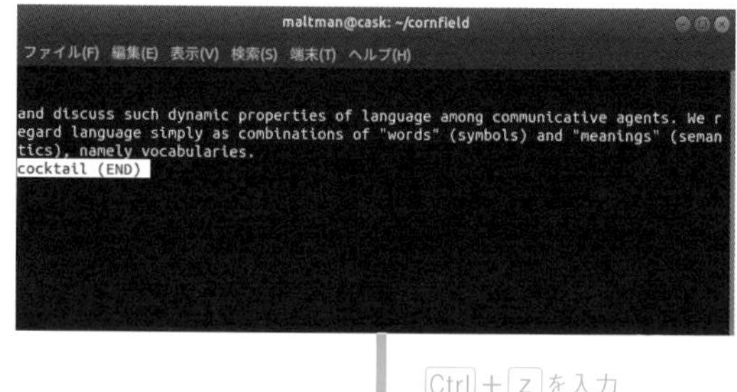

Ctrl ＋ z を入力

(b) lessコマンドを中断

図3-3　実行中のプログラムを中断

図3-3(b) では，lessコマンドが中断され，シェルのプロンプトが表示されています。このままほかの作業を行い，その後中断したlessコマンドを再開したいときにはfgコマンドを使用してください[†2]。Ctrl + z は，フォアグラウンドで実行中のプログラムに対して，中断を通知します（STOPシグナルを送る，p.96）。

実行中のプログラムを終了する

今度は，xeyesプログラムを実行して，Ctrl + c で終了してみましょう（図3-4）。

```
$ xeyes ↵
```

(a) xeyesを
フォアグラウンドで実行

(b) xeyesを強制終了

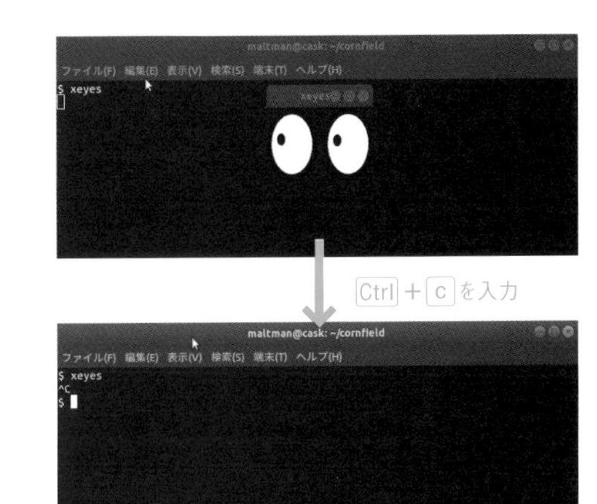

図3-4　実行中のプログラムを強制終了

図3-4(b) のように，Ctrl + c を押すことによって，強制的にプログラムを終了できます。Ctrl + c はフォアグラウンドで実行しているプログラムに対して，INTというシグナル（p.97）を送り，割り込みをかけます。通常のプログラムは，INTシグナルを受け取ると，強制的にプログラムを終了します。

プログラムによっては Ctrl + c が使えないこともありますので，注意してください。そのような場合には，後述するkillコマンド（p.94）を，jobsコマンド（p.80）や，psコマンド（p.90）と併用してください。

†2：lessコマンドは q を押すと終了できます。

実行中のプログラムを表示する

jobs

バックグラウンドで実行したプログラムや，Ctrl + z などで中断したプログラム，およびそのジョブ番号を忘れてしまった場合には，jobsコマンドを使ってジョブの一覧を表示することで確認できます。

やってみよう

xeyesプログラムをバックグラウンドで実行してから，jobsコマンドを使ってみましょう。

```
$ xeyes &
[1] 777
$ jobs
[1]+  実行中                  xeyes &
```


上記の例では，“[1]”はジョブ番号，“+”はカレントジョブであること，ジョブの状態が実行中であること，“xeyes”は実行されたジョブを表しています。**カレントジョブ**とは，中断状態にあるジョブのうち最も最近中断されたジョブ，あるいは最も最近実行されたジョブのことで，%% か %+で表します。また，その直前までカレントジョブであったジョブのことを**以前のジョブ**と呼び，%-で表します。

もっとやってみよう

今度は，ジョブ番号を使って，複数のジョブを柔軟に管理してみましょう。たとえば，xeyesプログラムを2つ，バックグラウンドで実行したとします。jobsコマンドの引数にジョブ番号を指定すると，そのジョブ番号のジョブに関する情報だけを表示します。

```
$ xeyes &
[1] 1276
$ xeyes &
[2] 1277
$ jobs
[1]-  実行中               xeyes &
[2]+  実行中               xeyes &
$ jobs %1      ←ジョブ番号1のジョブのみを表示します
[1]-  実行中               xeyes &
$
```

上記の例では，引数に%1と指定することにより，ジョブ番号1のジョブの情報のみを表示しています。

引数のジョブ番号は，複数同時に指定できます。xeyesプログラムをバックグラウンドで3つ実行し，カレントジョブとジョブ番号2のジョブの情報のみを表示してみましょう。

```
$ xeyes &
[1] 5488
$ xeyes &
[2] 5489
$ xeyes &
[3] 5490
$ jobs %% %2      ←カレントジョブとジョブ番号2のジョブを表示します
[3]+  実行中              xeyes &
[2]-  実行中              xeyes &
$
```

ジョブ番号は後述するジョブ管理のためのコマンド（fgコマンド（p.84），bgコマンド（p.87），killコマンド（p.94））でも使うことができるので，指定の仕方を覚えておくと便利です。

書式

jobs［オプション］［ジョブ番号...］

パス：シェルの内部コマンド

●主なオプション

-l	プロセスIDを表示します。
-p	ジョブのグループリーダ（ジョブを構成する複数のプロセスのうち，最初に打ち込まれたコマンドにより実行されたプロセス）のプロセスIDだけを表示します。

●ジョブ番号の指定

カレントジョブ	%%，%+
以前のジョブ	%-
*n*番のジョブ	%*n*
コマンド名が*string*ではじまるジョブ	%*string*
コマンド名に*string*が含まれるジョブ	%?*string*

●使用例

- jobsコマンドを実行するシェルが制御しているジョブの情報を表示します。

```
$ jobs
```

- ジョブ番号1と3のジョブの情報を表示します。

```
$ jobs %1 %3
```

- カレントジョブの情報を表示します。

```
$ jobs %%
$ jobs %+
```

- 以前のジョブの情報を表示します。

```
$ jobs %-
```

- コマンド名が文字列“ca”ではじまるジョブを表示します。

```
$ jobs %ca
```

- コマンド名に文字列“ls”が含まれるジョブを表示します。

```
$ jobs %?ls
```

Column ●プロセスとジョブについて

第3章では，実行中のプログラムを管理する単位として，プロセスとジョブを使っています。これらはどちらも起動中のプログラムの実体のことを指します。

プロセスとジョブの違いは，プロセスとはOSすなわちLinux自身が管理するプログラムの実行単位であり，ジョブとはbashをはじめとするシェルが管理するプログラムの実行単位であることです。そのため，プロセスIDはどのシェルからでも参照できますが，ジョブ番号はコマンドを打ち込んだシェルからしか参照することができません。

ところで，通常コマンドを打ち込んでプログラムを実行すると，1つのプロセスとして実行されるため，プロセスとジョブが一致します。この場合，それぞれに振られる番号すなわちプロセスIDとジョブ番号だけが異なります。

両者の扱いが異なるのは，パイプ“|”(p.178）を使って，複数のプログラムを組み合わせて実行したときになります。

たとえば（実際にはこのように実行することはありませんが），以下のように，パイプで複数のプログラムを組み合わせ，バックグラウンドで実行してみてください。この状態で，jobsコマンドに-lオプションをつけて実行し，実行中のプログラムのプロセスIDとジョブ番号を確認してみましょう。

```
$ cat cocktail | less &↵
[1] 1807
$↵
[1]+  停止                    cat cocktail | less
$ jobs -l↵
[1]+  1806 終了                         cat cocktail
      1807 停止 (tty 出力)              | less
```

jobsコマンドの結果からわかるように，catコマンドとlessコマンドそれぞれに対してプロセスIDが振られており，両者をひとまとめにしてジョブ番号が振られています。つまり，ジョブは1つあるいは複数のプロセスから構成されます。なお，この例ではcatコマンドがグループリーダになります。

フォアグラウンドで実行する

fg

“&”（アンパサンド）をつけてバックグラウンドで実行したプログラムをフォアグラウンドで実行したい場合や，Ctrl + z で一旦中断したプログラムを再開したい場合には，fgコマンドを使います。

やってみよう

xeyesプログラムをバックグラウンドで実行し，fgコマンドを使って，フォアグラウンドに切り替えてみましょう。

```
$ xeyes &
[1] 2192
$ fg
xeyes
```

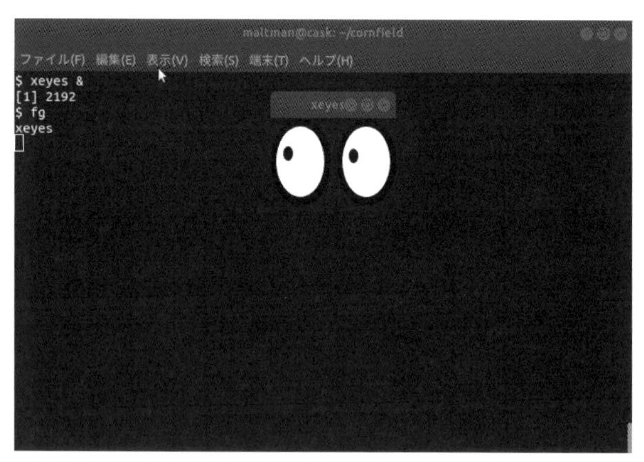

図3-5　xeyesプログラムをフォアグラウンドに切り替える

xeyesプログラムはフォアグラウンドで実行されているので，この状態ではシェルは待ち状態に入っており，キーボードからの入力を受け付けてくれません。

もっとやってみよう

「実行中のプログラムを中断・終了する」(p.78) でも説明しましたが，Ctrl + z で一旦中断したプログラムは，fgコマンドを実行することによって，中断する前の状態に復帰できます。このコマンドは，使い方によっては非常に便利です。たとえば，lessコマンド（p.130）で比較的長いテキストファイルstatesを見ている途中にCtrl + z で一旦中断し，fgコマンドで再開してみましょう。

```
$ less states ↵
```

(a) 長いテキストファイルを lessコマンドで閲覧

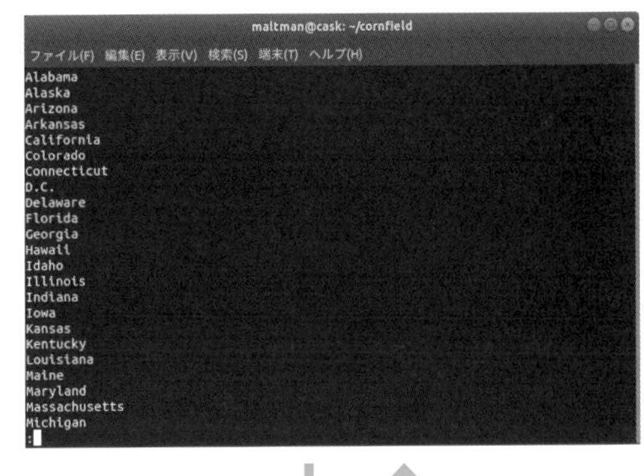

①Ctrl + z を入力　②fgコマンドを実行

(b) Ctrl + z で中断し，fgコマンドで再開

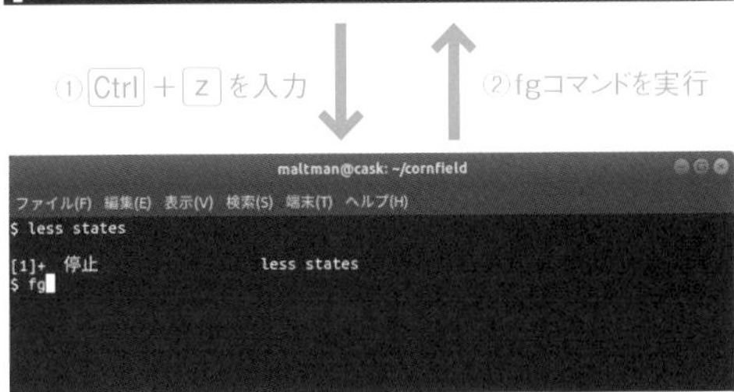

図3-6　プログラムの中断と再開

fgコマンドを入力することで，中断する前に見ていた位置のままlessコマンドを再開することができます。このような使い方は，画面を広く使えない環境で重宝します。

書式

fg [ジョブ番号]

パス：シェルの内部コマンド

●**使用例**

・カレントジョブをフォアグラウンドで実行します。

```
$ fg
```

・ジョブ番号2のジョブをフォアグラウンドで実行します。

```
$ fg %2
```

中断中のプログラムをバックグラウンドで再開する

bg

Ctrl + z などで一旦中断したプログラムを，バックグラウンドで再開するには，bgコマンドを使います。

やってみよう

試しに，xeyesプログラムをフォアグラウンドで実行した後，Ctrl + z で中断し，その後でbgコマンドで再開してみましょう。

```
$ xeyes ↵
^Z              ←── Ctrl + z を入力して中断します
[1]+  停止                    xeyes
$ bg ↵          ←── バックグラウンドで再開します
[1]+ xeyes &
$               ←── シェルのプロンプトが表示されます
```

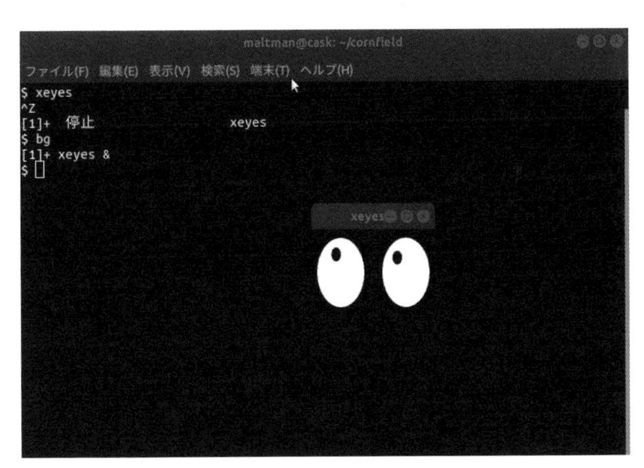

図3-7　xeyesプログラムをバックグラウンドで再開

fgコマンドと違い，再開されたプログラムはバックグラウンドで実行されるので，そのままほかの作業を行うことができます。

もっとやってみよう

bgコマンドでは，ジョブ番号を直接指定することができます。実際にどのように動作するのかを確認するために，xeyesプログラムを2つ実行し，2つとも中断した状態で一方のジョブに対してbgコマンドを使ってみましょう。

```
$ xeyes ↵
^Z                  ← Ctrl + z を入力して中断します
[1]+  停止                    xeyes
$ xeyes ↵
^Z                  ← Ctrl + z を入力して中断します
[2]+  停止                    xeyes
$ jobs ↵
[1]-  停止                    xeyes
[2]+  停止                    xeyes
$ bg %1 ↵           ← ジョブ番号1のジョブをバックグラウンドで再開します
[1]- xeyes &
$ jobs ↵
[1]-  実行中                  xeyes &
[2]+  停止                    xeyes
$
```

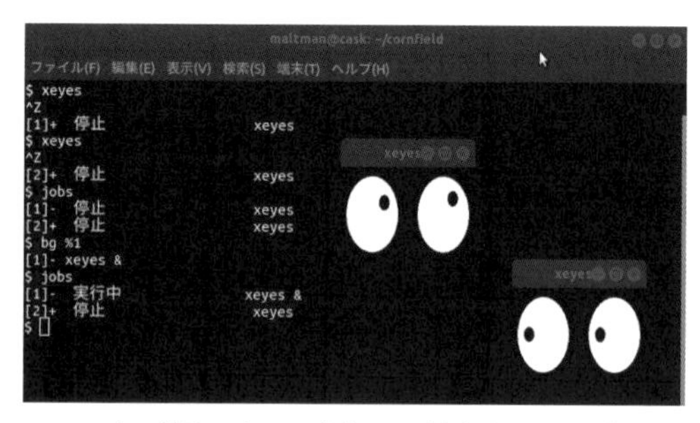

図3-8　xeyesプログラムを2つ実行し，片方をバックグラウンドで再開

上記の例のように，bgコマンドの引数にはジョブ番号を指定できます。また，引数を指定しない場合にはカレントジョブ（+）が選ばれます。この“+”は，“[1]+”のように，ジョブ番号の横についている“+”のことです。なお，ジョブ番号の指定の仕方については，jobsコマンド（p.80）を参照してください。

書式

bg［ジョブ番号］

パス：シェルの内部コマンド

●**使用例**

- カレントジョブをバックグラウンドで実行します。

```
$ bg
```

- ジョブ番号3のジョブをバックグラウンドで実行します。

```
$ bg %3
```

プロセスの状態を表示する

ps

これまでは，実行中のプログラムを管理する方法としてjobsコマンドとジョブ番号を利用してきました。しかし，ジョブ番号はそれぞれのシェルが独自に管理しているものなので，違うシェルウィンドウから使用することはできません。実行中のプログラムを（それを起動したシェルにかかわらず）どのシェルからでも操作するためには，プロセスIDが必要です。プロセスIDはpsコマンドで調べられます。

やってみよう

psコマンドで，現在実行中のプロセスの状態を表示してみましょう。

```
$ ps ↵
  PID TTY          TIME CMD
 7302 pts/0    00:00:00 bash
 7362 pts/0    00:00:00 ps
```

表示されるプロセスの情報は，実行しているプロセスの状態によって異なります。

上記の例での“PID”はプロセスID，“TTY”はプロセスが実行されている端末，“TIME”はCPU時間，“CMD”は実行したコマンドを表しています。

もっとやってみよう

プロセスの中から特定のコマンドのプロセスIDを調べたい場合には，psコマンドにa，u，x，wの4つのオプションをつけて，文字列を検索するgrepコマンド（p.142）と併用します。試しにxeyesプログラムを動かした状態で，xeyesプログラムのプロセスIDを調べてみましょう。

```
$ xeyes & ↵
[1] 2040
$ ps auxw | grep xeyes ↵
maltman  2040 0.0 0.2 46520 2144 pts/0 S  10:00 0:00 xeyes
maltman  2042 0.0 0.0 16908  916 pts/0 S+ 10:00 0:00 grep xeyes
```

上記の例のように，“ps auxw | grep **コマンド名**”（パイプ“|”，p.178）と

実行すると指定したコマンド名を含むプロセス情報のみが表示されます。

このとき，左から2番目の項目（網掛け部分）がプロセスIDになります。あるプロセスが応答しなくなり，そのプロセスを終了させたいときなどは，上記のようにpsコマンドとgrepコマンドを組み合わせてプロセスIDを調べ，そのプロセスIDを用いて“kill -KILL **プロセスID**”（p.97）を実行することで強制終了することができます。

なお，aオプションはすべてのユーザのプロセスを，uオプションはユーザ名などを，xオプションは制御端末のないプロセス（デーモンなど）を表示するオプションです。wオプションは，1プロセスあたりの表示行数を増やすオプションです。psコマンドを使うときには，この4つのオプションをつけて使うように習慣づけるとよいでしょう。そうすれば，たいていのプロセスの情報を表示することができます。

プロセスについてのより詳細な説明はp.98を参照してください。

書式

ps［オプション］［プロセスID...］

パス：/usr/bin/ps

●主なオプション

u	ユーザ名と開始時刻などを表示します。
a	すべてのユーザのプロセス情報を表示します。
x	制御端末のないプロセス情報(デーモンなど)を表示します。
l	より詳細な情報を表示します。
f	プロセスの親子関係をツリー状に表示します。
w	プロセス情報の表示行数を増やします。
j	親プロセス，プロセスグループなどの情報を表示します。
m	スレッドを表示します。
t*tty*	端末*tty*が制御するプロセスのみを表示します。
U *user*	ユーザ*user*が実行しているプロセスのみを表示します。

●主な表示項目

USER	ユーザ名			
UID	ユーザID			
PID	プロセスID			
PPID	親プロセスID			
TT，TTY	制御端末			
STAT	プロセスの状態		補足情報	
	R	実行可能状態	<	優先度の高いプロセス
	S	スリープ状態	N	優先度の低いプロセス
	D	ディスク内	L	メモリ中にロックされているページがある
	T	停止状態	s	セッションリーダ
	Z	ゾンビ状態	l	マルチスレッド
			+	フォアラウンドのプロセス
TIME	CPU時間			
COMMAND，CMD	コマンド			
%CPU	CPU利用率			
%MEM	メモリ利用率			
SIZE	仮想イメージの大きさ(text＋data＋stack)			
RSS	常駐セットの大きさ			

START	開始時間
FLAGS	フラグ
NI	プロセスの優先度(nice値, p.102)
WCHAN	プロセスが休眠状態のときのカーネルの関数名
PAGEIN	ページフォルトの回数
TSIZ	テキストサイズ
DSIZ	データサイズ
LIM	メモリの制限

●使用例

• プロセスID1000のプロセスの状態を表示します。

```
$ ps 1000
```

• xeyesプログラムのプロセス状態を表示します。

```
$ ps auxw | grep xeyes
```

• 端末エミュレータ(pts/1)が制御するプロセスを表示します。

```
$ ps t1
```

• すべてのプロセスをツリー状に表示してlessコマンドで見ます。

```
$ ps auxf | less
```

• すべてのプロセスに加えてスレッドの情報を表示します。

```
$ ps auxwm
```

プログラムを終了させる

kill, killall

実行中のプログラムを強制的に終了したくても，Ctrl + c では終了できない場合があります。そのような場合には，killコマンドやkillallコマンドを使います。

やってみよう

xeyesプログラムをバックグラウンドで実行し，killコマンドにプロセスIDを指定することで終了してみましょう（図3-9）。

```
$ xeyes &↵
[1] 2573          ←── プロセスIDは2573番
$ kill 2573↵
$ jobs↵
[1]+  Terminated        xeyes
$
```

killコマンドは，引数にジョブ番号を使うこともできます。

```
$ xeyes &↵
[1] 2575
$ kill %%↵        ←── カレントジョブを終了します（ここでは，ジョブ番号1）
$ jobs↵
[1]+  Terminated        xeyes
$
```

普段は，実行したプログラムをすぐに終了することはないと思いますので，jobsコマンドやpsコマンドでジョブ番号もしくはプロセスIDを確認してから使いましょう。

(a) xeyesプログラムを
バックグラウンドで実行

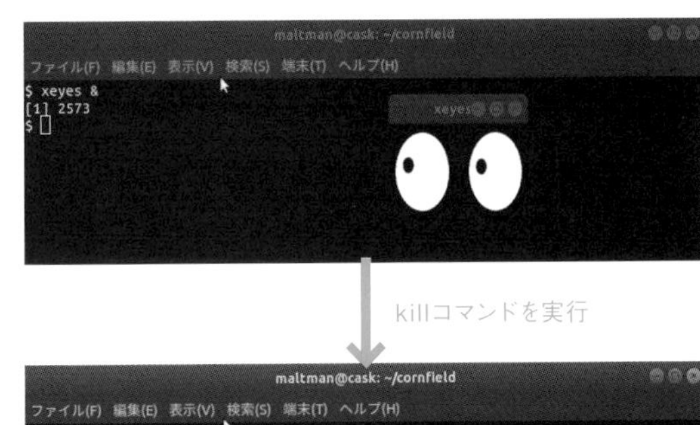

killコマンドを実行

(b) killコマンドで強制終了

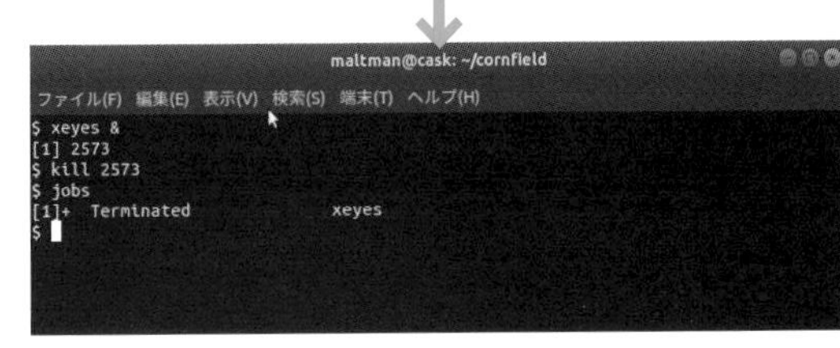

図3-9 killコマンドにプロセスIDを指定して強制終了

また，killallコマンドを使うとプログラムを名前で指定して終了することができます。このとき，複数の同名のプログラムが実行されていると，それらはすべて終了されます。xeyesプログラムを2回起動した後にそれらをまとめて終了してみましょう。

```
$ xeyes &↵
[1] 2811
$ xeyes &↵
[2] 2812
$ killall xeyes↵
[1]-  Terminated      xeyes
[2]-  Terminated      xeyes
$ jobs↵
$ ←killallコマンドで終了したので何も表示されません
```

もっとやってみよう

ここまでは,プログラムを終了するためのコマンドとして, killコマンドとkillallコマンドを紹介しました。しかし, これらのコマンドの本来の役割は, プロセスに対してシグナルと呼ばれるものを送ることです。**シグナル**とは, プロセスに対して何らかの状態を知らせるためにOSで用意された機能のことです。

killコマンドを使う際にシグナルの指定を省略すると, TERMシグナルが送られます。TERMシグナルはプロセスに終了を通知するシグナルなので, 前述のようにプログラムを終了できるというわけです。ですから, たとえばSTOPシグナルを送ると, 実行中のプログラムを一旦中断できます。ここではxeyesプログラムを実行して, STOPシグナルを送ってみましょう (図3-10)。

```
$ xeyes &
[1] 2590
$ kill -STOP %%          ←カレントジョブにSTOPシグナルを送ります
$ jobs
[1]+  停止                    xeyes
$
```

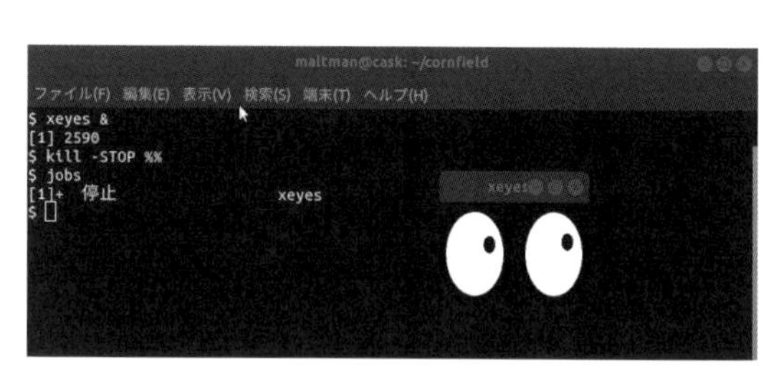

図3-10 killコマンドに-STOPをつけて実行

上記の例を見ると, Ctrl + z でフォアグラウンドジョブを中断したときと同じように, xeyesプログラムが中断されていることがわかります。killコマンドでは, このほかにもいろいろなシグナルを送ることができます。状況に応じて使い分けてください。

書式

kill［オプション］［プロセスID〔ジョブ番号〕...］
killall［オプション］［プロセス名...］

パス：シェルの内部コマンド（kill），/usr/bin/kill，/usr/bin/killall

●主なオプション（共通）

-*signal* -s *signal*	指定したシグナル*signal*をプロセスに送ります。
-l	シグナルのリストを表示します。

●主なシグナル

TERM	プロセスに終了を通知します。
QUIT	プロセスに終了を通知します(coreを作成)。
KILL	プロセスに強制終了を通知します。
HUP	プロセスに再起動を通知します。
STOP	プロセスに中断を通知します。
CONT	プロセスに再開を通知します。
INT	プロセスに割り込みを通知します。

●使用例

- プロセスID200，ジョブ番号1のプロセスを終了します（TERMシグナルを送る)。

```
$ kill 200
$ kill %1
```

- 応答しなくなったプロセス（プロセスID256）を終了します。

```
$ kill -KILL 256
```

- 実行中のデーモンなどの設定を変えたとき，そのプロセス（ジョブ番号2）を再起動します。

```
$ kill -HUP %2
```

- 動作中のすべてのxeyesプログラムを終了します。

```
$ killall xeyes
```

プロセスとは何か

ここでは，プロセスについてもう少し詳しく解説します。プロセスを簡単に説明するならば，「実行されているプログラムの単位」のことです。では，プログラムとプロセスの違いは何なのでしょうか。xeyesコマンドを2つ実行した状況を具体例として考えてみましょう。

xeyesコマンドが実行されるたびにディスクに保存されている実行ファイルが読み出されます。このファイルには画面に目玉を表示する方法やマウスの動きに従って黒目の向きが変わるようにする方法などが書かれています。このような一連の作業をコンピュータに実行させる方法が書いてあるファイルのことや，実行する内容のことを**プログラム**と呼びます。

ところで，画面に表示されている2組の目玉はどちらも違う方向を見ています。つまり，同じプログラムが動いているにもかかわらず，それらはまったく独立して動いているのです。このプログラムが実行されている状態のひとつひとつを**プロセス**と呼びます。OSはコマンドが実行されたときにプロセスを生成し，それぞれを**プロセスID**と呼ばれる番号で区別して管理します。この例ではxeyesコマンドが2回起動されたので，2つのプロセスが生成されています。

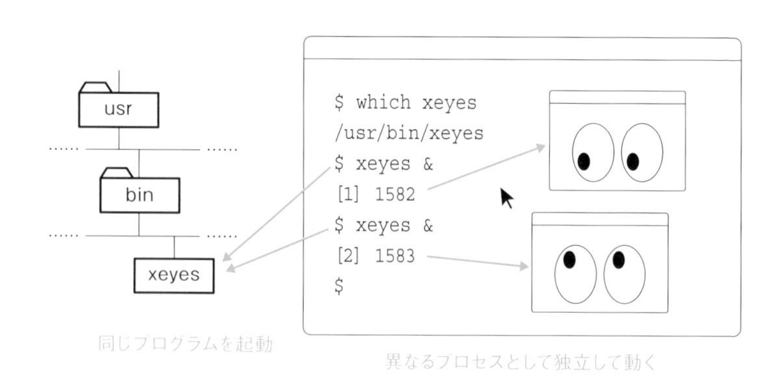

図3-11　プログラムとプロセス

OSによるプロセス管理

プロセスはコマンドが入力されたときに生成され，プログラムに書かれた処理を行い，処理がすべて終了すると削除されます。

プロセスが生成されたときには，プロセスID以外にもいくつかの情報がコンピュータに保存されます。この情報には，プロセスを生成したユーザ，プロセスの優先度，実行開始時間，コマンド名などがあります。OSはこれらの情報をもとにプロセスを管理していきます。

プロセス情報はpsコマンドで確認します。psコマンドにauxwオプションをつけると現在コンピュータで動いているすべてのプロセスを見ることができます。

```
$ ps auxw↵
USER       PID %CPU %MEM   VSZ   RSS TTY      STAT START   TIME COMMAND
root         1  0.5  0.3  2008   484 ?        Ss   19:45   0:00 /sbin/init
root         2  0.0  0.0     0     0 ?        S<   19:45   0:00 [kthreadd]
    ：(略)
maltman   1809  0.1  1.2  5892  1596 pts/0    Ss   19:46   0:00 bash
maltman   1829  1.0  0.7  5608   980 pts/0    R+   19:47   0:00 ps auxw
```

この実行例では紙面の都合でpsコマンドの出力を大幅に省略していますが，実際には数十から数百のプロセスが表示されます。

ところで，たくさんのプロセスが存在しているにもかかわらずコンピュータには数個のCPUしか搭載されていません。たくさんのプロセスをどうやって実行しているのでしょうか。

このようなことが可能なのは，Linuxが複数のプロセスを同時に実行できるように設計されたシステムだからです。Linuxのように複数のプロセスを同時に実行できるOSのことを**マルチタスクオペレーティングシステム**と呼びます[†3]。

ただし，すべてのプロセスが厳密に同時に実行されているわけではありません。マルチタスクOSでは，複数のプロセスを高速に切り替えて実行しているので，同時に実行されているように見えるのです。どのプロセスをどのような順序で切り替えるのかを決めることを**スケジューリング**と呼びます。スケジューリ

---

†3：タスクとプロセスは同じものを示しています。

ングはkillコマンドでプロセスに送られたシグナルやniceコマンドで設定する優先度（p.102）などによってコントロールされています。

プロセスの親子関係

プロセスが互いに独立して動く仕組みは，OSがハードウェア資源（リソース）をプロセスごとに割り当てることで実現されています。この仕組みによって，1つのプロセスがほかのプロセスの動作に影響を与えないようになっているのです。これはシステムを安定して運用するうえで大切な機能です。

ただし，お互いのプロセスが完全に無関係というわけではなく，親子関係があります。通常，プロセスはほかのプロセスによって起動されます。起動する側を**親プロセス**，起動された側を**子プロセス**と呼びます。プロセスの親子関係はpsコマンドにlオプションやfオプションをつけると確認できます。試しにどちらのオプションもつけて実行してみましょう。

```
$ ps lf ↵
F  UID  PID PPID PRI NI   VSZ  RSS WCHAN STAT TTY    TIME COMMAND
0 1000 3312 3279  20  0 28180 4184 wait  Ss   pts/0 0:00 bash
0 1000 3442 3312  20  0 15160  876 -     R+   pts/0 0:00  \_ ps lf
```

この例では“ps lf”の親プロセスのID（PPID）が3312であり，そのIDを持つプロセスはbash（シェル）であることがわかります。また，ツリー構造で表示されており，ぱっと見たときに親子関係がわかりやすくなっています。紙面の都合で実行例は記載しませんが，psコマンドにalxfオプションをつけるとすべてのプロセスの親子関係がわかります。

親プロセスは子プロセスの動作の一部に影響します。たとえば，親プロセスを終了させたとき，通常はすべての子プロセスを同時に終了させる仕組みなどがあります。

スレッドとプロセスの関係

ところで，最近のコンピュータは複数のCPUコアを搭載しているので，プログラムの同じような処理を並列に実行する**並列処理**によって高速な動作ができるようになっています。複数のプロセスを起動して並列処理をすることもできますが，プロセスの起動には時間がかかりますし，プロセス間でお互いにリソースを共有することもできません。

高速で効率的な並列処理をするためには**スレッド**が有用です。スレッドとはプログラムにおける処理の単位のことです。スレッドは子プロセスと同様にプロセスから生成されますが，スレッドを起動した親プロセスや並列で動作しているスレッドとリソースを共有できるという特長があるので，高速で効率的な処理ができます。並列で動作しているスレッドは**マルチスレッド**と呼ばれます。

ちなみに，OSから見るとスレッドはプロセスと同じように扱われていて，スケジューリングが行われています。また，psコマンドにmオプションをつけることでスレッドに関する情報を見ることができます。xオプションとあわせて実行してみましょう。

ユーザによるプロセスの制御

プロセスはコンピュータに搭載されているCPUやメモリなどを利用しながらプログラムを実行しています。CPUが命令を処理する時間やメモリに保存しておけるデータの量などのリソースは限られたものです。特定のプロセスがこれらを占有してしまったり，ひとりのユーザがたくさんのプロセスを実行したりすると，そのほかのプロセスの動作が緩慢になってしまったり，システムに障害を与えたりしてしまうことがあります。

Linuxはネットワークにサービスを提供するサーバとして利用されることが多いシステムですので，問題のあるプロセスがないか監視し，問題が起こった場合には適切な対処をすることは管理者の大切な仕事です。

また，プロセスの管理は個々のユーザにとっても大切なことです。Linuxは複数のユーザが同時にログインして利用できるシステムですので，ひとりでリソースを大きく消費するとほかのユーザに迷惑をかけてしまいます。スーパーユーザはすべてのプロセスを，その他の一般ユーザは自分で生成したプロセスをkillコマンドなどで制御することができます。

優先度を変更してプログラムを実行する

nice

プログラムの優先度を下げたい場合には，niceコマンドを使います。

やってみよう

niceコマンドに，引数として実行したいコマンドを指定すると，そのプログラムの優先度を変更して実行します。ここでは，niceコマンドを通した場合と通さない場合でxeyesプログラムを実行して比較してみましょう。なお，優先度を確認するために，psコマンドにlオプションをつけて実行しています。

```
$ xeyes & ↵
[1] 5738
$ nice xeyes & ↵
[2] 5739
$ ps l 5738 5739 ↵
F   UID   PID PPID PRI  NI   VSZ  RSS WCHAN  STAT TTY    TIME COMMAND
0   500 5738 5093  15   0 3168 1436 poll_s S    pts/0 0:00 xeyes
0   500 5739 5093  25  10 3168 1436 poll_s SN   pts/0 0:00 xeyes
```

NIの項目（網掛け部分）は優先度を表し，本書では，この値のことをnice値と呼びます。nice値は-20から19までの範囲を取り，値が小さいほど優先されます。すなわち，-20が優先度最高を表します。niceコマンドを通さずに実行するとnice値は0になり，niceコマンドを通して実行すると，基本のnice値0に10が加えられ，nice値10になります。

もっとやってみよう

単純にniceコマンドを通してプログラムを実行すると，nice値は10になることは確認できました。10以外のnice値を設定したいときはオプションで指定します。試しに，nice値に19を加えてxeyesプログラムを実行してみましょう。

```
$ nice -19 xeyes & ↵      ←── "-"（ハイフン）に続けて19を指定します
[1] 5627
$ ps l 5627 ↵
F   UID   PID PPID PRI  NI   VSZ  RSS WCHAN  STAT TTY    TIME COMMAND
0   500 5627 5093  34  19  3168 1440 -      RN   pts/0 0:00 xeyes
```

指定したとおりにnice値が19で実行されています。

書式

nice［オプション］コマンド［コマンドの引数...］

パス：/usr/bin/nice

●主なオプション

-*number* -n *number*	コマンドのnice値に，*number*を加えて実行します。

●使用例

・xeyesプログラムの優先度を下げて（nice値に10を加えて）実行します。

```
$ nice xeyes
```

・xeyesプログラムのnice値に3を加えて実行します。

```
$ nice -3 xeyes
```

◉ワンポイント

スーパーユーザ以外のユーザは，優先度を上げることができません。優先度を上げると何かしらの不都合が出る可能性があるのでお勧めできません。

Column ●特別なプロセス：デーモン

通常のプロセスはコマンドが実行されるたびに生成されてプログラムが終了すると削除されますが，常に動き続けているプロセスがあります。これらのプロセスは**デーモン**と呼ばれ，Linuxが起動する過程で生成され，明示的にオフにしない限りはシャットダウンするまで動き続けます。

Linuxにはたくさんのデーモンがあります。たとえば，特定の時刻にコマンドを実行するためのcrond（p.106）やリモートからのアクセスを受けつけるsshd（p.286）もデーモンの1つです。

特定の時間だけスリープする

sleep

sleepコマンドは，実行すると指定した時間だけ停止（スリープ）します。フォアグラウンドで実行すれば，プロンプトが返ってこないので，結果的にシェルが停止したような状態になります。

やってみよう

sleepコマンドで3秒間停止してみましょう。

```
$ sleep 3 ↵
$          ←── 3秒後にプロンプトが表示されます
```

実行してみるとわかりますが，3秒間停止してから，プロンプトが戻ってきます。

もっとやってみよう

「やってみよう」の例では単位を指定しなかったので，秒単位で実行されましたが，停止する時間を秒，分，時間，日単位で指定することもできます。試しに，1分5秒停止させてみましょう。分と秒を指定したいときには，単位としてそれぞれmとsを使います。

```
$ sleep 1m 5s ↵
$          ←── 1分5秒後にプロンプトが表示されます
```

1分5秒でプロンプトが戻ってきました。このようにsleepコマンドは，引数で指定した時間を合計した時間だけ停止します。

書式

sleep 時間[単位]...

パス：/usr/bin/sleep

●時間の単位

秒	s
分	m
時間	h
日	d

●使用例

- 2時間5分停止します。

```
$ sleep 2h 5m
```

- 1分30秒停止します。

```
$ sleep 1.5m
```

- 3分停止後に“3min!”と表示します。

```
$ sleep 3m; echo '3min!'
```

指定した時刻に定期的にコマンドを実行する

crontab

Linuxをはじめとする UNIX系のOSには，指定された時刻や定期的な時刻にコマンドを実行するcronと呼ばれるプログラムがあります[†4]。cronはOSとともに起動され，時刻とコマンドが指定された設定ファイル[†5]を読み込み，設定の時刻になったらそのコマンドを実行します。crontabコマンドはユーザがcronの設定を行うためのコマンドです。

やってみよう

それではcrontabコマンドを使ってみましょう。crontabコマンドの実行の前に，まずは時刻と実行するコマンドを記述したファイルを作成しておく必要があります。エディタを用いて次のようなファイル~/.crontabを作成してください。

● ファイル~/.crontab ●

```
* * * * * echo "`date`: executed automatically." >> $HOME/crontest.txt
3 * * * * echo "`date`: 3 min." >> $HOME/crontest.txt
```

このファイルは，次のような書式になっています。

分 時間 日 月 曜日 コマンド1
分 時間 日 月 曜日 コマンド2
⋮
分 時間 日 月 曜日 コマンド*n*

たとえば，5月5日10時48分（土曜）にコマンドcommandを実行する場合，次のように時刻を指定します。

```
48 10 5 5 sat command
```

曜日はこの例のように文字で指定してもよいですし，日曜を0（または7），月曜を1，……，土曜を6とした数字で指定してもかまいません。

コマンドcommandの実行時には，ユーザのシェルの設定ファイルなどで設定しているシェル変数や環境変数（p.202）などは無効です。したがって，コマンドcommandの指定は絶対パスで行ったり，またシェルスクリプト（p.216）に

---

†4：cronを利用するにはcrondというデーモン（p.103）が起動している必要があります。
†5：ファイル/etc/crontab。

しておくことも多くあります。

定期的にコマンドcommandを実行する場合は“*”（アスタリスク）を使います。たとえば毎月1日の12時にcommandを実行する場合，次のように時刻を指定します。

```
0 12 1 * * command
```

先ほどのファイル~/.crontabの最初の行では，1分ごとにコマンドを実行し，次の行では毎時間の3分になったらコマンドを実行するように指定しています。このファイルの内容をcronの設定ファイルに登録するには次のようにします。

```
$ crontab ~/.crontab ↵
```

これにより，指定した時間ごとに次のような内容がファイル~/crontest.txtに出力されるので，catコマンドなどで確認してみましょう。

```
$ cat ~/crontest.txt ↵
2020年  1月  4日 土曜日 16:02:01 JST: executed automatically.
2020年  1月  4日 土曜日 16:03:02 JST: 3 min.
```

もっとやってみよう

登録されている時刻およびコマンドを表示するには-lオプションを使います。登録を行ったときや，次に紹介する登録内容のキャンセルを行った場合は，確認のために必ず-lオプションで確認するようにしましょう。

```
$ crontab -l ↵
* * * * * echo "`date` : executed automatically." >> $HOME/
crontest.txt
3 * * * * echo "`date` : 3 min." >> $HOME/crontest.txt
```

ここで表示されているのは，先ほどのファイル~/.crontabそのものの内容ではなく，cronの設定ファイルに登録されている内容です。

登録内容をキャンセルするには-rオプションを指定します。

```
$ crontab -r ↵
```

なお，本節で紹介した例は1分ごとにファイルに出力を続けるので，試した後は必ずキャンセルするようにしてください。

書式

crontab [-u ユーザ名] ファイル
crontab [-u ユーザ名] [その他のオプション]

パス：/usr/bin/crontab

●主なオプション

-l	登録されている時刻とコマンドを表示します。
-r	登録をキャンセルします。
-e	ファイルを作成せずに，直接時刻とコマンドを入力します（環境変数EDITORに指定されたエディタが起動する）。
-u *user*	ユーザ*user*を対象とします。スーパーユーザ権限が必要です。

●使用例

・ファイル~/.crontabに指定された時刻とコマンドを登録します。

```
$ crontab ~/.crontab
```

・登録されている時刻とコマンドを表示します。

```
$ crontab -l
```

・現在の登録内容をキャンセルします。

```
$ crontab -r
```

・ユーザmaltmanが登録している時刻とコマンドを表示します。

```
# crontab -u maltgirl -l
```

●ワンポイント

ファイル/etc/cron.allow，ファイル/etc/cron.denyを用いることでcronコマンドに使用制限を設けることができます。ファイルcron.allowにはcronコマンドの使用を許可するユーザ名を1行ずつ記入し，ファイルcron.denyには使用を許可しないユーザ名を記入します。ファイルcron.allowしか存在しない場合は，このファイルで許可されたユーザ以外のユーザはcronコマンドを使用できなくなります。また，ファイルcron.denyしか存在しない場合はここに指定されたユーザ以外のユーザはcronコマンドを使用できます。通常はファイルcron.allowだけ設定しておけば十分でしょう。これらのファイルはスーパーユーザになって編集します。

第4章

ユーザ・システム情報の表示・変更

現在時刻を表示・変更する

date

現在の時刻を表示・変更するには，dateコマンドを使います。

やってみよう

それでは，現在時刻を表示してみましょう。

```
$ date ↵
2019年 11月 12日 火曜日 02:31:21 JST
```

dateコマンドを引数なしで実行すると，現在時刻を表示します。

もっとやってみよう

スーパーユーザであれば，dateコマンドを用いて現在時刻を変更することができます。ここでは，suコマンド（p.246）でスーパーユーザに変身して，時刻を2019年1月31日午前6時15分に合わせてみましょう[†1]。

```
$ su ↵
Password: ↵     ←スーパーユーザのパスワードを入力してください
# date 013106152019 ↵
       月日時分西暦
2019年 1月 31日 火曜日 06:15:00 JST
```

deteコマンドの引数に時刻を設定するとシステムの現在時刻を変更できます。時刻の指定方法は，ワンポイントを参照してください。

†1：デフォルト設定のUbuntuではsuコマンドでスーパーユーザに変身できません。代用としてsudoコマンドに -iオプション（p.250）をつけて使います。

書式

```
date [時刻]
```

パス：/usr/bin/date

主なオプション

-u　協定世界時(UTC)を表示します。日本時間(JST)はこれに9時間足したものです。

使用例

- 現在時刻を表示します。

```
$ date
```

- 現在時刻を2019年03月31日23時59分に設定します。

```
# date 033123592019
```

ワンポイント

日時の指定には，次のような特有の表記方法を用います。

月日時分 [[西暦上2桁] 西暦下2桁][.秒]

西暦は上2桁を省略すると，下2桁の値に従って適当に決定されます。また，西暦をすべて省略すると現在の西暦が採用され，秒を省略すると00秒を指定したことになります。

例として，2019年03月31日18時27分00秒の指定方法をいくつか紹介します。

- 033118272019.00
- 0331182719.00
- 0331182719

カレンダーを表示する

cal

カレンダーを表示するには，calコマンドを使います。

やってみよう

今月のカレンダーを表示してみましょう。

```
$ cal ↵
      11月 2019
日 月 火 水 木 金 土
                1  2
 3  4  5  6  7  8  9
10 11 12 13 14 15 16
17 18 19 20 21 22 23
24 25 26 27 28 29 30
```

calコマンドを引数なしで実行すると，上記の例で示したように，今月（ここでは2019年11月）のカレンダーが表示されます。今日の日付は反転表示されています。

もっとやってみよう

今度は，2020年5月のカレンダーを表示してみましょう。

```
$ cal 5 2020 ↵
      5月 2020
日 月 火 水 木 金 土
                1  2
 3  4  5  6  7  8  9
10 11 12 13 14 15 16
17 18 19 20 21 22 23
24 25 26 27 28 29 30
31
```

上記のように月，西暦の順で引数を指定することで，その引数で指定された西暦，月のカレンダーを表示します。

書式

cal［オプション］［［月］ 西暦］

パス：/usr/bin/cal

●主なオプション

-y	今年のカレンダーを表示します。

●使用例

• 今月のカレンダーを表示します。

```
$ cal
```

• 今年のカレンダーを表示します。

```
$ cal -y
```

• 西暦2020年のカレンダーを表示します。

```
$ cal 2020
```

• 西暦2020年7月のカレンダーを表示します。

```
$ cal 7 2020
```

自分のユーザ情報を表示する

whoami, groups, id

自分のユーザ情報を表示するには，whoamiコマンド，groupsコマンド，idコマンドを使います。idコマンドはwhoamiコマンドおよびgroupsコマンドの機能を含みます。

やってみよう

まず，自分のユーザ名をwhoamiコマンドで表示してみましょう。

```
$ whoami ↵
maltman
```

実行結果から，自分のユーザ名はmaltmanとわかります。

次に，自分の所属するグループを表示してみましょう。所属するグループの表示にはgroupsコマンドを使います。

```
$ groups ↵
users
```

実行結果から，ユーザmaltmanはグループusersに所属していることがわかります。この例では，1つのグループしか表示されませんが，複数表示される場合もあります。

もっとやってみよう

idコマンドを使うと，whoamiコマンド，groupsコマンドよりも細かい情報を表示することができます。

```
$ id ↵
uid=500(maltman) gid=100(users) groups=100(users) …(略)
```

idコマンドを引数なしで実行すると，自分のユーザID（ユーザ名），グループID（グループ名），所属するグループID（グループ名）を表示します。

実行結果のuidは，ユーザIDのことで，システム上の各ユーザに対して番号が1つ割り当てられます。この番号がほかのユーザと重なることはありません。

gidはグループIDのことで，自分が主として属するグループの番号を表します。自分が作成したファイルやディレクトリには，このグループIDがつきます。

また，所属グループは，自分が所属しているすべてのグループIDを表します。

書式

whoami
groups［ユーザ名］
id［オプション］［ユーザ名］

パス：/usr/bin/whoami, /usr/bin/groups, /usr/bin/id

●主なオプション（idコマンド）

-G	所属グループIDのみを表示します。
-g	グループIDのみを表示します。
-u	ユーザIDのみを表示します。
-n	他のオプションと併用すると，ID表示でなく，名前による表示にします。

●使用例

・自分のユーザ名を表示します。

```
$ whoami
```

・自分の所属するグループ名を表示します。

```
$ groups
```

・ユーザuserの所属するグループ名を表示します。

```
$ groups user
```

・自分のユーザ情報を細かく表示します。

```
$ id
```

・ユーザuserのユーザ情報を細かく表示します。

```
$ id user
```

ログインしているユーザの情報を表示する

w

現在ログインしているユーザの情報を表示するにはwコマンドを使います。

やってみよう

それでは，実際にwコマンドを実行してみましょう。

```
$ w ↵
 22:01:46 up 33 min, 11 users,  load average: 0.08, 0.12, 0.14
USER     TTY      FROM          LOGIN@   IDLE   JCPU   PCPU  WHAT
maltman  :0       :0            21:28   ?xdm?   2:35   0.14s init
brewer   pts/13 localhost       21:48    1:30   0.07s  0.02s ssh
    ：(略)
maltman  pts/47 :0              22:01    2.00s  0.02s  0.00s w
```

ユーザ名 ／ 端末名 ／ ログインホスト名 ／ ログイン時間 ／ アイドル時間 ／ 実行中のプロセスに関する情報

wコマンドは，まずシステムの稼働時間の情報として，uptimeコマンド(p.125)の実行結果を表示します。次にユーザ情報として，ログインしているユーザのユーザ名とそのプロセス内容，アイドル時間などの情報を表示します。**アイドル時間**とは，ユーザが何もしていない時間のことです。また，ユーザ情報の表示はそのユーザが実行しているプロセスの数だけあります。

もっとやってみよう

wコマンドに続けてユーザ名をつけて実行すると，そのユーザの情報だけを表示することができます。それではユーザmaltmanの情報を見てみましょう。

```
$ w maltman ↵
 22:10:43 up 42 min, 11 users,  load average: 0.05, 0.08, 0.12
USER     TTY      FROM          LOGIN@   IDLE  JCPU   PCPU  WHAT
maltman  :0       :0            21:28   ?xdm?  3:14   0.14s init
maltman  pts/47 :0              22:01    3.00s 0.03s  0.00s w maltman
```

ユーザmaltmanの情報だけが表示されています。

wコマンドは，複数のユーザがネットワークなどからログインしている状況で使うと，どんなユーザがいて何をしているかがわかります。

書式

w [オプション] [ユーザ名]

パス：/usr/bin/w

●主なオプション

-h	ヘッダ(uptimeコマンドの実行結果と項目名)を非表示にします。
-f	ログインホスト名を表示もしくは非表示にします(デフォルトの逆)。
-s	表示する情報を減らします(ショートフォーマット)。

●使用例

- 現在ログインしているユーザの情報を表示します。

```
$ w
```

- ユーザ maltman の情報のみを表示します。

```
$ w maltman
```

- ヘッダをなしにして，ユーザごとの情報量も減らして表示します。

```
$ w -sh
```

パスワードを変更する

passwd

ログインパスワードを変更するには，passwdコマンドを使います。

やってみよう

それでは，自分のパスワードを変更してみましょう。

```
$ passwd ⏎
maltman 用にパスワードを変更中
現在のUNIXパスワード： ⏎                    ←現在のパスワードを入力します
                                              （入力した文字は画面に表示されない）

新しいUNIXパスワードを入力してください： ⏎     ←新しいパスワードを入力します
新しいUNIXパスワードを再入力してください： ⏎   ←もう一度新しいパスワードを
passwd: パスワードは正しく更新されました。        入力します
```

passwdコマンドを実行したときの表示は使用しているディストリビューションによって異なりますが，入力する値は基本的に同じですので問題ありません。

パスワードを変更するには，現在のパスワードと新しいパスワードを入力した後，最後に誤入力を防ぐためにもう一度新しいパスワードを入力します。これで，次にログインするときには，新しいパスワードが有効になります。

もっとやってみよう

もし一般ユーザがパスワードを忘れてしまった場合には，スーパーユーザ（p.246）がそのユーザのパスワードを新たに設定できます。

例として，ユーザmaltmanが自分のパスワードを忘れてしまったとしましょう。その場合，スーパーユーザになってユーザmaltmanのパスワードを設定します。

```
# passwd maltman ⏎
新しいUNIXパスワードを入力してください： ⏎     ←新しいパスワードを入力します
新しいUNIXパスワードを再入力してください： ⏎   ←もう一度新しいパスワードを
passwd: パスワードは正しく更新されました。        入力します
```

なお，他人のパスワードを変更できるのはスーパーユーザだけです。もしスーパーユーザのパスワードを忘れてしまった場合は，p.250のコラムを参照してください。

書式

passwd［ユーザ名］

パス：/usr/bin/passwd

●使用例

- 自分のパスワードを変更します。

```
$ passwd
```

- ユーザuserのパスワードを変更します（スーパーユーザのみ実行可能）。

```
# passwd user
```

Column **●パスワードについて**

ユーザのパスワードはシステムにとって非常に重要なものです。外部からの侵入者（クラッカー）はユーザのパスワードを見破ると，そのユーザになりすましてログインし，システムに致命的なダメージを与えます。さらに酷い場合には自分のコンピュータが犯罪の踏み台になり，社会に迷惑をかけてしまうことさえあります。パスワードの設定には細心の注意を払い，容易に見破られないようなものにしなくてはいけません。見破られにくいパスワードにするには次のような条件で試してみるとよいでしょう。

- **文字数を長くする**
- **辞書に載っている単語は使わない**
- **大文字，小文字，記号，数字が混在したものにする**

また，次のようなパスワードは見破られやすいので使ってはいけません。

- **ユーザ名やフルネームを並べ換えたもの**
- **名前などの固有名詞**
- **辞書に載っている単語**
- **文字の繰り返し（aaaa など）**
- **自分の誕生日や電話番号**

また，パスワードはタイピング時の指の動きやメモ書きなどから他人に知られてしまうこともあります。パスワードの管理にあたっては，見破られにくいパスワードにするとともに，生活上での流出にも十分注意しましょう。なお，オンラインショッピングやWebメールなど複数のサービスで同じパスワードを使用することは避けましょう。一つのサービスでのパスワード流出がきっかけとなり甚大な損害を被ることがあります。

一般ユーザはシステムに対して権限を持っていないのだから，スーパーユーザのパスワードさえ見破られなければよいということでも決してありません。また，普段からパスワードに気をつけておけば職場や学校などのシステムでパスワードを設定する際にも役に立つはずです。

ディスク容量・使用量を表示する

df, du

ディスク容量・使用量に関する情報を表示するには，dfコマンドまたはduコマンドを使います。

やってみよう

アプリケーションをインストールしたり，ホームディレクトリにさまざまなファイルを作成していると，どれだけディスク容量が余っているのかを調べたくなる場合があります。そのようなときにはdfコマンドを使います。

```
$ df ↵
```

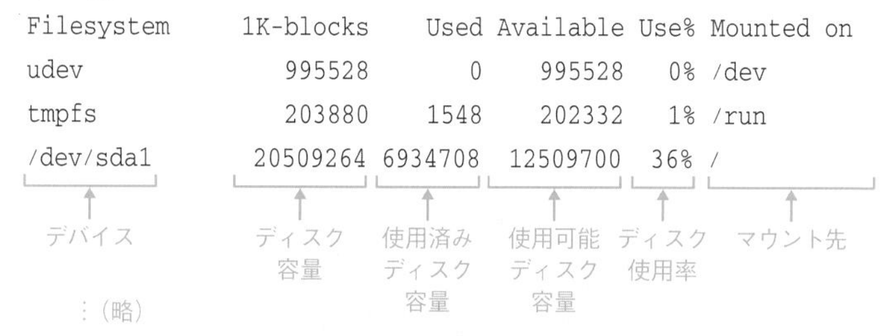

```
Filesystem      1K-blocks    Used Available Use% Mounted on
udev               995528       0    995528   0% /dev
tmpfs              203880    1548    202332   1% /run
/dev/sda1        20509264 6934708  12509700  36% /
```


dfコマンドを引数なしで実行すると，現在マウントしているすべてのファイルシステムについての情報（デバイス，最大ディスク容量，現在のディスク使用サイズ，残りのディスク容量，ディスク使用率，マウント先）を表示します。上記の例では3つのファイルシステムが表示されています。ディスク容量の単位はキロバイトです。

なお，マウントとは，ファイルシステム（ハードディスクやDVDなど）をディレクトリ構造内に埋め込むことです。詳しくは「ファイルシステムをマウントする」(p.326) で解説します。

もっとやってみよう

dfコマンドではファイルシステムの容量を調べましたが，あるディレクトリがどれだけのディスク使用量を占めているのかを調べたいときには，duコマンドを実行します。

最もよく使われる例として，自分のホームディレクトリ以下のディスク使用量を表示してみましょう。

```
$ cd ↵
$ pwd ↵
/home/maltman
$ du ↵
8       ./cornfield
12      .
```

duコマンドを引数なしで実行すると，カレントディレクトリ以下のディスク使用量を調べることができます。結果はサブディレクトリごとに表示され，数字はそのディレクトリのディスク使用量（キロバイト）を示します。

また，duコマンドに-aオプションをつけて実行すると，各ファイルごとのディスク使用量を表示させることができます。

```
$ du -a ↵
0       ./bottle
4       ./cornfield/cocktail
8       ./cornfield
12      .
```

上記の例とは逆に，各ディレクトリやファイルの情報は必要なく，あるディレクトリ以下が占めるディスク使用量だけを知りたいという場合もあります。そのようなときには，-sオプションを使います。

```
$ du -s ↵
12      .
```

上記のように，サブディレクトリもファイルも表示されず，合計のディスク使用量だけが表示されました。

特定のディレクトリのディスク使用量を表示したい場合は，duコマンドの引数にそのディレクトリを指定します。例として，ディレクトリcornfieldのディスク使用量を表示してみましょう。

```
$ du cornfield ↵
8       cornfield
```

書式

df ［オプション］
du ［オプション］［ディレクトリ］

パス：/usr/bin/df，/usr/bin/du

●主なオプション（dfコマンド）

-a	すべてのファイルシステムに関する情報を表示します。
-h	表示内容に単位をつけて表示します。1024の乗数で単位が変わります。
-H	表示内容に単位をつけて表示します。1000の乗数で単位が変わります。
-t *fstype*	ファイルシステムの種類(p.330)が*fstype*のファイルシステムのみを表示します。

●主なオプション（duコマンド）

-a	ディスク使用量の表示をサブディレクトリだけでなく，各ファイルに対しても行います。
-b	表示するディスク使用量の単位をバイト単位にします。
-h	表示内容に単位をつけて表示します。1000の乗数で単位が変わります。-bオプションを併用すると1024の乗数で単位が変わります。
-s	サブディレクトリごとにディスク使用量を表示せず，合計サイズだけを表示します。
-d *n*	*n*段下の階層のサブディレクトリまでのディスク使用量を表示します。

●使用例

• 各ファイルシステムのディスク使用量を表示します。

```
$ df
```

• カレントディレクトリ以下のディスク使用量を表示します。

```
$ du
```

• ディレクトリ/home/user以下のディスク使用量を表示します。

```
$ du /home/user
```

• カレントディレクトリ以下のディスク使用量を，大きい順に並べ替えて表示します。

```
$ du | sort -nr
```

ユーザのログイン履歴を表示する

last

システムにどのユーザがどれだけログインしていたかを示す情報を，**ログイン履歴**といいます。ログイン履歴を表示するには，lastコマンドを使います。

やってみよう

簡単な情報を見るために，lastコマンドを引数なしで実行してみます。

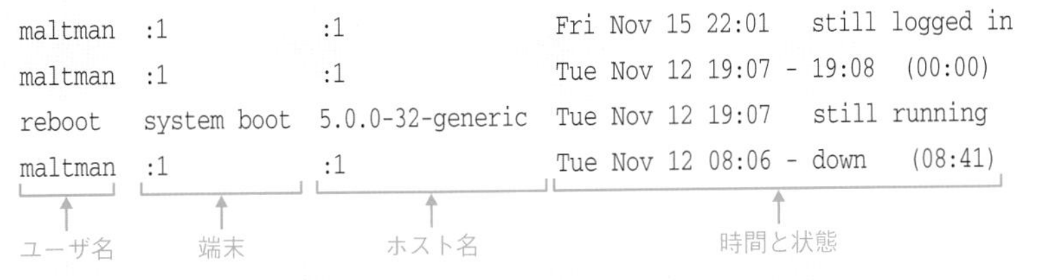


```
wtmp begins Fri Nov  8 18:13:45 2019
```

← lastコマンドが参照している情報が書き込まれているファイルの作成日時

上記の例のように，lastコマンドは「ログインしたユーザ」「ログイン時間」「ログアウト時間」などを表示します†2。たとえば，ユーザmaltmanは，11月15日（金）の22時1分にログインし，現在もログイン中であることが読み取れます。

さらにlastコマンドでは，システムのブート時，シャットダウン時，ランレベルの変化時の情報を，それぞれ仮想ユーザであるreboot，shutdown，runlevelの情報として表示します。**ランレベル**とはシステムがどのような状態にあるかを示すもので，ランレベル0はシステムを停止するときの状態であり，ランレベル6はシステムがリブートするときの状態，ランレベル1はシステムをシングルユーザモードに移行するときの状態を示します。通常はランレベル5で動作しています。

上記のlastコマンドの出力例では，ユーザmaltmanのログイン，ログアウト情報に加え，仮想ユーザrebootの情報が表示されています。この情報はユーザrebootがログインした時間を示しているわけではなく，システムがリブートした時間を意味します。つまり，このシステムは11月12日（火）の19時7分に再起動されたことがわかります。

---

†2：表示結果の3列目（:1や5.0.0-32-genericがある列）には通常ホスト名が表示されますが，ユーザ名がrebootなどの場合は，カーネル名など，ほかの情報が表示される場合もあります。

書式

last［オプション］［ユーザ名］

パス：/usr/bin/last

●主なオプション

-*n*	ログイン履歴の表示を*n*行にします。
-x	ランレベルの変更を表示します。

●使用例

- システムのログイン履歴を表示します。

```
$ last
```

- ユーザuserに関するログイン履歴を表示します。

```
$ last user
```

●ワンポイント

環境によっては「やってみよう」で示したように表示されず，

```
last: /var/log/wtmp を open できません: そのようなファイルやディレクトリはありません
```

のようなエラーメッセージが表示されるかもしれません。この表示は，lastコマンドのための情報を書き込んでおくファイルが存在しないというエラーです。このような場合は，情報を書き込んでおくファイルを作成すれば，正しく情報が表示されます。lastコマンドのための情報を書き込むファイルは，ファイル/var/log/wtmpです。スーパーユーザに変身して，次のように，touchコマンドでこのファイルを作成しましょう。

```
# touch /var/log/wtmp
```

システムの稼働時間を表示する

uptime

システムがどれだけの時間起動し続けているかということを表すシステムの稼働時間を表示するには，uptimeコマンドを使います。

やってみよう

uptimeコマンドを引数なしで実行してみましょう。

```
$ uptime
14:23:57  up 4 days, 1:02, 1 user, load average: 3.61, 2.15, 0.85
```

現在時刻　稼働時間　ログインユーザ数　ロードアベレージ

表示されるのは，「現在時刻」「稼働時間」「ログインユーザ数」「ロードアベレージ」の4つの情報です。なお，**ロードアベレージ**とはシステムにかかっている負荷を意味し，3つの項目は左から1分，5分，15分間の平均負荷を表します。

もっとやってみよう

uptimeコマンドはオプションをつけることで，表示する情報を変更することもできます。-pオプションをつけて実行すると，稼働時間だけを表示します。

```
$ uptime -p
up 4 days, 1 hour, 6 minutes
```

4日と1時間6分の間稼働していることがわかります。また，-sオプションをつけて実行すると，システムが起動した時刻を表示することができます。

```
$ uptime -s
2019-11-16 13:21:47
```

これはシステムが，2019年11月16日の13時21分47秒に起動したことを示しています。

書式

uptime［オプション］

パス：/usr/bin/uptime

●主なオプション

-p	稼働時刻だけを表示します。
-s	システムが起動した時刻だけを表示します。

●使用例

• システムの稼働時間を表示します。

```
$ uptime
```

Column ●ハードウェアの情報を確認するコマンド

コンピュータはCPU，メモリ，ハードディスクなどさまざまなハードウェアで構成されています。ハードウェアの現在の状態を把握したり，新たに増設したハードウェアがコンピュータに認識されているか確認したりするときなど，ハードウェアに関する情報を入手したいときがあります。Linuxではハードウェアの情報をコマンドで確認することができます。たとえば，lscpuコマンドを実行するとCPUの詳細な情報を表示でき，CPUのモデル名や処理速度（クロック周波数）などを確認できます。また，freeコマンドではメモリの総量や現在の使用量などを表示することができます。これらのコマンドはオプションや引数無しでも実行できますので試してみましょう。実行結果で表示される内容やコマンドのオプションは，manコマンドやコマンドのヘルプ（p.24）で調べることができます。

他にも，lshwコマンドではマザーボードなどの多くのハードウェアの詳細な情報を，lspciコマンドではPCIデバイスの一覧を表示できます（これらは，環境によってはインストールが必要です。第11章を参考にインストールにしてみてください）。

このコラムで紹介したほかにも，ハードウェアの情報を確認するコマンドは多くあります。本書では，ディスクの情報を確認するduコマンドやdfコマンド（p.120），ネットワークインターフェイスの確認をするipコマンドやifconfigコマンド（p.299），USBデバイスの情報を確認するlsusbコマンド（p.344）などの使い方を詳しく解説しています。

システム情報を表示する

uname

システムやOSのリリース番号，ハードウェア情報などを表示するには，unameコマンドを使います。

やってみよう

まず，システム名を表示してみましょう。

```
$ uname
Linux
```

unameコマンドを引数なしで実行すると，現在稼働しているシステムの名前を表示します。本書の場合は，もちろんLinuxと表示されます。

もっとやってみよう

unameコマンドは，オプションを指定することによって，システム名のほかにもさまざまな情報を表示することができます。たとえば-aオプションを使うと，このコマンドで知ることのできるすべての情報を表示します。

```
$ uname -a
```

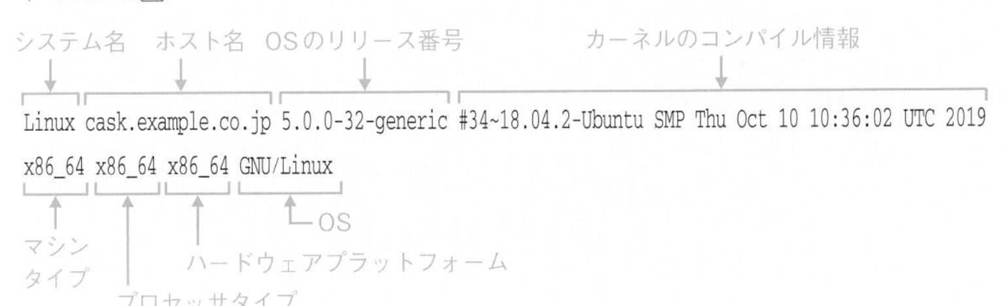

-aオプションを指定すると，「システム名」「ホスト名」「OSのリリース番号」「カーネルのコンパイル情報」「マシンタイプ」「プロセッサタイプ」「ハードウェアプラットフォーム」「OS」に関する情報が表示されます。

書式

uname [オプション]

パス：/usr/bin/uname

●主なオプション

-n	ホスト名を表示します。
-r	OSのリリース番号を表示します。
-v	カーネルのコンパイル情報を表示します。
-m	マシンタイプを表示します。
-p	プロセッサタイプを表示します。
-a	すべての情報を表示します。

●使用例

- システム名を表示します。

```
$ uname
```

- すべてのシステム情報を表示します。

```
$ uname -a
```

第 5 章

★ ★ ★ ★ ★ ★

高度なファイル操作

長いファイルの内容を表示する

more, less

長いテキストファイルを1画面で収まるように分けて表示するには，moreコマンド，lessコマンドを使います。

やってみよう

まず，アメリカ合衆国の51州をアルファベット順に並べたファイルstatesをエディタ（p.370）で作成し，そのファイルをmoreコマンドを使って表示してみましょう。

```
$ more states ↵
Alabama
Alaska
    ：（略）
Minnesota
--続きます--(38%)
```

catコマンド（p.41）と同じように，moreコマンドは引数で指定したファイルの内容を表示します。catコマンドとの違いは，ファイルの内容が1画面で収まらないときには1画面分を表示した時点で停止し，次の指示を待つプロンプト状態になることです。次の1画面を表示するには Space を押します。ファイルの最後まで表示し終わると，自動的に終了してシェルのプロンプトに戻ります。途中で終了したいときには q を押します。

今度はlessコマンドを使って，ファイルstatesを表示してみましょう。

```
$ less states ↵
Alabama
Alaska
    ：（略）
Mississippi
states
```

catコマンドおよびmoreコマンドと同じように，lessコマンドも引数で指定したファイルの内容を表示します。ファイルの内容が1画面で収まらないときにはmoreコマンドと同じように，1画面分を表示した時点で表示が停止し，次の指示を待つプロンプト状態となります。 Space を押して，次の1画面を表示する点も同じです。ただし，lessコマンドはファイルを最後まで表示し終わっても，自動的にシェルのプロンプトには戻りません。終了するには[q]を押します。

一般にmoreコマンドよりlessコマンドのほうが高機能です。具体的な操作方法については，リファレンスページの表（p.133）を参考にしてください。

もっとやってみよう

テキストファイルを表示している際に，文字列の検索もできます。ここではlessコマンドを使って，ファイルstates内の文字列Montanaを検索してみましょう。文字列の検索を開始するには，[/]を押します。すると最下行のプロンプト表示が"/"に変わるので，続けて検索文字列Montanaを打ち込みます。

```
$ less states ↵
Alabama
Alaska
    ：(略)
Mississippi
/Montana
```

[↵]を押すと，指定した検索文字列（ここではMontana）の検索を開始します。

```
Montana
Nebraska
    ：(略)
Washington DC
:
```

上記のように，検索文字列Montanaが画面の最上行になるように表示されます。ここで同じ文字列でさらに検索を続けるには，[n]を押します。

moreコマンドやlessコマンドは，ほかのコマンドの実行結果が1画面に収まらないようなときにも使えます。この場合は，コマンドの実行結果を別のコマンドに橋渡しする"|"(パイプ，p.178）を利用します。

```
$ ls -F /bin | less ↵
bash*
brltty*
    ：(略)
:
```

書式

more［オプション］［ファイル...］
less［オプション］［ファイル...］

パス：/usr/bin/more, /usr/bin/less

●主なオプション（moreコマンド）

-s	連続した空行を表示しません。

●主なオプション（lessコマンド）

-X	終了後に表示内容を消去しません。
-x*n*	タブを*n*個の空白で置き換えて表示します（デフォルトでは8）。
-S	長い行を折り返さずに表示します。
-s	連続した空行を表示しません。

●使用例

・テキストファイルfileを，1画面分ずつ表示します。

```
$ more file
$ less file
```

・lsコマンドの出力結果を，1画面分ずつ表示します。

```
$ ls /bin | more
$ ls /bin | less
```

ファイル表示中の操作コマンド[†1]

動　作	less	more[†2]
1画面次へ移動する	f，Ctrl + f，Space	z，Space，Ctrl + f
1画面前へ移動する	b，Ctrl + b	b，Ctrl + b
1行次へ移動する	↵，j，Ctrl + n	↵，Ctrl + j
1行前へ移動する	k，Ctrl + p	
半画面次へ移動する	d，Ctrl + d	d，Ctrl + d[†3]
半画面前へ移動する	u，Ctrl + u	
ファイルの先頭へ移動する	g，<	
ファイルの末尾へ移動する	G，>	
文字列*pattern*を前方検索する	/ *pattern*	/ *pattern*
文字列*pattern*を後方検索する	? *pattern*	
文字列を再検索する	n	
文字列を逆方向に再検索する	n	
直前の検索開始位置に戻る	' '	'
現在のファイル名と現在位置を表示する	: f，=，Ctrl + g	: f
現在の行数を表示する		=
ヘルプを表示する	h	h，?
終了する	q，Q	q，Q
引数に指定したファイルの次のファイルを読み込む	: n	: n
引数に指定したファイルの前のファイルを読み込む	: p	: p
直前の操作コマンドを再実行する		.

†1：ここでは，エディタemacs，viに類似の操作コマンドを主に取りあげています。コマンドによっては，先行して数値を入力することで移動量を指定できるものもあります。

†2：バージョンによっては，moreコマンドでもかなり多機能なものがあります。

†3：moreコマンドでは，指定の行数（省略時は11行）だけ次に移動します。

ファイルの先頭部分を表示する

head

テキストファイルの先頭部分を表示するには，headコマンドを使います。

やってみよう

ファイルstates[†4]の先頭部分を表示してみましょう。

```
$ head states ↵
     1  Alabama
     2  Alaska
   ⋮（略）
    10  Georgia
```

headコマンドは，引数で指定したファイルの内容の先頭部分だけを表示します。行数の指定がない場合は10行分を表示します。

もっとやってみよう

表示行数の指定には，-*n*オプションを使います。

```
$ head -3 states ↵
     1  Alabama
     2  Alaska
     3  Arizona
```

上記の例では，ファイルstatesの先頭から3行分が表示されています。

また，headコマンドは，ほかのコマンドの実行結果の先頭部分だけを表示することもできます。この場合は，"|"（パイプ，p.178）を使います。

```
$ last | head -2 ↵
maltman  :0    :0     Sun Nov 24 00:14   still logged in
maltman  :0    :0     Wed Nov 20 07:54 - 00:10 (3+16:15)
```

上記の例では，最近ログインしたユーザを表示するlastコマンド（p.123）の実行結果の先頭から2行分を表示しています。

†4：コマンドの動作をわかりやすくするために，各行の先頭に番号をつけ加えたファイルを使っています。

書式

head [オプション] [ファイル...]

パス：/usr/bin/head

主なオプション

-*n*	ファイルの先頭から*n*行目までを表示します。
-n +*n*	ファイルの先頭から*n*行目までを表示します。
-n -*n*	ファイルの末尾から*n*行目までの部分以外を表示します。
-c +*n*	ファイルの先頭から*n*バイト目までを表示します。
-c -*n*	ファイルの末尾から*n*バイト目までの部分以外を表示します。

使用例

・テキストファイルfileの先頭部分（10行分）を表示します。

```
$ head file
```

・テキストファイルfileの先頭から3行分を表示します。

```
$ head -3 file
```

・lastコマンドの実行結果の先頭部分（10行分）を表示します。

```
$ last | head
```

ファイルの末尾部分を表示する

tail

テキストファイルの末尾部分を表示するには，tailコマンドを使います。

やってみよう

ファイルstatesの末尾部分を表示してみましょう。

```
$ tail states ↵
    42  Tennessee
    43  Texas
    ：（略）
    51  Wyoming
```

tailコマンドは，引数で指定したファイルの内容の末尾部分だけを表示します。行数の指定がない場合は末尾から10行分を表示します。

もっとやってみよう

表示行数の指定には，-*n*オプションを使います。

```
$ tail -3 states ↵
    49  West Virginia
    50  Wisconsin
    51  Wyoming
```

上記のように，ファイルstatesの末尾から3行分が表示されました。

また，tailコマンドは，ほかのコマンドの実行結果の末尾部分だけを表示することもできます。この場合は，“|”（パイプ，p.178）を使います。

```
$ dmesg | tail -3 ↵
[   32.068337] IPv6: ADDRCONF(NETDEV_CHANGE): enp0s3:  …（略）
[   37.908274] systemd-journald[218]: File /var/log/j  …（略）
[   63.682026] rfkill: input handler disabled
```

上記の例では，システムメッセージを表示するdmesgコマンド（p.260）の実行結果の末尾から3行分を表示しています。

書式

tail［オプション］［ファイル...］

パス：/usr/bin/tail

●主なオプション

-f	ファイルの末尾まで表示しても終了せずに，ファイルへデータが追加されるたびに表示を更新します。
-*n*	ファイルの末尾から*n*行目以降を表示します。
-n +*n*	ファイルの先頭から*n*行目以降を表示します。
-n -*n*	ファイルの末尾から*n*行目以降を表示します。
-c +*n*	ファイルの先頭から*n*バイト目以降を表示します。
-c -*n*	ファイルの末尾から*n*バイト目以降を表示します。

●使用例

- テキストファイルfileの末尾部分（10行分）を表示します。

```
$ tail file
```

- テキストファイルfileの末尾から5行分を表示します。

```
$ tail -5 file
```

- テキストファイルfileにデータが追加されるたびに表示を更新します。

```
$ tail -f file
```

- psコマンドの実行結果の末尾部分を表示します。

```
$ ps -ejH | tail
```

ファイルの行を並べ替える

sort

テキストファイルの各行を並べ替える（ソートする）には，sortコマンドを使います。

やってみよう

まず，次のような内容のファイルdataを作成してください。

●ファイルdata●

```
10  50  70
40  20  30
30  10  50
```

このファイルの行をsortコマンドを使って，並べ替えて表示してみましょう。

```
$ sort data
10  50  70
30  10  50
40  20  30
```

sortコマンドは，引数で指定したファイルの各行のすべてのフィールドを対象に並べ替えて表示します。**フィールド**とは，スペースやタブにより区切られたテキスト部分のことです。フィールドのテキストが数字の場合は数の小さい順に，アルファベットの場合はアルファベット順に並べ替えます。

もっとやってみよう

特定のフィールドだけを対象に並べ替えるには，-kオプションを使います。

```
$ sort -k 2,3 data
30  10  50
40  20  30
10  50  70
```

フィールド3
フィールド2
フィールド1

上記の例では，2番目から3番目までのフィールドが並べ替えの対象になります。sortコマンドのフィールドは1番から数えます。

書式

sort［オプション］［ファイル...］

パス：/usr/bin/sort

●主なオプション

-t *sep*	フィールドを区切る文字を*sep*に指定します。デフォルトでは，空白文字とタブ文字が使用されます。
-k *pos1*[,*pos2*]	並べ替えの対象となるフィールドを指定します。*pos2*を省略した場合，行末までが対象となります。フィールド位置は1からはじまります。
-b	行頭の空白文字を無視します。
-r	並べ替える順番を逆にします。
-f	アルファベットの大文字と小文字の違いを無視します。

●使用例

- テキストファイルfileの各行を，すべてのフィールドを対象に並べ替えます。

```
$ sort file
```

- テキストファイルfileの各行を，指定したフィールド（2番目から4番目まで）を対象に並べ替えます。

```
$ sort -k 2,4 file
```

ファイルのユニークな行を表示する

uniq

テキストファイルのユニークな行を表示するには，uniqコマンドを使います。**ユニーク**とは「唯一の」という意味で，同じ内容の行が前後に重複してある場合，そのなかの1行だけを表示します。

やってみよう

まず，次のような内容のファイルnorthを作成してください。

● ファイルnorth ●

```
Minnesota
Montana
Montana
Minnesota
```

このファイルnorth内のユニークな行を表示してみましょう。

```
$ uniq north
Minnesota
Montana
Minnesota
```

uniqコマンドは，引数で指定したファイルの各行をその前後の行と比較して，等しい行をひとつにまとめて表示します。

もっとやってみよう

uniqコマンドは前後で重複がある行をひとつにまとめて表示する以外にも，前後に重複していない行だけを表示したり（-uオプション），前後に重複した行だけを表示したり（-dオプション）できます。

```
$ uniq -u north
Minnesota
Minnesota
$ uniq -d north
Montana
```

書式

uniq［オプション］［入力ファイル ［出力ファイル］］

パス：/usr/bin/uniq

●主なオプション

-u	重複しない行だけを出力します。
-d	重複した行だけを出力します。
-c	重複した行数を各行の横に出力します。
-f *n*	各行の先頭から*n*フィールドをスキップして比較します。空白文字とタブ文字がフィールドの区切り文字になります。フィールド位置は1からはじまります。
-s *n*	各行の先頭から*n*文字をスキップして比較します。
-w *n*	各行の*n*文字を比較します。デフォルトでは行全体を比較します。

●使用例

・テキストファイルnorthの各行をその前後の行と比較して，ユニークな行を表示します。

```
$ uniq north
```

ファイル内の文字列を検索する

grep

テキストファイル内の文字列を検索するには，grepコマンドを使います。

やってみよう

まず，次のような内容のファイルsouthを作成してください。

● ファイルsouth ●

```
Alabama
Louisiana
Mississippi
```

このファイルsouth内に文字列Louisianaがあるかどうか検索してみましょう。

```
$ grep Louisiana south ↵
Louisiana
```

grepコマンドは，第1引数で指定した文字列について，第2引数で指定したファイルを検索し，該当する文字列を含む行を表示します。目では追いきれないような大きなファイルのなかに，探したい文字列があるかどうかを調べるときに便利です。

もっとやってみよう

grepコマンドでは，正規表現（コラム，p.144）を用いた文字列パターンで検索することもできます。ファイルstatesのなかで，行の先頭がVirginiaになっている行があるかどうかを調べてみましょう。

```
$ grep Virginia states ↵
Virginia
West Virginia
$ grep ^Virginia states ↵
Virginia
```

上記の例で示すように，正規表現で“^**文字列**”というのは，行の先頭からはじまる文字列を意味します。

書式
grep［オプション］文字列パターン［ファイル...］
パス：/usr/bin/grep

●主なオプション

-v	指定した文字列パターンを含まない行を表示します。
-n	行番号をつけて表示します。
-l	指定した文字列を含むファイル名を表示します。
-i	大文字と小文字の区別をせずに検索します。
-r	ディレクトリ以下のファイルを再帰的に読み込んで検索を行います。
-s	エラーメッセージを表示しません。

●使用例

- テキストファイルfile内で，行頭がmaltである行を検索し表示します。

```
$ grep ^malt file
```

- psコマンドの実行結果から文字列xeyesを含む行を表示します。

```
$ ps auxw | grep xeyes
```

- テキストファイルfile内で，文字列maltを含む行の番号を調べます。

```
$ grep -n malt file
```

Column ●正規表現

正規表現は，検索などを行う際に，具体的な文字列ではなく文字列をパターン（ある規則を含む文字列）で指定したい場合に利用します。正規表現は，記号を使って表現されます。

たとえば，a，ab，abbbbbbなどを含む文字列を表現したい場合は，記号“*”を使って次のように記述します。

```
ab*
```

つまり，記号“*”は，直前の文字の0回以上の繰り返しという意味です。

また，正規表現では複数の記号を組み合わせることもできます。任意の1文字を意味する記号“.”に記号“*”を組み合わせると，文字列の先頭がaで，最後がzとなる文字列を含む文字列のパターンを表現することができます。たとえば，

```
a.*z
```

は，az，abcz，amaltmanz，a000zなどの文字列が該当します。このほかにも正規表現に使える記号があります。以下に，よく使う正規表現をまとめておきます。

正規表現	意　味
^**文字列**	行頭の文字列
文字列$	行末の文字列
.	任意の1文字
文字*	文字の0回以上の繰り返し
[**文字**]	[]内の文字のいずれかの1文字
[**文字1-文字2**]	文字1と文字2の間にある1文字

なお，正規表現の文字列にスペースや記号“*”が含まれている場合は，シェルで解釈されないように“'”（シングルクォーテーション）または“"”（ダブルクォーテーション）で囲います（例：'*'，p.212）。

テキストファイルの大きさを調べる

wc

テキストファイルの大きさ（行数，単語数，文字数）を調べるには，wcコマンドを使います。

やってみよう

ファイルstatesの大きさを調べてみましょう。

```
$ wc states⏎
 51 62 486 states
```

wcコマンドは，引数で指定したファイルの大きさを表示します。実行結果は左から「行数」「単語数」「文字数」を表します。ただし，日本語文字などマルチバイト文字を含むときはバイト数の表示となります。また文字数には改行などの制御文字も含まれます（コラム「エスケープシーケンス」，p.204）。

もっとやってみよう

行数，単語数，文字数をそれぞれ個別に表示するには，行数ならば-lオプションを，単語数ならば-wオプションを，文字数ならば-cオプションを使います。

```
$ wc -l states⏎
     51 states
$ wc -w states⏎
     62 states
$ wc -c states⏎
    486 states
```

また，“|”（パイプ，p.178）を使って，ほかのコマンドの実行結果の行数などを調べることもできます。

```
$ last | wc -l⏎
       5
```

書式

wc［オプション］［ファイル...］

パス：/usr/bin/wc

●主なオプション

-l	行数を表示します。
-w	単語数を表示します。
-c	文字数を表示します。マルチバイト文字を含むときはバイト数となります。
-m	文字数を表示します。マルチバイト文字を含むときでも文字数となります。

●使用例

・テキストファイルfileの大きさ（行数，単語数，文字数）を調べます。

```
$ wc file
```

・lastコマンドの実行結果の大きさ（行数，単語数，文字数）を調べます。

```
$ last | wc
```

2つのファイルの内容の違いを調べる

diff

2つのファイル（ディレクトリ）の内容の違いを調べるには，diffコマンドを使います。

やってみよう

まず，次のような内容のファイルsouth1とファイルsouth2を作成してください。

● ファイルsouth1 ●

```
Alabama
Louisiana
Mississippi
```

● ファイルsouth2 ●

```
Alabama
Texas
Mississippi
```

この2つのファイルsouth1，south2の違いを調べてみましょう。

```
$ diff south1 south2 ↵
2c2
< Louisiana
---
> Texas
```

2c2
- south1の2行目
- 交換（change）
- south2の2行目

上記の例に示すように，diffコマンドは，第1引数と第2引数で指定した2つのファイルの内容の違いを調べて表示します。

なお，バイナリファイルを引数に指定して実行すると，その内容が違う場合には単に“バイナリーファイル **ファイル1**と**ファイル2**は異なります”と表示されます。

diffコマンドは，2つのディレクトリにある同じ名前のファイル同士の違いを調べることもできます。まず，ディレクトリdir1とdir2を作成し，先ほどのファイルsouth1とsouth2を各ディレクトリにファイル名“south”として移動し，さらにディレクトリdir2にはファイルnorthを作成してください。

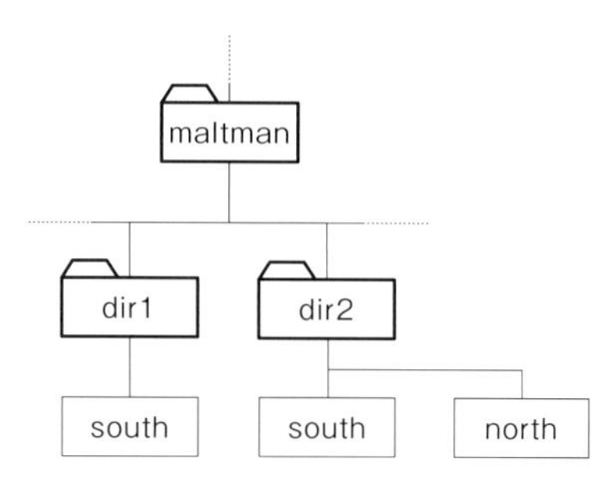

図5-1　ディレクトリdir1とdir2の構造

それでは，diffコマンドでディレクトリdir1とdir2内の違いを調べてみましょう。

```
$ mkdir dir1 dir2↵
$ cp south1 dir1/south↵
$ cp south2 dir2/south↵
$ touch dir2/north↵        ← dir2内にファイルnorthを作成します
$ ls -F↵
dir1/  dir2/
$ diff dir1 dir2↵
dir2のみに存在: north      ← ファイルnorthはディレクトリdir2にのみ存在します
diff dir1/south dir2/south
2c2
< Lousiana
---
> Texas
```

上記のように，2つのディレクトリの違いを調べたい場合は，diffコマンドの引数にディレクトリ名を与えます。このディレクトリの違いとは，存在するファイルの違いと，さらに同じ名前のファイルの場合は中身の違いのことです。

書式

diff［オプション］ファイル1　ファイル2
diff［オプション］ディレクトリ1　ディレクトリ2

パス：/usr/bin/diff

●主なオプション

-i	大文字と小文字の違いを無視します。
-r	サブディレクトリの違いも調べます。
-s	2つのファイルの内容が同じであれば，その旨を表示します。
-b	行末の空白文字の数の違いを無視します。
-w	すべての空白文字の数の違いを無視します。
-B	空行の数の違いを無視します。
-q	ファイルの内容が違うかどうかを表示します。
-u	unified diff形式で出力します。

●使用例

- 2つのファイルfile1とfile2の違いを調べます。

```
$ diff file1 file2
```

- 2つのディレクトリdir1とdir2の違いを調べます。

```
$ diff dir1 dir2
```

- 2つのファイルfile1とfile2の違いをunified diff形式で表示します。

```
$ diff -u file1 file2
```

◎ワンポイント

unified diff（ユニファイド・ディフ）形式は，修正個所の前後数行を含み，削除する行の行頭に“-”（マイナス），追加する行の行頭に“+”（プラス）を入れるなどした形式です。デフォルトの形式よりも修正がわかりやすく柔軟なため，現在ではこの形式でやりとりすることが一般的です。

ファイルの所有者や所属グループを変更する

chown, chgrp

ファイルやディクレトリには,「オーナ」「所属グループ」「パーミッション」の属性があります。**オーナ**はファイルの所有ユーザを表し,オーナのみ(スーパーユーザを除く)がそのファイルの所属グループやパーミッションなどの属性を変更することができます。ファイルやディレクトリの属性を調べるには,lsコマンドに-lオプションをつけて実行します。

やってみよう

ファイルやディレクトリのオーナを変更するには,chownコマンドを使います。ただし,chownコマンドはスーパーユーザだけが使えるコマンドです。試しに,ファイルstatesのオーナをユーザmaltgirlに変更してみましょう。

```
# ls -l states ↵          ┌─オーナ
                          ↓
-rw-r--r-- 1 maltman users 511 11月 25 09:25 states
# chown maltgirl states ↵
# ls -l states ↵
-rw-r--r-- 1 maltgirl users 511 11月 25 09:25 states
```

chownコマンドは,第2引数で指定したファイル(ディレクトリ)のオーナを第1引数で指定したユーザに変更します。

もっとやってみよう

同一グループに所属するユーザ間でファイルやディレクトリを共有したいときは,ファイルやディレクトリの所属グループを変更します。所属グループを変更するにはchgrpコマンドを使います。ここでは,ファイルstatesの所属グループをグループbeerに変更してみましょう[†5]。

```
$ ls -l states ↵
-rw-r--r-- 1 maltman users 511 11月 25 09:25 states
$ chgrp beer states ↵      ↑
                           └─グループ
$ ls -l states ↵
-rw-r--r-- 1 maltman beer 511 11月 25 09:25 states
```

chgrpコマンドは,第2引数で指定したファイル(ディレクトリ)の所属グループを第1引数で指定したグループに変更します。

chown ［オプション］ユーザ名[:グループ名］ファイル〔ディレクトリ〕...
chgrp ［オプション］グループ名 ファイル〔ディレクトリ〕...

パス：/usr/bin/chown，/usr/bin/chgrp

●主なオプション（共通）

-R　サブディレクトリ以下もまとめて変更します。

●使用例

- ファイルfileのオーナを，ユーザuserに変更します（スーパーユーザのみ実行可能）。

```
# chown user file
```

- ファイルfileの所属グループを，グループgroupに変更します（ユーザがグループgroupに所属しているときのみ実行可能）。

```
$ chgrp group file
```

- ファイルfileのオーナをユーザuserに，所属グループをgroupに一度に変更します（スーパーユーザのみ実行可能）。

```
# chown user:group file
```

†5：ここではユーザmaltmanは，グループbeerにも属しているものとします。

ファイルのパーミッションを変更する

chmod

ファイルやディレクトリを書き込み禁止にしたり，ほかのユーザから読めなくするには，ファイルやディレクトリのパーミッションを設定する必要があります。

ファイルのパーミッションを調べる

まずは，ファイルstatesの現在のパーミッションをlsコマンドで調べてみましょう。

```
$ ls -l states↵
-rw-r--r-- 1 maltman users 511 11月 25 09:25 states
```

- rw- ← オーナ
- r-- ← オーナ所属グループ
- r-- ← そのほか

パーミッションの状態は，「オーナ」「所属グループ」「そのほか」の対象ごとに「読み出し（r）」「書き込み（w）」「実行（x）」の許可条件があります。そして，許可されている場合には各文字（r，w，x）が表示され，許可されていない場合は“-”が表示されます。

許可条件の「読み出し条件」とは，ファイルの内容をlessコマンドなどを使って表示できるかどうか，「書き込み条件」とはファイルをエディタなどを使って編集できるかどうか，「実行条件」とはファイルをほかのコマンドのように実行できるかどうかを表すものです。上記の例では，オーナには読み出しと書き込みが許可されており，所属グループと他のユーザには読み出しのみが許可されていることを示しています。

ファイルのパーミッションを変更する

現在のパーミッションを変更するには，chmodコマンドを使います。試しに，ファイルstatesのパーミッションをグループ書き込み許可（モード設定：g+w）にしてみましょう。

```
$ chmod g+w states↵
$ ls -l states↵
-rw-rw-r-- 1 maltman users 511 11月 25 09:25 states
```

chmodコマンドは，第2引数で指定したファイルのパーミッションを，第1引数で指定したモード設定で変更します。第1引数に指定するモード設定は，

対象＋設定方法＋許可条件

という形式になります。

最初にパーミッションを変更する「対象」を指定します。これには，オーナならば“u”，所属グループならば“g”，そのほかならば“o”を指定します。また，複数の対象を同時に指定したり，全対象に対して設定する（“a”）こともできます。なお，何も指定しないと全対象を指定したことになります。

次に，パーミッションの「設定方法」を指定します。現在のパーミッションに追加するときには“+”，削除するときには“-”，指定した条件のみに設定するときには“=”を指定します。

最後に，パーミッションの「許可条件」を指定します。読み出しならば“r”，書き込みならば“w”，実行ならば“x”を指定します。これらは，複数を同時に指定することもできます。

たとえば，ファイルstatesをそのほかのユーザから読めなくするには，モード設定“o-r”でパーミッションを変更します。

```
$ chmod o-r states ↵
$ ls -l states ↵
-rw-rw---- 1 maltman users 511 11月 25 09:25 states
```

また，モード設定には，8進数を使う方法もあります。8進数の各数字は，パーミッションの各パターンと表5-1のように対応します。ここでのxは$2^0 = 1$，wは$2^1 = 2$，rは$2^2 = 4$を表しており，8進数の数値はこれらを合計した値になります。たとえば“-wx”は2 + 1 = 3，“r-x”は4 + 1 = 5と計算できるのです。モード設定は，オーナ，所属グループ，そのほかの対象ごとに，この8進数の数値を指定し，その3つを順に並べて記述します。

今度は8進数を使って，ファイルstatesをオーナだけが読み出しと書き込みができるようにパーミッションを変更してみましょう（モード設定：600）。

```
$ chmod 600 states ↵
$ ls -l states ↵
-rw------- 1 maltman users 511 11月 25 09:25 states
```

■表5-1　8進数を用いたパーミッションの指定

8進数	rwx
0	---
1	--x
2	-w-
3	-wx
4	r--
5	r-x
6	rw-
7	rwx

ディレクトリのパーミッションを変更する

ディレクトリのパーミッションを変更することによって，

・ディレクトリへの移動
・lsコマンドなどによるディレクトリの参照
・ディレクトリ内でのファイルやディレクトリの作成

などの操作を制限することができます。

ディレクトリのパーミッションでは，読み出し（r）が許可されていれば，そのディレクトリを参照することが可能になります。また，書き込み（w）が許可されていれば，そのディレクトリ内でのファイルやディレクトリの作成，さらにディレクトリ内に存在するファイルやディレクトリへの書き込みが可能になります。実行（x）が許可されていれば，そのディレクトリへの移動が可能になります。

通常はディレクトリのパーミッションはrwxr-xr-xとなっており，そのディレクトリのオーナ以外は，そのディレクトリへの移動や参照はできても，書き込みはできません。また，rwx------とすることで，自分（オーナ）以外に，ディレクトリへのアクセスを禁止することができます。

では，ディレクトリmaltのパーミッションを変更して，オーナ以外はアクセスできないようにしてみましょう。

```
$ chmod 700 malt
$ ls -ld malt
drwx------ 2 maltman users 511 11月 25 08:13 malt
```

書式

chmod［オプション］モード設定 ファイル〔ディレクトリ〕...

パス：/usr/bin/chmod

●主なオプション

-R	サブディレクトリ以下もまとめて変更します。

●パーミッションの設定

【オペレータを使う方法】

対象(ugoa)＋**設定方法**(+-=)＋**許可条件**(rwx)

対　　象：オーナ(u)，所属グループ(g)，その他(o)，すべて(a)
設定方法：追加(+)，削除(-)，新たに設定(=)
許可条件：読み出し(r)，書き込み(w)，実行(x)

【8進数を使う方法】

オーナ(0～7)＋**所属グループ**(0～7)＋**その他**(0～7)

0：---，1：--x，2：-w-，3：-wx，4：r--，5：r-x，6：rw-，7：rwx

●使用例

・ファイルfileのパーミッションを，オーナが書き込み可能に変更します。

```
$ chmod u+w file        ←── オペレータを使う方法
```

・ファイルfileのパーミッションを，オーナが読み書き可能，所属グループおよび他のユーザは読み出しのみ可能に変更します。

```
$ chmod 644 file        ←── 8進数を使う方法
```

ファイルを圧縮・解凍する

gzip, gunzip, bzip2, bunzip2, xz, unxz

ネットワークを介してファイルを転送したり，しばらく使わないファイルを保存する場合，ファイルを圧縮するとファイルサイズが小さくなり，作業の効率を上げたりコンピュータの資源を有効に使うことができます。ここでは，Linuxで標準的に使われるgzip形式（.gz），bzip2形式（.bz2），xz形式（.xz）での圧縮・解凍を紹介します[†6]。

gzip形式（拡張子".gz"）の圧縮・解凍

ファイルをgzip形式（拡張子".gz"）で圧縮するには，gzipコマンドを使います。試しにテキストファイルrgb.txt[†7]を圧縮してみましょう。

```
$ ls -l rgb.txt ↵
-rw-r--r-- 1 maltman users 17394 11月 25 14:37 rgb.txt
$ gzip rgb.txt ↵
$ ls -l rgb.txt.gz ↵
-rw-r--r-- 1 maltman users 4969 11月 25 14:37 rgb.txt.gz
```

gzipコマンドは引数で指定したファイルを圧縮して，ファイル名が「**ファイル名**.gz」となるファイルを作成します。ファイルrgb.txtが消えてrgb.txt.gzができており，ファイル情報を見ると確かにファイル容量が減少しています。

今度は圧縮ファイルrgb.txt.gzを解凍してみましょう。

```
$ gunzip rgb.txt.gz ↵
$ ls -l rgb.txt ↵
-rw-r--r-- 1 maltman users 17394 11月 25 14:37 rgb.txt
```

gunzipコマンドは，引数で指定したgzip形式の圧縮ファイルを解凍します。

bzip2形式（拡張子".bz2"）の圧縮・解凍

ファイルをbzip2形式（拡張子".bz2"）で圧縮するには，bzip2コマンドを使います。試しにテキストファイルrgb.txtを圧縮してみましょう。

```
$ bzip2 rgb.txt ↵
$ ls -l rgb.txt.bz2 ↵
-rw-r--r-- 1 maltman users 4686 11月 25 14:37 rgb.txt.bz2
```

bzip2コマンドは引数で指定したファイルを圧縮して，ファイル名が「**ファイル名**.bz2」となるファイルを作ります。

今度は圧縮ファイルrgb.txt.bz2を解凍してみましょう。

```
$ bunzip2 rgb.txt.bz2 ↵
$ ls -l rgb.txt ↵
-rw-r--r-- 1 maltman users 17394 11月 25 14:37 rgb.txt
```

bunzip2コマンドは，引数で指定したbzip2形式の圧縮ファイルを解凍します。

xz形式(拡張子".xz")の圧縮・解凍

ファイルをxz形式（拡張子".xz"）で圧縮するには，xzコマンドを使います。試しにテキストファイルrgb.txtを圧縮してみましょう。

```
$ xz rgb.txt ↵
$ ls -l rgb.txt.xz ↵
-rw-r--r-- 1 maltman users 4000 11月 25 14:37 rgb.txt.xz
```

xzコマンドは引数で指定したファイルを圧縮して，ファイル名が「**ファイル名**.xz」となるファイルを作ります。

今度は圧縮ファイルrgb.txt.xzを解凍してみましょう。

```
$ unxz rgb.txt.xz ↵
$ ls -l rgb.txt ↵
-rw-r--r-- 1 maltman users 17394 11月 25 14:37 rgb.txt
```

unxzコマンドは，引数で指定したxz形式の圧縮ファイルを解凍します。

一般的にはgzip形式よりもbzip2形式が，bzip2形式よりもxz形式がより圧縮率が高いとされています。

gzipコマンド，bzip2コマンド，xzコマンドは1つのファイルを圧縮するためのコマンドです。ディレクトリや複数のファイルをまとめて圧縮したいときは，まずtarコマンド（p.161）でディレクトリやファイルを1つのファイルに格納してから，いずれかのコマンドで圧縮してください。

---

†6：Windowsで使われるzip形式にはzipコマンドおよびunzipコマンドを用います。

†7：例で用いるファイルrgb.txtは/usr/share/X11/rgb.txtまたは/etc/X11/rgb.txtをコピーして使っています。

書式

gzip［オプション］［ファイル…］
gunzip［オプション］［ファイル…］
bzip2［オプション］［ファイル…］
bunzip2［オプション］［ファイル…］
xz［オプション］［ファイル…］
unxz［オプション］［ファイル…］

パス：/usr/bin/gzip，/usr/bin/gunzip，/usr/bin/bzip2，/usr/bin/bunzip2，/usr/bin/xz，/usr/bin/unxz

●主なオプション

すべてのコマンドに共通

-v　圧縮・解凍の情報を表示します。

gunzip，bunzip2，unxz コマンドに共通

-c　標準出力に出力します。圧縮ファイルはもとのままになります。

●使用例

- ファイルfileをgzip形式（拡張子“.gz”）で圧縮します。

```
$ gzip file
```

- gzip形式（拡張子“.gz”）で圧縮されたファイルfile.gzを解凍します。

```
$ gunzip file.gz
```

- ファイルfileをbzip2形式（拡張子“.bz2”）で圧縮します。

```
$ bzip2 file
```

- bzip2形式（拡張子“.bz2”）で圧縮されたファイルfile.bz2を解凍します。

```
$ bunzip2 file.bz2
```

- ファイルfileをxz形式（拡張子“.xz”）で圧縮します。

```
$ xz file
```

- xz形式（拡張子“.xz”）で圧縮されたファイルfile.xzを解凍します。

```
$ unxz file.xz
```

圧縮ファイルを解凍して出力する

zcat, bzcat, xzcat

圧縮されたテキストファイルはそのままにして解凍したデータを表示したいときは，zcatコマンド（“.gz”形式），bzcatコマンド（“.bz2”形式），xzcatコマンド（“.xz”形式）を使います。これで圧縮されたテキストファイルをわざわざ解凍しなくても，“|”（パイプ，p.178）を通してほかのコマンドに渡すといったことができます（catコマンドでバイナリデータをそのまま端末に出力すると表示がおかしくなることがあるので注意してください）。

gzip形式（拡張子“.gz”）を解凍して出力する

gzip形式（拡張子“.gz”）の圧縮ファイルrgb.txt.gzを表示するにはzcatコマンド[†8]を使います。gunzipコマンドと違い，zcatコマンドは圧縮ファイルrgb.txt.gzを解凍せずそのままにします。

```
$ zcat rgb.txt.gz ↵
! $Xorg: rgb.txt,v 1.3 2000/08/17 19:54:00 cpqbld Exp $
255 250 250         snow
    ：（略）
$ ls -l rgb.txt.gz ↵
-rw-r--r-- 1 maltman users 4969 11月 25 14:37 rgb.txt.gz
```

bzip2形式（拡張子“.bz2”）を解凍して出力する

bzip2形式（拡張子“.bz2”）の圧縮ファイルrgb.txt.bz2を表示するにはbzcatコマンド[†9]を使います。

```
$ bzcat rgb.txt.bz2 ↵
```

xz形式（拡張子“.xz”）を解凍して出力する

xz形式（拡張子“.xz”）の圧縮ファイルrgb.txt.xzを表示するにはxzcatコマンド[†10]を使います。

```
$ xzcat rgb.txt.xz ↵
```

†8，†9，†10：lessコマンドでも圧縮されたファイルはそのままで内容を表示できます。

書式

zcat [ファイル...]
bzcat [ファイル...]
xzcat [ファイル...]

パス：/usr/bin/zcat，/usr/bin/bzcat，/usr/bin/xzcat

●使用例

- gzip形式（拡張子".gz"）で圧縮されたファイルfile.gzの中身を表示します。

```
$ zcat file.gz
```

- bzip2形式（拡張子".bz2"）で圧縮されたファイルfile.bz2の中身を表示します。

```
$ bzcat file.bz2
```

- xz形式（拡張子".xz"）で圧縮されたファイルfile.xzの中身を表示します。

```
$ xzcat file.xz
```

ファイルを格納・展開する

tar

複数のファイルまたはディレクトリを，tar形式（拡張子“.tar”）と呼ばれる1つのアーカイブファイルに集めて格納したり，集めたアーカイブファイルを展開するには，tarコマンドを使います。

やってみよう

試しに，複数のファイルstates1，states2，states3をアーカイブファイルstates.tarに格納してみましょう。

```
$ tar cf states.tar states1 states2 states3↵
```

tarコマンドではcオプションでアーカイブの作成を指示し，fオプションとその次の引数でアーカイブファイル名を指定します。引数の順番をまちがえるとファイルが消えてしまうので注意してください。

今度は，アーカイブファイルstates.tarをディレクトリdirの中に展開してみましょう。

```
$ cd dir↵
$ tar xf ../states.tar↵
$ ls↵
states1 states2 states3
```

xオプションはアーカイブを展開する指示です。fオプションで指定したアーカイブファイルを展開します。

もっとやってみよう

tarコマンドは，格納・展開と同時に圧縮・解凍ができます。zオプションをつけるとgzip形式，jオプションをつけるとbzip2形式，Jオプションをつけるとxz形式で圧縮・解凍ができます。ネットワーク上で配布されるソフトウェアのソースコードは，多くの場合，tar形式＋gzip形式（拡張子“.tar.gz”もしくは“.tgz”）で格納・圧縮されています。そうしたファイルを一気に解凍・展開するには，次のように入力します。

```
$ tar xzf software.tar.gz↵
```

書式

tar [オプション] [ファイル...]

パス：/usr/bin/tar

●主なオプション

f *file*	アーカイブファイル*file*を指定します。
c	新しくアーカイブファイルを作ります。
r	指定したファイルをアーカイブファイルに追加します。
x	指定したファイルをアーカイブファイルから展開します。展開するファイルの指定がなければすべてを展開します。
t	指定したファイルをアーカイブファイルから探し，あればそのファイル名を表示します。指定がなければすべてを表示します。
v	格納・展開時の情報を表示します。
J	xz形式の圧縮・解凍を同時に行います。
j	bzip2形式の圧縮・解凍を同時に行います。
z	gzip形式の圧縮・解凍を同時に行います。

●使用例

- ファイルfile1，file2から，新たにアーカイブファイルfile.tarを作成します。

```
$ tar cf file.tar file1 file2
```

- 指定したファイルfile3を，アーカイブファイルfile.tarに追加します。

```
$ tar rf file.tar file3
```

- アーカイブファイルfile.tarからすべてのファイルを展開します。

```
$ tar xf file.tar
```

- アーカイブファイルfile.tarの内容一覧を表示します。

```
$ tar tf file.tar
```

- tar形式＋gzip形式のファイルfile.tar.gzを解凍・展開します。

```
$ tar zxf file.tar.gz
```

- tar形式＋bzip2形式のファイルfile.tbz2を解凍・展開します。

```
$ tar jxf file.tbz2
```

ファイルに別名をつける

ln

ファイルに別名をつける（リンクを張る）には，lnコマンドを使います。このコマンドは，あるファイルをほかのファイル名で参照したり，別のディレクトリから（パスを指定せず）直接参照するようなときに使います。複数のユーザで同一ファイルを共有したいときなどに便利です。

cpコマンドでファイルをコピーすると，ファイルシステム上に同じファイルが複数できてしまいますが，lnコマンドではファイル自体のコピーは行わず，参照だけを可能にするので，ファイルシステムを効率的に使用できます。

やってみよう

試しに，ファイルstatesに別のファイル名americaをつけてみましょう。

```
$ ln -s states america↵
$ ls -l↵
合計 4
lrwxrwxrwx 1 maltman users   6 11月 25 14:53 america -> states
-rw-r--r-- 1 maltman users 511 11月 25 09:25 states
```

lnコマンドは第1引数で指定した元となるファイルに，第2引数で指定した別のファイル名をつけます。元のファイルを**オリジナルファイル**と呼び，別名をつけたファイルを**リンクファイル**と呼びます。また上記のように，-sオプションをつけてlnコマンドを実行した場合，リンク形式が**シンボリックリンク**として表されます。通常リンクを張るというときには，このシンボリックリンクのことを指します。

シンボリックリンクのリンクファイルとオリジナルファイルの対応関係を確認したいときはlsコマンドに-lオプションをつけて実行します。

また，lsコマンドのオプションによって，ほかのファイルと区別して表示できます。

```
$ ls -F↵
america@   states
```

上記の例のように，-Fオプションをつけると，シンボリックリンクのファイルには，ファイル名の後ろに“@”がつきます。

では，ここでエディタを使って，ファイルamrericaの1行目の“Alabama”をすべて大文字に変えて保存してください。そのあとに2つのファイルの内容をheadコマンドで確認してみます。

```
$ head -3 america↵          ←── ファイルamericaの先頭から3行分を表示
ALABAMA
Alaska
Arizona
$ head -3 states↵           ←── ファイルstatesの先頭から3行分を表示
ALABAMA
Alaska
Arizona
```

上記の例から，オリジナルファイルを見ても内容が更新されているので，ファイルamericaはファイルstatesを参照していることがわかります。

もっとやってみよう

リンク形式には，シンボリックリンクのほかに**ハードリンク**があります。lnコマンドを実行する際，オプションに何も指定しないとハードリンク形式でリンクが張られます。

```
$ ln states USA↵
$ ls -l↵
合計 8
-rw-r--r-- 2 maltman users 511 11月 25 09:25 USA
lrwxrwxrwx 1 maltman users   6 11月 25 14:53 america -> states
-rw-r--r-- 2 maltman users 511 11月 25 09:25 states
```

ハードリンクとシンボリックリンクの違いは，オリジナルファイルを削除したときに現れます。試しに，ファイルstatesを削除してみましょう。

```
$ rm states↵
$ cat USA↵
Alabama
Alaska
    ：(略)
$ cat america↵
cat: america: そのようなファイルやディレクトリはありません
```

上記の例のように，ハードリンクでは，オリジナルファイルを所有者が削除しても，参照するリンクファイルが存在すると，そのファイルの実体は残ります。一方，シンボリックリンクでは，リンクファイルから参照しようとすると，すでにオリジナルファイルが削除され，存在していないことが通知されます。

また，ハードリンクは同一のファイルシステム内でしか使えませんが，シンボリックリンクは複数のファイルシステムをまたがるリンクとしても使うことができます。

Column ●ディレクトリのハードリンク数

ディレクトリのハードリンク数を"ls -l"で確認してみましょう。

```
$ ls -dl dir1↵
drwxr-xr-x 2 maltman users 4096 1月 29 07:06 dir1
           ↑ハードリンク数
```

ハードリンク数は2となっています。これは，ディレクトリdir1がdir1/.という特殊なディレクトリにもハードリンクされているからです。ディレクトリはこの場合を除いて，基本的にはハードリンクできません。

書式

ln［オプション］オリジナルファイル〔ディレクトリ〕リンクファイル名

パス：/usr/bin/ln

●主なオプション

-s	シンボリックリンクで別名をつけます。
-f	同名のファイルがある場合には，上書きします。
-i	同名のファイルがある場合には，上書きするかどうかをユーザに確認します。

●使用例

- ファイルfileに別名nameをつけます（シンボリックリンク）。

```
$ ln -s file name
```

- ファイルfileに別名nameをつけます（ハードリンク）。

```
$ ln file name
```

ファイルを検索する

find

ファイルシステムの中からファイルを検索するには，findコマンドを使います。

やってみよう

試しに，ホームディレクトリ以下にある“cocktail”という名前のファイルを検索してみましょう。

```
$ find ~ -name cocktail -print ⏎
/home/maltman/cornfield/cocktail
```

findコマンドは第1引数で指定したディレクトリ“~”以下のすべてのファイルおよびディレクトリを，指定した条件（-name cocktail）で検索し，指定した処理（-print）を行います。ここでは，“cocktail”という名前のファイルを検索し，パスを表示しています。

もっとやってみよう

検索条件には，ファイル名のほかに，更新時刻，ファイルのオーナ名などを使うことができます。ホームディレクトリ以下で，1日前に更新されたファイルを検索してみましょう（1日前にファイルnew_bottleを作成したとします）。

```
$ find ~ -mtime 1 -print ⏎
/home/maltman/new_bottle
```

上記の例のように，更新時刻で検索するには-mtime *n*オプションを使います。*n*には何日前かを指定します。

また，-execオプションを使うと，検索結果のファイルリストを別のコマンドの引数にして実行することもできます。ここでは，ホームディレクトリ以下にあるファイルnew_bottleを削除（rmコマンド）してみましょう。

```
$ find ~ -name new_bottle -exec /bin/rm {} \; ⏎
```

上記の例では，-execオプションの後ろにrmコマンドを指定しています。検索結果のファイル名は“{　}”で参照されます。“;”は実行するコマンドおよび引数の終わりを指示する記号ですが，シェルのコマンドでもあるため（p.185），“\”（バックスラッシュ）でエスケープしています。

書式

find 開始ディレクトリ 検索条件 処理方法

パス：/usr/bin/find

●主な検索条件

-name *name*	ファイル名*name*で検索します。
-mtime *n*	更新時刻*n*日前で検索します。
-user *user*	ファイルのオーナ名*user*で検索します。
-regex *regexp*	パス名の全体が正規表現*regexp*にマッチするファイルを検索します。
-path *ptn*	パス名の全体が文字列*ptn*にマッチするファイルを検索します。

●主な処理方法

-print	検索結果を表示します(デフォルト)。
-print0	検索結果をnull文字で区切って出力します。xargsコマンド(p.184)を参照してください。
-ls	検索結果のファイル情報を表示します。
-exec *command* [*arg*] \;	検索結果に対してコマンド*command*を実行します。引数*arg*に"{}"を指定すると，検索結果に置き換えられます。
-execdir *command* [*args*] \;	-execオプションと同様ですが，コマンド*command*実行時のディレクトリを処理対象のファイルが存在するディレクトリにします。
-ok *command* [*arg*] \;	-execオプションと同様ですが，コマンド*command*を実行する前に実行するかどうか確認します。

●使用例

- ファイル名にfilenameを指定して，ディレクトリdir以下のファイルを検索します。

```
$ find dir -name filename -print
```

- 更新時刻（1日前）で，ディレクトリdir以下のファイルを検索します。

```
$ find dir -mtime 1 -print
```

- ディレクトリdir以下のファイルfilenameを検索し，rmコマンドを実行します。

```
$ find dir -name filename -exec /bin/rm {} \;
```

- カレントディレクトリ以下にある拡張子が".c"のファイルを検索します。

```
$ find ./ -regex "./.*\.c$"
```

日本語ファイルの文字コードを変更する

nkf

代表的な文字コードには「Unicode（UTF-8, UTF-16など）」「JIS」「シフトJIS」「日本語EUC」があります。通常，LinuxではUTF-8を使いますが，WindowsやmacOSでは異なります。そのため，LinuxとWindowsの間で日本語テキストファイルをやりとりする際などには文字コードの変更が必要な場合があります。

日本語ファイルの文字コードを変更したいときには，nkfコマンド[†11]を使用します。

やってみよう

まず，次のような日本語ファイルjapanese.txtをエディタで作成してください。

●ファイルjapanese.txt●

```
東京都
神奈川県
```

ファイルの文字コードを調べるには，nkfコマンドに-gオプションをつけて実行します。

```
$ nkf -g japanese.txt ↵
UTF-8
```

上記の例から，ファイルjapanese.txtの文字コードはUTF-8であることがわかります。それでは，日本語ファイルjapanese.txtの文字コードをシフトJISコードに変更した上で，“>”（リダイレクト，p.174）を用いてファイルjapanese_sjis.txtに保存してみましょう。

```
$ nkf -s japanese.txt > japanese_sjis.txt ↵
$ nkf -g japanese_sjis.txt ↵        ←―― ファイルの文字コードを確認します
Shift_JIS
```

nkfコマンドは，引数で指定したファイルの文字コードを，オプションで指定した文字コードに変更して，標準出力に出力します。-sオプションでシフトJISコードに，-eオプションで日本語EUCコードに，-jオプションでJISコードに，-wオプションでUTF-8に変更します。

---

†11：nkfがインストールされていない場合は第11章「パッケージのインストール」を参照してインストールしてください。

書式

nkf ［オプション］［ファイル］

パス：/usr/bin/nkf

●主なオプション

-j	JISコードに変更します。
-e	日本語EUCコードに変更します。
-s	シフトJISコードに変更します。
-w	Unicode(UTF-8)に変更します。
-g	ファイルの文字コードを表示します。

●使用例

- 日本語ファイルfile1をシフトJISコードに変更し，ファイルfile2に保存します。

```
$ nkf -s file1 > file2
```

- 日本語ファイルflie1を日本語EUCコードに変更し，ファイルfile2に保存します。

```
$ nkf -e file1 > file2
```

- 日本語ファイルfile1をUnicode（UTF-8）に変更し，ファイルfile2に保存します。

```
$ nkf -w file1 > file2
```

- 日本語ファイルfileの文字コードを表示します。

```
$ nkf -g file
```

第6章

コマンドの便利な使い方

標準入力と標準出力，標準エラー出力

コマンドには，何らかの入力を受け取って処理を行ったり，何らかの結果を出力したりするものがあります。LinuxをはじめとするUNIX系のOSでは，そうした入出力を統一して扱えるように，**標準入力**，**標準出力**，**標準エラー出力**の3種類の入出力を用意しています。

Linuxの多くのコマンドは，標準入力から入力を受け取り，標準出力に結果を出力し，標準エラー出力にエラーメッセージを出力します。通常のシステムでは，標準入力はキーボードに，標準出力と標準エラー出力は端末（画面）につながっています（図6-1）。

図6-1　標準入力，標準出力，標準エラー出力の概念

ここでは，例としてsortコマンドの動作を見てみましょう。

```
$ sort ⏎
California ⏎   ←── キーボードからの入力です
Minnesota ⏎    ←── キーボードからの入力です
Alabama ⏎      ←── キーボードからの入力です。⏎を入力したあとCtrl＋dを入力します
Alabama        ←── sortコマンドの結果出力です
California     ←── sortコマンドの結果出力です
Minnesota      ←── sortコマンドの結果出力です
```

上記のように，並べ替えるデータをキーボードで入力し，最後に入力を終了するためにCtrl + dを押すと，入力したデータを並べ替えた結果が画面に出力されます。sortコマンドは，引数で指定したファイルの内容以外に，標準入力からの入力をデータとして受け取ることができます。そして，並べ替えた結果を標準出力に出力します。

この標準入力の入力元と，標準出力・標準エラー出力の出力先は，コマンドラインで切り替えることができます。入出力をファイルに切り替える機能のことを**リダイレクト**（p.174），ほかのコマンドの入出力に切り替える機能のことを**パイプ**（p.178）といいます（図6-2）。

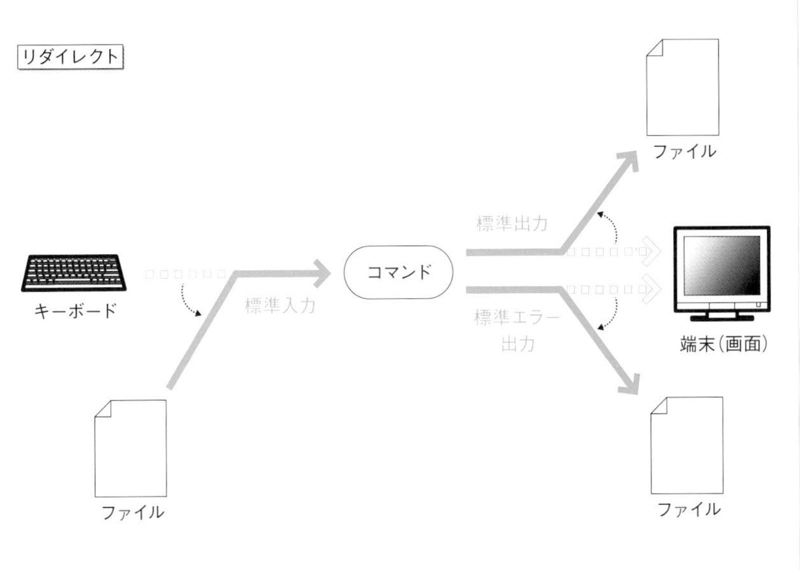

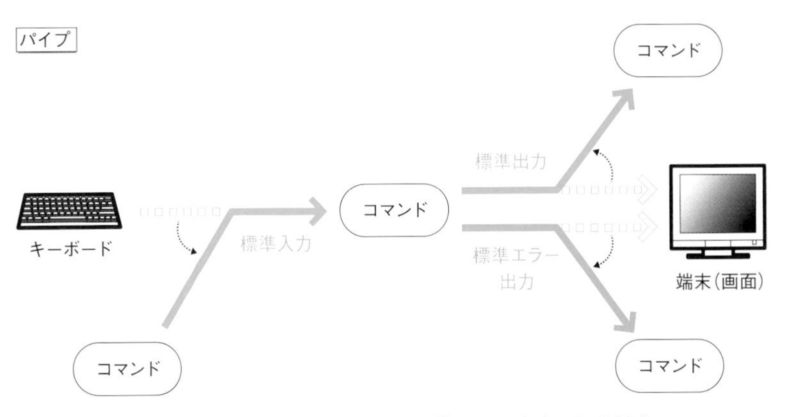

図6-2　標準入力，標準出力，標準エラー出力の切り替え

コマンドの入出力をファイルに切り替える

<, >, >>, >&

通常，コマンドはキーボードから入力を受け取り，結果の出力を画面に表示します。しかし，コマンドに対して大量の入力を行ったり，結果の出力をファイルに保存したい場合は，標準入力や標準出力をファイルに切り替える必要があります。このようなときに，リダイレクト（“<”，“>”）を使います。

やってみよう

試しに，psコマンドの出力結果を，ファイルpslogに保存してみましょう。

```
$ ps > pslog ↵
$ cat pslog ↵
  PID TTY          TIME CMD
 2269 pts/0    00:00:00 bash
 3803 pts/0    00:00:00 ps
```

標準出力をファイルに切り替えるには，リダイレクト記号“>”を使います。そして，出力先のファイルは“>”の後ろに指定します。上記の例では，標準出力の出力先が端末（画面）からファイルに切り替わっているため，psコマンドを実行した時点では，画面には何も表示されません。そこで，ファイルpslogを表示してみると，psコマンドの出力結果が保存されているのがわかります。

今度は標準入力を切り替えて，catコマンドの入力をファイルpslogから受け取るようにしてみましょう。

```
$ cat < pslog ↵
  PID TTY          TIME CMD
 2269 pts/0    00:00:00 bash
 3803 pts/0    00:00:00 ps
```

標準入力をファイルに切り替えるには，リダイレクト記号“<”を使います。そして，入力元のファイルは“<”の後ろに指定します。上記の例のように，catコマンドの実行結果は，引数にファイルを指定した場合と同じになります。

リダイレクト記号“>”を使用すると，指定したファイルがすでに存在しても上書きされてしまいます。上書きせずファイルの末尾に追記したいときは，リダイレクト記号“>>”を使います。

```
$ date >> pslog
$ cat pslog
  PID TTY          TIME CMD
 2269 pts/0    00:00:00 bash
 3803 pts/0    00:00:00 ps
2019年 11月 25日 月曜日 15:05:05 JST ←dateコマンドの実行結果
```

上記の例では，ファイルpslogにdateコマンドの実行結果を追加しています。

もっとやってみよう

標準出力や標準エラー出力の番号を指定して別々にリダイレクトすることもできます。ファイルbeerが存在してファイルwineは存在しないディレクトリを作成し，そのディレクトリで試してみましょう。

```
$ ls -l wine beer > lslog
ls: 'wine'にアクセスできません：そのようなファイルやディレクトリはありません
$ cat lslog                                  ↑標準エラー出力は
-rw-r--r-- 1 maltman users 0 11月 25 14:59 beer  画面に表示されます
```

リダイレクト記号“>”や“>>”は標準出力だけをファイルにリダイレクトするので，標準エラー出力に出力されたエラーメッセージは端末に表示され，標準出力に出力されたファイルbeerの情報はファイルlslogに保存されます。

リダイレクト記号の前にファイルデスクリプタ番号を指定することで，標準出力または標準エラー出力のみをファイルへの出力に切り替えられます。

```
$ ls -l wine beer 2> errlog
-rw-r--r-- 1 maltman users 0 11月 25 14:59 beer
$ cat errlog
ls: 'wine'にアクセスできません：そのようなファイルやディレクトリはありません
```

リダイレクト記号“>”の前に標準エラー出力のファイルデスクリプタ番号2を指定すると，標準エラー出力がファイルerrlogへの出力に切り替わり，標準出力は端末に出力されます。

リダイレクト記号“>&”の前後にファイルデスクリプタ番号を指定すると，標準エラー出力を標準出力に，または標準出力を標準エラー出力に切り替えます。

```
$ ls -l wine beer > lslog 1>&2⏎
ls: 'wine'にアクセスできません：そのようなファイルやディレクトリはありません
-rw-r--r-- 1 maltman users 0 11月 25 14:59 beer  ←標準出力が標準エラー出力に出力されます

$ cat lslog⏎  ←標準出力をリダイレクトしたファイルには何も記録されません
```

リダイレクト記号を複数指定していますが，実行は後ろから，「標準出力（1）を標準エラー出力（2）に切り替える」→「標準出力（どこにもつながっていない）をファイルlslogへの出力に切り替える」という順序で実行されます。次の2つのコマンドの実行結果を比較してみましょう。

```
$ ls -l wine beer 2>&1 > lslog⏎
ls: 'wine'にアクセスできません：そのようなファイルやディレクトリはありません
                                              ↑標準出力に出力されます
$ ls -l wine beer > errlog 2>&1⏎
```

リダイレクトの順序を後ろから見ると，はじめの例は「標準出力（1）をファイルlslogへの出力に切り替える」→「標準エラー出力（2）を標準出力（1）に切り替える」となっており，次の例はその逆の順序となっています。ファイルlslogとファイルerrlogの内容を比べてみてください。

```
$ cat lslog⏎
-rw-r--r-- 1 maltman users 0 11月 25 14:59 beer
$ cat errlog⏎
ls: 'wine'にアクセスできません：そのようなファイルやディレクトリはありません
-rw-r--r-- 1 maltman users 0 11月 25 14:59 beer
```

ここでは説明を簡単にするためにリダイレクトの機能を限定して説明していますが，通常の利用ではここまでの範囲で十分でしょう。

書式

```
コマンド < ファイル
コマンド [番号]> ファイル
コマンド [番号]>> ファイル
コマンド [番号]>&[番号] ファイル
```

●使用例

- catコマンドの標準入力をファイルfileへの出力に切り替えます。

```
$ cat < file
```

- lsコマンドの標準出力をファイルfileへの出力に切り替え，出力結果をファイルに上書きします。

```
$ ls > file
```

- lsコマンドの標準出力をファイルfileへの出力に切り替え，出力結果をファイルの末尾 に追加します。

```
$ ls >> file
```

- lsコマンドの標準エラー出力をファイルfileへの出力に切り替えます。

```
$ ls 2> file
```

- lsコマンドの標準出力をファイルfileへの出力に切り替えてから標準エラー出力を標準出力に切り替えます。

```
$ ls 2>&1 > file
```

- lsコマンドの標準エラー出力を標準出力に切り替えてから標準出力をファイルfileへの出力に切り替え，通常の出力とエラーをともにファイルfileに出力するようにします。2つ目の使用例は簡略版です。

```
$ ls > file 2>&1
$ ls >& file
```

- lsコマンドの標準エラー出力をデバイスファイル/dev/null[†1]への出力に切り替えて，エラー表示を抑制します。

```
$ ls 2> /dev/null
```

†1：デバイスファイル/dev/nullについては，コラム「デバイスファイル/dev/null」(p.179)を参照してください。

2つのコマンドを組み合わせる

|, |&

Linuxのコマンドは単独でもさまざまな機能を持ちますが，複数のコマンドを組み合わせることで，より便利な機能を利用できるようになります。

2つのコマンドを組み合わせた場合，1つ目のコマンドが出力結果を2つ目のコマンドに入力として渡し，さらに2つ目のコマンドは受け取った入力をもとに処理を行い最終的な出力結果を表示するという流れで実行されます。このように，複数のコマンドを組み合わせるにはパイプ“|”[†2]を使います。

やってみよう

試しに，現在のプロセス情報を表示するpsコマンドの出力結果から，ユーザmaltmanに関連するプロセスだけを抜き出してみましょう。

```
$ ps aux | grep maltman | tail -4
maltman  1619  0.0  0.2  30820  5256 pts/0  Ss  19:08  0:00 bash
maltman  1875  0.0  0.1  47796  3528 pts/0  R+  19:52  0:00 ps aux
maltman  1876  0.0  0.0  22560  1148 pts/0  S+  19:52  0:00 grep maltman
maltman  1877  0.0  0.0  15860   776 pts/0  S+  19:52  0:00 tail -4
```

上記のように，組み合わせたい2つのコマンドをパイプで挟んで実行します。これで，1つ目のコマンド（ここではps）の標準出力が，2つ目のコマンド（ここではgrep）の標準入力へと結びつけられます。

もっとやってみよう

パイプは2つのコマンドだけでなく，もっと多くのコマンドを組み合わせることができます。今度は，現在のプロセス情報からユーザmaltmanのプロセスを抜き出し，さらにそのプロセスの数を数えてみましょう。

```
$ ps aux | grep maltman | wc -l
5
```

上記の例は3つのコマンドを組み合わせたわりには寂しい出力ですが，このようにパイプ“|”を使えば単独のコマンドにはない機能を実現できます。

---

†2：パイプ“|”は[Shift]＋[￥]で入力できます。

書式

```
コマンド | コマンド
コマンド |& コマンド
```

●使用例

- 1つ目のpsコマンドの標準出力を，2つ目のwcコマンドの標準入力につなぎます。

```
$ ps | wc
```

- ファイルfileの内容をアルファベット順に整列してからユニークな行を表示します。

```
$ sort file | uniq
```

- lsコマンドのエラー出力のみをlessコマンドの標準入力につないで表示します。

```
$ ls -l file1 file2 2>&1 > /dev/null | less
```

- lsコマンドの出力とエラー出力の両方をlessコマンドの標準入力につないで表示します。2つ目の使用例は簡略版です。

```
$ ls -l file1 file2 2>&1 | less
$ ls -l |& less
```

Column ●デバイスファイル/dev/null

ディレクトリ/devの下にはautofs，/dev/disk/……，/dev/sda，/dev/nullなどさまざまなファイルがあります。これらは**デバイスファイル**と呼ばれ，ハードウェアのデバイスドライバや仮想デバイスをファイルと似た操作で読み書きできるようにするための仮想ファイルです。"ls -l" の出力では，行頭のファイルタイプの文字が "b" または "c" となります。

デバイスファイル/dev/nullは，書き込みが行われると書き込まれたデータを無視し，読み込みが行われるとファイル終端記号（EOF）を返す仮想ファイルです。コマンドの出力やエラーメッセージを抑制したい場合は，標準出力，標準エラー出力またはその両方をデバイスファイル/dev/nullにリダイレクトします。

ファイルと画面の両方に出力する

tee

通常，コマンドの出力結果は画面だけに表示されます。リダイレクトを使って出力をファイルに切り替えた場合は，画面には表示されません。画面に出力結果を表示しつつファイルにも保存したいときはteeコマンドを利用します。

やってみよう

試しに，現在のプロセス情報を表示するpsコマンドの出力結果を，画面に表示しつつファイルpslogに保存してみましょう。

```
$ ps | tee pslog↵
  PID TTY          TIME CMD
12027 pts/1    00:00:00 bash
12057 pts/1    00:00:00 ps
12058 pts/1    00:00:00 bash
$ cat pslog↵
  PID TTY          TIME CMD
12027 pts/1    00:00:00 bash
12057 pts/1    00:00:00 ps
12058 pts/1    00:00:00 bash
```

上記のように，teeコマンドは標準入力から入力を受け取り，それを画面（標準出力）に表示しつつ，引数で指定したファイルに上書きします。

もっとやってみよう

出力結果をファイルに上書きするのではなく，ファイルの最後に追加するには-aオプションを使います。試しに，dateコマンドの出力結果をファイルpslogに追加保存してみましょう。

```
$ date | tee -a pslog↵
2019年 11月 25日 月曜日 16:07:12 JST
$ cat pslog↵
  PID TTY          TIME CMD
 2269 pts/0    00:00:00 bash
 3803 pts/0    00:00:00 ps
2019年 11月 25日 月曜日 16:07:12 JST
```

書式

tee [オプション] [ファイル...]

パス：/usr/bin/tee

●主なオプション

-a	入力をファイルの末尾に追加保存します。

●使用例

- lsコマンドからの標準入力を画面（標準出力）に表示しつつ，ファイルfileに上書き保存します。

```
$ ls | tee file
```

- lsコマンドからの標準入力を画面（標準出力）に表示しつつ，ファイルfileの末尾に追加保存します。

```
$ ls | tee -a file
```

引数を標準入力から与えて実行する

xargs

ファイルの内容やfindコマンドの-print処理の結果を引数にして，コマンドを実行したい場合があります。xargsコマンドは，引数に「実行コマンド名」および「実行コマンドに毎回指定する引数」を指定し，「実行コマンドへの残りの引数」を標準入力から入力して実行するコマンドです。コマンドに与えられる引数の最大の数を制限したり，引数の数が多すぎる場合に自動的に分割して実行したりすることができます。

第7章で紹介する“｀”（バッククォーテーション，p.225）を使って実行結果を引数とする方法もありますが，実行結果（引数の数）が多すぎるとエラーになることがあります。findコマンドの-exec処理を使ってファイルごとにコマンドを実行することもできますが，この場合は一度に複数のファイル名を引数に与えることはできません。

やってみよう

試しに，ファイルstatesに記述されている州名をつなげて出力してみましょう。

```
$ cat states | xargs echo ⏎
Alabama Alaska Arizona Arkansas California Colorado …（略）
```

端末の画面では折り返されますが，州名は1行につながって出力されています。これは，echoコマンドを次のように実行したことと同じになります。

```
$ echo Alabama Alaska Arizona Arkansas California Colorado …（略）
```

コマンドと引数を合わせた文字数が大きくなると自動的に分割されていくつかの行に分けて出力されます。ここでは，-nオプションで引数の数を5つに制限してみましょう。

```
$ cat states | xargs -n 5 echo ⏎
Alabama Alaska Arizona Arkansas California
Colorado Connecticut Delaware Florida Georgia
      ⋮（略）
```

このように州名が1行に5つずつ出力されます。

もっとやってみよう

先ほどの実行結果の7行目と8行目は次のようになっています。

```
New Jersey New Mexico New
York North Carolina North Dakota
```

このように"New York"が2つに分割されてしまっています。これは，xargsコマンドがスペースやタブなどの空白文字と改行文字を引数の区切りとして認識しているためです。正しく分割するためには，-dオプションで改行のみを区切り文字に指定します。

```
$ cat states | xargs -n 5 -d '\n' echo
```

"' '"（シングルクォーテーション）で囲っているのは"\"（バックスラッシュ）がシェルによって展開されないようにするためです。ほかに次のような指定方法があります（コラム「エスケープシーケンス」，p.204）。

```
$ cat states | xargs -n 5 -d \\n echo
```

書式 **xargs ［オプション］［実行コマンド］**

パス：/usr/bin/xargs

●主なオプション

-0	区切り文字をnull文字[†3]にします。ファイル名のように引数自体に空白文字が含まれる場合に使用します。多くの場合，findコマンドの-print0処理とあわせて使います。
-d *d*	区切り記号を*d*にします。“\”などシェルが解釈する文字は“' '”で囲むかエスケープする必要があります。
-n *n*	最大*n*個の引数を読み込むごとにコマンドを実行します。
-L *l*	最大*l*行読み込むごとにコマンドを実行します。
-s *s*	コマンド名を含めてコマンドラインが最大*s*バイトになるように実行します。

●実行コマンド

実行するコマンド名を指定します。実行コマンドに常に指定したい引数があるときは，実行コマンド名の後ろに続けます。コマンド実行時には“**実行コマンド　常に指定の引数　標準入力からの引数**”という形で実行されます。

●標準入力から引数

パイプ“|”(p.178）やリダイレクト（p.174）を介して標準入力から入力されたものも実行コマンドの引数として実行されます。標準入力からの引数が多くなる場合は，何回かに分割して標準入力からの引数だけ入れ替えて実行されます。

●使用例

• ファイルfileの内容を引数として，5行読むごとにまとめて表示します。

```
$ cat file | xargs -L 5 echo
```

• ディレクトリ/usr/share以下の“.txt”で終わるファイルを，ホームディレクトリのファイルtext.tarにアーカイブします。

```
$ cd /usr/share; find . -name '*.txt' -print0 | sed -e 's/\\/\\\\
/' | xargs -0 tar rf ~/text.tar
```

†3：文字列終端を表す制御文字のことです。

コマンドを続けて実行する

;

複数のコマンドを一度（1行）に指定し，順番に実行していきたい場合には“;”（セミコロン）を利用します。実行したいコマンドを，実行したい順番に“;”で区切って指定すると，コマンドが1つずつ実行されていきます。

やってみよう

試しに，dateコマンドに続けてpwdコマンドを実行してみましょう。

```
$ date ; pwd↵
2019年 11月 25日 月曜日 16:38:28 JST
/home/maltman
```

2つのコマンドが順番に実行され，結果が続けて表示されています。

もっとやってみよう

“;”でコマンドを区切ると，“;”の左側のコマンドの実行が完了するまで右側のコマンドは実行されません。したがって，sleepコマンドで実行する時間を調節する場合にも利用できます。

```
$ date ; sleep 3m ; date↵
2019年 11月 25日 月曜日 16:38:43 JST
2019年 11月 25日 月曜日 16:41:43 JST        ←── 3分後になっています
```

dateコマンドは単独で実行すると現在時刻を表示します。最初にdateコマンドが実行され，sleepコマンドにより3分間止まったあとに2番目のdateコマンドが実行されていることがわかります。

書式

コマンド ; コマンド

●使用例

・3分後にechoコマンドでメッセージを表示します。

```
$ sleep 3m; echo "Your Cup Ramen is ready!"
```

第7章

★★★★★★★

シェルとシェルスクリプトを使いこなす

シェルとは何か？

Linuxをはじめとする UNIX系のOSの多くでは，ユーザはコマンドを通じてコンピュータと対話をします。このことは，これまでの章でさまざまなコマンドを実行することで体験してきたと思います。

ユーザが入力するコマンドは，直接OSに送られるわけではなく，シェルと呼ばれるプログラムに対して送られます。**シェル**とは，ユーザがログインするときに自動的に起動し，縁の下の力持ちとして働くプログラムのことです。シェルは，ユーザとOSの対話を仲介するインターフェイスの役割を果たしています。その役割上，ユーザのコマンド入力を助けるために，非常に多くの機能が備わっています。本章では，シェルが持つ高度な機能を概観し，より快適にコマンドを実行する方法について紹介します。

ところで，シェルにはいくつかの種類があります。種類によって，シェルが提供する機能には若干の違いがあり，使い方も少しずつ異なります。どのシェルを使うかは好みによりますが，一般にLinuxでは，**bash**と呼ばれるシェルが使われています。そこで，本書ではbashの使い方について解説することにします。1つのシェルの使い方をある程度理解できれば，ほかのシェルでも応用できるでしょう。

なお，前述したように，シェルは非常に多機能ですので，本書では日常的に利用する機能に限定して解説します。

コマンドラインを編集する

コマンド入力を頻繁に行っていると，コマンドの部分的な修正や入力ミスの訂正のために，コマンドラインの編集が必要となります。コマンドの部分的な修正というのは，過去に入力したコマンドを呼び出して，その一部を修正するという場合によく行います（「過去に実行したコマンドを再利用する」，p.194）。

基本的な操作

文字単位でカーソルの移動や文字の削除などを行うには，表7-1のように操作します。

■表7-1　基本的な操作

カーソルの移動	Ctrl + b，←	左に1文字移動
	Ctrl + f，→	右に1文字移動
	Ctrl + a	行頭に移動
	Ctrl + e	行末に移動
文字の削除	Ctrl + d	カーソル上の1文字を削除
	Ctrl + h	カーソルより左の1文字を削除
文字列の削除と取り出し	Ctrl + k	カーソルから右の文字列を削除
	Ctrl + u	カーソルより左の文字列を削除
	Ctrl + y	最後に削除した文字列を取り出す

単語間のカーソルの操作

カーソルの移動や文字の削除は文字単位だけでなく，ワード（単語）単位で操作することもできます（表7-2）。

■表7-2　単語間のカーソル移動の操作

カーソルの移動	Esc b，Ctrl + ←	1ワード分，左に移動
	Esc f，Ctrl + →	1ワード分，右に移動
単語の削除	Ctrl + w	カーソルより左の1ワードを削除
	Esc Delete または Esc Back spase	ワード上のカーソルより左の文字列を削除
	Esc d	ワード上のカーソルから右の文字列を削除

コマンドラインの補完

bashの強力な機能の1つとして**コマンドラインの補完機能**があります。これは，コマンドやファイル，ディレクトリ名を最後まで入力しなくても，途中まで入力すれば残りの部分をシェルのほうで補ってくれるという機能です。

Tabによる補完

補完機能を利用するには，コマンド入力の途中でTabを押します。

```
$ da Tab Tab          ←── Tabを入力すると，コマンドの補完候補が複数あるので警告音が
                          鳴ります。もう一度Tabを押すと，入力候補が表示されます
dash    dasher  date
$ dat Tab             ←── daに続いてtを入力してTabを入力します
$ date ↵              ←── 候補が1つに定まり，補完が完了します
```

仮に，システムにdaではじまるコマンドとして，dashとdasher，dateの3つのコマンドがインストールされているものとします。この場合，コマンドラインにdaと入力してTabを入力すると，補完の候補が1つに定まらないので警告音が鳴ります。そこで，再度Tabを入力すると，daではじまるコマンドの一覧が表示されます。つまり，ここでユーザはさらに入力が必要な文字を知ることができるのです。もしdateコマンドを実行するのであれば，続けて“t”を入力し，さらにTabを押します。これで，候補が一意に定まり，補完が完了します。補完機能の基本動作をまとめると，次のようになります。

- 補完の候補が1つしかない場合には，その残りの部分を補う
- 補完の候補が複数ある場合，共通する接頭部分があればその部分を補う
- 補完の候補が複数あり，2回続けてTabが押された場合には，その候補の一覧を表示する

この際，補完候補がディレクトリであれば，補った文字列の最後に“/”が，コマンドであれば続けてオプションや引数が入力される場合に備えて空白が追加されます。

例えば，補完機能を利用してディレクトリ/etc/NetworkManager/system-connectionsに移動してみましょう。

```
$ cd / Tab Tab          ←─ ルートディレクトリ/を指定した段階でTab入力すると，補完候
                           補が複数あるので警告音が鳴ります。もう一度Tabを押すと，ルー
                           トディレクトリ以下のディレクトリが候補として表示されます
bin/     dev/     lib/          media/   proc/   sbin/   sys/   var/
boot/    etc/     lib64/        mnt/     root/   snap/   tmp/
cdrom/   home/    lost+found/   opt/     run/    srv/    usr/
$ cd /e Tab             ←─ 続けてeを入力してTabを入力します
$ cd /etc/              ←─ 候補が1つしかないため，/etc/と補完されます
$ cd /etc/N Tab         ←─ 続けてNを入力してTabを入力します
$ cd /etc/NetworkManager/          ←候補が1つしかないため，/etc/
                                     NetworkManager/まで補完されます
$ cd /etc/NetworkManager/ Tab Tab  ←続けてTabを押すと警告音が鳴り，さらにもう一
                                     度Tabを押すと，ディレクトリ以下のファイルや
                                     サブディレクトリが候補として表示されます
conf.d/      dispatcher.d/       dnsmasq-shared.d/
dnsmasq.d/   system-connections/
$ cd /etc/NetworkManager/s Tab    ←続けてsを入力してTabを入力します
$ cd /etc/NetworkManager/system-connections/ ↵
                                  └候補が1つに定まり，補完が完了します
```

このように深い階層構造を持ったディレクトリ内を移動するときなど，補完機能は重宝します。

そのほかの補完機能

Tabによる補完以外にも，補完対象をファイル名やコマンド名に限定した補完もあります。Tab以外の方法による補完は，表7-3のとおりです。

■表7-3　補完のための操作

操作	説明
Esc ?	補完候補のリストを表示する
Esc /	ファイル名として補完を試みる
Ctrl + x /	ファイル補完候補のリストを表示する
Esc !	コマンド名として補完を試みる
Ctrl + x !	コマンド補完候補のリストを表示する
Esc Tab	以前実行したコマンドの補完を試みる（コマンドヒストリ，p.194）
Esc $	変数名として補完を試みる（シェル変数と環境変数，p.202）
Ctrl + x $	変数補完候補のリストを表示する（シェル変数と環境変数，p.202）

複数のファイルやディレクトリを同時に操作する

1つのコマンドで，複数のファイルやディレクトリを同時に操作したいことがあります。このようなときには**ワイルドカード**と呼ばれる特殊な記号で，ファイル名やディレクトリ名，あるいはその一部を置き換えて一括して指定します。

“*” による0文字以上の任意の文字列の置換

ワイルドカードの例として，“*”（アスタリスク）の使い方を見てみましょう。

```
$ ls -F ⏎          ←── ここでは以下のようなファイル，ディレクトリがあるものとします
barley/          liquor.tex      water.txt
coucktail.tex    malt/           wheat/
$ ls *.tex ⏎       ←── 指定したパターンにマッチするものが操作の対象になります
coucktail.tex  liquor.tex
```

“*” は0文字以上の任意の文字列に置き換わります。つまりこの部分は，何にでも置き換わることになります。0文字以上というのは，その記号の部分に文字がなくてもよいことを意味するのです。この例では，.texという文字列で終わるすべてのファイル，ディレクトリが操作の対象になっています。

上記の例から，複数のファイルやディレクトリ名の共通部分とワイルドカードをうまく組み合わせて使うことで，これらのファイルやディレクトリを一括して操作できることがわかったと思います。このような操作はGUIにはなく，コマンドを通じてコンピュータに対して言語的に操作を行うシェルならではの機能といえます。

ただし次のようにrmコマンドにワイルドカードを使用すると，カレントディレクトリ内のすべてのファイルが削除されてしまいます（ドットファイルは除く）。ワイルドカードを使用してのコマンドの実行には十分注意してください。

```
$ rm * ⏎
```

上記のようなミスを防ぐためには，rmコマンドが，常に-iオプションをつけて実行されるようにエイリアス（「コマンドにエイリアス（別名）をつける」，p.197）を設定しておくと安全です。

そのほかのワイルドカード

“*”は何にでも置き換わるという大変強力なワイルドカードでしたが，表7-4のようにもう少し細かく置き換えのパターンを指定することもできます。

“?”（クエスチョン）は任意の1文字を表します。“*”とは違い，対応する文字が必ず1つ存在する場合にのみ置換されます。“[]”は括弧内に指定された文字候補を表すワイルドカードです。また，“[]”内の先頭に“^”（ハット）または，“!”（エクスクラメーション）がある場合には，括弧内に指定された文字以外の候補を表します。

■表7-4　ワイルドカードの種類

記号	意味
*	0文字以上の任意の文字列を表す
?	任意の1文字を表す
[**文字**]	[]内に候補として指定されている文字を表す
[^**文字**]，[!**文字**]	[]内に指定されている文字以外を表す

これらの記号の置換の一例を，表7-5に示します。

■表7-5　置換の例

パターンの指定	意味
g?f	g**1文字**fというパターンの文字列を表す
??	任意の2文字を表す
[gif]	g，i，fのいずれかの1文字を表す
[a-z]	a～zのアルファベット小文字1文字を表す。ほかに，[A-Z]，[0-9]，[a-zA-Z]などの使い方がある
[^gif]	g，i，f以外の文字を表す
[^a-z]	a～zのアルファベット以外の文字を表す

これらの記号は複数を組み合わせて用いることができます。これによって，より柔軟にパターンを指定することができます。

過去に実行したコマンドを再利用する

過去に実行したコマンドは**コマンドヒストリ**として保存されています。長いコマンドやオプション，引数を繰り返し入力する必要があるような場合は，過去に実行したものを呼び出すことでコマンド入力を効率よく行えます。

過去のコマンドを再実行する

最近実行したコマンドを再び実行するには，Ctrl＋p（または↑）やCtrl＋n（または↓）を利用すると便利です。コマンドラインでCtrl＋pを入力すると，1回前に入力したコマンドが現れます。Ctrl＋pを繰り返し入力すると，入力した分だけさかのぼり，Ctrl＋nを入力すると1回後に戻ります。

Ctrl＋pまたは↑ ……1回前に実行したコマンドを呼び出します
Ctrl＋nまたは↓ ……1回後に実行したコマンドを呼び出します

また，次の例のように，“!”ではじまるコマンドを入力することで，過去のコマンドを再利用することもできます。

```
$ !cat ↵            ← catという文字列ではじまる1番最近のコマンドを実行します
cat .bash_history
```

上記の例は，catという文字列ではじまる1番最近のコマンドを実行する方法です。“!”ではじまるコマンドでは，表7-6のような指定ができます。

■表7-6 “!”ではじまるコマンド

!!	1回前のコマンドを実行する
!*n*	ヒストリ番号(p.195)が*n*のコマンドを実行する
!-*n*	現在のヒストリ番号から*n*回前のコマンドを実行する
!*str*	*str*に指定された文字列ではじまる1番最近のコマンドを実行する
^*str1*^*str2*	最後に実行したコマンド中の文字列*str1*を*str2*に置換して実行する
!$	最後に実行したコマンドの最後の引数を表す(引数なしの場合はコマンド自体を表す)

Ctrl＋rを押してから文字列を入力すると，過去に実行したコマンドを検索できます。検索結果は右側に表示されるので，↵を押すと実行されます。

```
$                                    ← Ctrl＋rを入力
(reverse-i-search)`ls': ls *.tex ← lsと入力すると，ls *.texが見つかった
```

コマンドヒストリを一覧表示する

history

過去に実行したコマンドを再利用するとき，これまでに実行したコマンド（コマンドヒストリ）を確認できると便利です。コマンドヒストリを表示するには，historyコマンドを使います。

やってみよう

試しに，コマンドヒストリを表示してみましょう。

```
$ history ⏎
    1  ls -a
    2  pwd
    3  ps aux | grep maltman
   ：(略)
  999  cd ..
 1000  history
```

引数なしでhistoryコマンドを実行した場合，bashでは過去1000回分[†1]までのコマンドヒストリを表示します。各行の先頭の数字は**ヒストリ番号**です。

もっとやってみよう

過去n回分のヒストリを表示するには，historyコマンドに続けて回数を入力します。

```
$ history 5 ⏎
  996  ls -F
  997  pwd
  998  cd ..
  999  history
 1000  history 5
```

上記の例では，historyコマンドに続けて，引数として“5”を入力することで，過去5回分のヒストリを表示しています。

†1：シェル変数HISTSIZEで指定できます。通常は1000回に設定されています。シェル変数HISTSIZEが未設定の場合は500回です。

書式

history ［オプション］ ［表示するコマンド数］

パス：シェルの内部コマンド

●主なオプション

-c	ヒストリをクリアします。
-d *offset*	先頭から*offset*番目のヒストリを削除します。
-a ［*hfile*］	シェルの起動から現在までのヒストリをヒストリファイル*hfile*に追加します。
-r ［*hfile*］	ヒストリをヒストリファイル*hfile*の内容に変更します。
-w ［*hfile*］	現在のヒストリをヒストリファイル*hfile*に保存します。ファイルがすでに存在する場合は上書きされます。

●使用例

- コマンドヒストリを一覧表示します。

```
$ history
```

- 過去10回分のコマンドヒストリを一覧表示します。

```
$ history 10
```

- 直前に実行したコマンドを実行します。

```
$ !!
```

- ヒストリ番号497番のコマンドを実行します。

```
$ !497
```

●ワンポイント

コマンドヒストリはファイルに保存されており，このファイルのことを**ヒストリファイル**と呼びます。

ヒストリファイルはbashでは特に指定しない限り，ホームディレクトリにあるファイル.bash_historyに記録されます。シェル変数HISTFILEにファイル名を設定することで，別のファイルにすることもできます。

また，ヒストリファイルに記録するコマンドヒストリの最大数は，シェル変数HISTSIZEに数値を設定することで変更できます。

コマンドにエイリアス(別名)をつける

alias, unalias

コマンドには，オプションや引数も含めて別名をつけることができます。この別名のことを**エイリアス**と呼びます。エイリアスを設定することで，コマンドを覚えやすくしたり，コマンドの入力が楽になったりします。また，よく使うコマンドとそのオプションの組み合わせに対してエイリアスを設定することは，Linuxでは常套手段となっています。

やってみよう

試しに，“ls -F”というコマンドに，“ls”というエイリアスを設定してみましょう。

```
$ ls ↵
bottle        cornfield     tequila.txt
$ alias ls='ls -F' ↵
$ ls ↵
bottle        cornfield/    tequila.txt
```

上記の例は，よく設定するエイリアスの1つです。この設定により，lsという入力はすべて実際にはls -Fという入力に置き換わり，ディレクトリとファイルを一目で識別できるようになります。このほかによく見かけるエイリアスには，cpコマンド，mvコマンド，rmコマンドの-iオプションなどがあります。

設定されているエイリアスを確認するには，次のようにします。

```
$ alias ↵        ←── 単にaliasを実行すると，現在のエイリアスがすべて表示されます
alias ls='ls -F'
    ：(略)
$ alias ls ↵
alias ls='ls -F'
```

上記の例のように，引数を指定せずに単にaliasコマンドを実行すると，現在設定されているすべてのエイリアスが一覧表示されます。また，すでに設定されているエイリアス名を引数に指定すると，その設定内容だけが表示されます。エイリアス名からの設定内容の確認はtypeコマンド（p.200）でも行えます。

もっとやってみよう

設定されているエイリアスを解除するには，unaliasコマンドを利用します。

```
$ unalias ls↵        ←特定のエイリアスを解除します
$ unalias -a↵        ←設定されているエイリアスをすべて解除します
```

特定のエイリアスを解除するには，unaliasコマンドの引数に解除したいエイリアス名を指定します。すべてのエイリアスを一括して解除するには-aオプションを使います。

また，コマンドの前に“\”（バックスラッシュ）をつけて実行すると，エイリアスを解除するのではなく，その実行のときだけエイリアスを無効にすることができます。

```
$ ls↵       ←ls がls -Fのエイリアスになっているとします
bottle        cornfield/      tequila.txt
$ \ls↵      ←先頭に\をつけてコマンドを実行した場合，エイリアスが無効になります
bottle        cornfield      tequila.txt
```

書式

alias［別名='コマンド列'］
unalias［オプション］別名...

パス：シェルの内部コマンド

●主なオプション（unaliasコマンド）

-a	設定されているすべてのエイリアスを解除します。

●使用例

• exitコマンドに対してxというエイリアスを設定します。

```
$ alias x='exit'
```

•「"~" で終わる名前のファイル[†2]」をホームディレクトリ以下のすべてから削除するようにオプションおよび引数を指定したfindコマンドに，rmtildeというエイリアスを設定します。

```
$ alias rmtilde='find ~ -name "*~" -exec /bin/rm {} \;'
```

• エイリアスxを解除します。

```
$ unalias x
```

• エイリアスrmtilde，xを一度に解除します。

```
$ unalias rmtilde x
```

†2："~" で終わる名前のファイルは，エディタemacs，vimがファイルの編集を開始した時点で，元のファイルのバックアップとして自動的に生成します。これを放置しておくと，知らず知らずのうちに無駄なファイルがたまってしまうので，不要なものは定期的に削除したほうがよいでしょう。

コマンドのタイプを調べる

type

コマンドには，Linuxに付属するコマンドやシェルに組み込まれているコマンド，エイリアスとして設定されているコマンドなど，いくつかのタイプがあります。コマンドのタイプを調べるには，typeコマンドを使います。

やってみよう

試しに，いくつかのコマンドのタイプを調べてみましょう。

```
$ type cat ↵
cat は /bin/cat です†3
$ type cd ↵
cd はシェル組み込み関数です
$ type ls ↵
ls は `ls -F' のエイリアスです
```

この例では，catコマンド，cdコマンド，lsコマンドの3つのコマンドのタイプを調べています。catコマンドはLinuxに付属のコマンドで，ディレクトリ/binにあることがわかります。また，cdコマンドはシェルの内部コマンド（シェル組み込み関数）です。そして，lsコマンドがls -Fのエイリアスになっている場合，上記の例のようにその旨が表示されます。

もっとやってみよう

次に，ls -Fというコマンドに対してlsというエイリアスが設定されているものとして，-aオプションを指定してtypeコマンドを実行してみましょう。

```
$ type -a ls ↵
ls は `ls -F' のエイリアスです
ls は /bin/ls です
```

上記のように-aオプションを指定すると，指定したコマンドに関するすべてのタイプが表示されます。

---

†3：「cat はハッシュされています（/bin/cat）」と表示されることがありますが，実行の高速化のために，シェルのハッシュテーブルにキャッシュされていることを意味します。ハッシュテーブルの中身を確認するには，シェルの内部コマンドhashを使います。

書式

type［オプション］コマンド名

パス：シェルの内部コマンド

●主なオプション

-a	指定したコマンド名に関するすべてのタイプを表示します。
-t	指定したコマンド名のタイプのみを表示します。
-p	指定したコマンド名のパスを表示します。

●使用例

- catコマンドのタイプを調べます。

```
$ type cat
```

- catコマンドに関するすべてのタイプを調べます。

```
$ type -a cat
```

シェル変数と環境変数

これまではシェルが提供する機能の使い方について説明してきましたが，ここからは，シェルの動作のカスタマイズについて簡単に説明します。

シェルの動作のカスタマイズ

シェルやLinuxのアプリケーションでは，固有の変数を用いることによって，その動作を規定したり，実行に必要な情報を設定することができます。変数にはシェル変数と環境変数の2種類があります。**シェル変数**は変数を設定したシェルに対してのみ有効となるのに対して，**環境変数**はそのシェルから実行したプロセス（p.100）にもその設定が引き継がれるという特徴があります。

このような違いから，シェル変数はシェルの動作や情報を設定するために使われることが多く，bashにもさまざまな変数が備わっています（表7-7）。また，環境変数はアプリケーションの実行の際に必要な設定に多く使われます。

■表7-7　bashの組み込み変数

変数名	設定される値の内容
BASH	絶対パスによるbashの実行ファイル名
BASH_VERSION	bashのバージョン
USER	ユーザ名（ログインネーム）
HOME	絶対パスによるユーザのホームディレクトリ
OSTYPE	使用しているOSの種類
HOSTTYPE	使用しているコンピュータの種類
PATH	コマンドサーチパス
PS1	プロンプトの表示形式
HISTSIZE	保存するヒストリの数
HISTFILE	ヒストリを保存するヒストリファイル（あらかじめ~/.bash_historyが設定されている）
IGNOREEOF	Ctrl + d によってシェルが終了しないようにする
FIGNORE	補完リストに候補として表示しないファイルの拡張子

ここに紹介した変数は，bashで使われる変数のほんの一部です。bashで利用される変数についてはオンラインマニュアルを確認してください。bashのオンラインマニュアルを参照するには，次のようにmanコマンドを実行します。

```
$ man bash↵
```

変数の値を表示する

echo

一般に，シェル変数，環境変数に関係なく，変数に設定されている値を調べるには，echoコマンドを使います。

やってみよう

echoコマンドを使って，変数に設定されている値を調べてみましょう。

```
$ echo $BASH ↵          ←── BASHという変数に設定されている値を表示します
/bin/bash
$ echo BASH ↵           ←── BASHという文字列を表示します
BASH
$ echo \$BASH ↵         ←── $BASHという文字列を表示します
$BASH
```

変数BASHはbashで設定されるシェル変数です。変数に設定されている値を参照したい場合は，上記のように変数名の先頭に“$”をつけます。先頭に“$”をつけることで，設定内容をエコーバック（画面に出力）することができます。単に変数名だけをechoコマンドに渡すと，文字列として扱われてしまい，その変数名をエコーバックするだけに留まります。

また，$BASHという文字列をエコーバックするには，“\”（バックスラッシュ）を使います。$記号の前に“\”をつけることにより，設定されている内容を意味する$の機能をキャンセルします。

echo［オプション］文字列〔$変数名〕〔"文字列 $変数名 ..."〕

パス：シェルの内部コマンド，/usr/bin/echo

●主なオプション

-n	行末の改行を出力しません。
-e	エスケープシーケンスを有効にします。

●使用例

- シェル変数BASHに設定されている値を表示します。

```
$ echo $BASH
```

- 環境変数USERに設定されている値を表示します。

```
$ echo $USER
```

- "USER=（環境変数USERの値）" という文字列を表示します。

```
$ echo "USER=$USER"
```

- エスケープシーケンスを有効にして表示する

```
$ echo -e "malt\tcask"
```

Column ●エスケープシーケンス

echoコマンドの引数には，**エスケープシーケンス**（\ではじまる文字列）と呼ばれる文字列を指定することもできます。主なエスケープシーケンスを表に示します。エスケープシーケンスを用いることで，警告音やバックスペースなどといった特殊な表示を行うことができます。

記号	意　味
\a	警告音
\b	バックスペース
\c	復帰改行なしで行を出力
\f	用紙送り（フォームフィード）
\n	改行

記号	意　味
\r	復帰改行
\t	タブ
\v	垂直タブ
\\	バックスラッシュ

シェル変数を表示する

declare

現在有効なシェル変数を調べるには，declareコマンドを使います。

やってみよう

試しに，引数を指定しないでdeclareコマンドを実行してみましょう。出力は非常に長いので，ここではheadコマンドと組み合わせて，最初の5行だけを表示してみます。

```
$ declare | head -n 5↵
BASH=/bin/bash
BASHOPTS=checkwinsize:cmdhist:complete_fullquote:expand_aliases:extg
lob:extquote:force_fignore:histappend:interactive_comments:progcomp:
promptvars:sourcepath
BASH_ALIASES=()
BASH_ARGC=()
BASH_ARGV=()
```

引数なしでdeclareコマンドを実行すると，設定されているすべてのシェル変数や関数が確認できます。シェル変数は

変数名＝設定されている値

という形式で表示されます。

特定の変数を表示したい場合には，grepコマンド（p.142）と組み合わせて使用するとよいでしょう。たとえば，シェル変数PS1を表示したい場合には，正規表現を用いて以下のようにします。

```
$ declare | grep ^PS1↵
```

また，ここでは触れませんが，declareコマンドは，本来，変数を宣言するためのコマンドで，変数に読み取り属性などさまざまな属性を設定することができます。

書式

declare

パス：シェル内部コマンド

●使用例

・現在有効なすべてのシェル変数を表示します。

```
$ declare
```

Column ●プロンプトを変えるには

シェル変数PS1の値を変更することで，プロンプトに任意の文字列やユーザ名，現在のディレクトリなどを表示可能です。文字列"xxx"をプロンプトに表示してみましょう。

```
$ PS1="xxx "↵
xxx
```

任意の文字列を設定できますが，入力する文字と区別するために最後にスペースを入れるとよいでしょう。

設定できる値のなかで，"\"ではじまる文字列には特別な意味をもつものがあります。今度はこれらの文字列を使って，さまざまな情報を表示してみましょう。

```
$ PS1="\u[\h:\w] "↵
maltman[cask:~]
```

上記の例では，"\u"がユーザ名，"\h"がホスト名，"\w"が現在のディレクトリに置き換わって，プロンプトに表示されます。このほかにも"\"ではじまる文字列には，次のような記号が用意されています。

記号	意　味
\d	日付
\h	ホスト名
\n	改行
\s	シェルの名前(bash)
\t，\T，\@	時間(それぞれ24時間，12時間，am/pmの形式)
\!	コマンドのヒストリ番号
\u	ユーザ名
\w	現在のディレクトリ名

環境変数を表示する

printenv

現在有効な環境変数を調べるには，printenvコマンドを使います。

やってみよう

試しに，引数を指定しないでprintenvコマンドを実行してみましょう。

```
$ printenv ↵        ←── 引数なしで実行すると，すべての環境変数を表示します
    ：(略)
XAUTHORITY=/run/user/1000/gdm/Xauthority
GJS_DEBUG_TOPICS=JS ERROR;JS LOG
WINDOWPATH=2
HOME=/home/maltman
USERNAME=maltman
IM_CONFIG_PHASE=1
LANG=ja_JP.UTF-8
    ：(略)
```

引数なしでprintenvコマンドを実行すると，設定されているすべての環境変数が

変数名＝設定されている値

という形式で表示されます。

もっとやってみよう

今度は，環境変数名を引数にしてprintenvコマンドを実行してみましょう。

```
$ printenv HOME ↵        ←── 環境変数名を引数に与えると，その変数の内容を表示します
/home/maltman
```

上記のようにprintenvコマンドを実行すると，指定した環境変数に設定されている値が表示されます。

書式

printenv［環境変数名］

パス：/usr/bin/printenv

●使用例

- 現在有効なすべての環境変数を表示します。

```
$ printenv
```

- 環境変数HOMEに設定されている値を表示します。

```
$ printenv HOME
```

シェル変数に値を設定する

=, unset

ここではシェル変数に値を設定する方法を紹介します。

やってみよう

シェル変数に値を設定するには，“=”の左側に変数名を，右側に設定したい値を指定します。

```
$ VARNAME=value123 ⏎        ←―― 値は文字でも数字でもかまいません
$ echo $VARNAME ⏎
value123
```

変数名は任意ですが，アルファベットか“_”（アンダースコア）ではじまり，その後にアルファベットまたは数字，もしくは“_”が続いたものでなければいけません。また，設定する値は，数字でも文字列でも，あるいはその組み合わせでもかまいません。

もっとやってみよう

次のように，間に空白が存在する文字列を設定したり，すでに設定されている変数の値を利用することもできます。

```
$ MYNAME='Super Maltman' ⏎        ←―― 空白が間に入る場合，' ' で括ります
$ echo $MYNAME ⏎
Super Maltman
$ MYLOGINNAME="My login name is: $USER" ⏎   ←―― すでに設定されている変数の値を展開するには" "で括ります
$ echo $MYLOGINNAME ⏎
My login name is: maltman
```

値の途中にスペースなどの空白が存在する場合には，値全体を“' '”（シングルクォーテーション）で括ります。また，すでに設定されている変数の内容を展開するには，“" "”（ダブルクォーテーション）で括ります。詳しくはp.212のコラムを参照してください。

なお，値が設定されたシェル変数を削除するにはunsetコマンドを使います。

```
$ unset MYNAME ⏎
$ echo $MYNAME ⏎
```

書式

変数名＝設定する値
unset 変数名

パス：シェルの内部コマンド（unset コマンド）

●使用例

- シェル変数ABCに，値“CFG”を設定します。

```
$ ABC=CFG
```

- シェル変数ABCの値を削除します。

```
$ unset ABC
```

Column ●コマンドサーチパスを設定する

通常，これから実行しようとするコマンドがカレントディレクトリに存在しない場合，コマンドが存在するディレクトリ名を含めて，絶対パスもしくは相対パスでコマンドの場所を指定しなければコマンドは実行できません。

しかし，コマンドが置かれているディレクトリをコマンドサーチパスにあらかじめ指定しておくと，コマンド実行の際にはコマンド名を入力するだけで，シェルがコマンドサーチパスに指定されたディレクトリ内からコマンドを探して実行してくれます。bashでは，変数PATHにコマンドサーチパスを指定します。

PATHには複数のディレクトリを指定できます。複数のディレクトリを指定するときには，それぞれを“：”（コロン）で区切ったリストにします。また，多くの場合，PATHには設定ファイル内（p.213）などで指定されたディレクトリが設定されています。そこで，ここでは新たにディレクトリをつけ加える例を示します。

```
$ echo $PATH ↵
/usr/local/bin:/usr/bin:/bin ←── 仮にこの3つのパスが設定されているとします
$ PATH=$HOME/bin:$HOME/pub/bin:$PATH ↵ ←─PATHに$HOME/bin，$HOME/pub/binの2つをつけ加えます
$ echo $PATH ↵
/home/maltman/bin:/home/maltman/pub/bin:/usr/local/bin:/usr/bin:/bin
```

オンラインマニュアルが置かれているパスを指定するMANPATHなどの変数も，上記の例と同様の方法で設定します。

本コラムや「プロンプトを変えるには」（p.206）の例からわかるように，それぞれの変数にはさまざまな値が設定でき，それによってシェルの動作や使い勝手が変わります。オンラインマニュアルや，そのほかのドキュメントを参照して各変数についていろいろと試し，自分に最適なシェル環境を探してみてください。

環境変数として変数を設定する

export, env

環境変数を設定するには，exportコマンドまたはenvコマンドを使います。

やってみよう

ここではexportコマンドによる環境変数の設定方法について説明します。

```
$ export NAME=value ↵        ←── 環境変数として変数を設定します
$ export DEFINEDNAME ↵       ←── あらかじめ設定されていたシェル変数を環境変数にします
```

変数を環境変数として設定するには，上記のようにexportコマンドを用います。この場合，exportコマンドを実行したシェル，およびその子プロセス[†4]に対して，その環境変数が有効になります。また，あらかじめシェル変数として設定されていた変数を環境変数にすることもできます。この場合は単に変数名のみを指定します。

もっとやってみよう

あるプロセス（コマンド）を実行するシェルの環境変数の設定は変えずに，これから実行しようとするプロセスとその子プロセスに対してのみ環境変数を設定するには，envコマンドを使います。

```
$ env LANG=C bash ↵   ←── これから実行しようとするプロセスと，
                          その子プロセスのみに有効な環境変数を設定します
```

上記のように設定すると，このコマンドを実行したシェルではLANGという環境変数は有効にはなりませんが，起動したbashと，その子プロセスに対しては有効になります。

なお，値が設定されている環境変数を削除するには，シェル変数の場合と同様にunsetコマンド（p.209）を使います。

```
$ unset NAME ↵
```

†4：子プロセスとは，シェルから起動されたプログラム（コマンド）のことと考えてかまいません。OSの側では，実行中のプログラムはプロセスという単位で扱われます。通常のプログラムはシェルから起動されるので，そのシェルのプロセスに対する子プロセスとして扱われます。

書式

export 変数名[＝設定する値]
env［オプション］変数名＝設定する値... コマンド名

パス：シェルの内部コマンド（export コマンド），/usr/bin/env

●主なオプション（env コマンド）

-i	すでに設定されているすべての環境変数を無効にします。
-u *string*	環境変数*string*がすでに設定されている場合，無効にします。

●使用例

- 環境変数PAGERの値をlessに設定します（環境変数PAGERの値は，manコマンドなどでの表示に用いられるコマンドとして使用されます）。

```
$ export PAGER=less
```

Column ●シングルクォーテーションとダブルクォーテーション

“' '”（シングルクォーテーション）で囲まれた内容は，すべて文字列として扱われます。たとえば，スペースを含む文字列をシェル変数に代入したい場合は文字列を“' '”で括ります。

```
$ MYNAME='Super Maltman' ↵
$ echo $MYNAME ↵
Super Maltman
```

しかし，シングルクォーテーションで囲まれていると変数の値は展開されません。

```
$ MYLOGINNAME='My login name is: $USER' ↵
$ echo $MYLOGINNAME ↵
My login name is: $USER   ←── 環境変数USERは展開されず，
                               文字列“$USER”が表示されます
```

変数を展開するには，“" "”（ダブルクォーテーション）で括ります。

```
$ MYLOGINNAME="My login name is: $USER" ↵
$ echo $MYLOGINNAME ↵
My login name is: maltman   ←── 環境変数USERが展開され，
                                 文字列“maltman”が表示されます
```

シェルの設定ファイルを読み込む

source

エイリアスや変数などの設定は，ログインのたびに毎回自分で行う必要はありません。通常はbashの設定ファイルにこれらの設定を記述しておくことで，ログインの際に自動的に有効になります。

設定ファイルの種類と役割

次に示すように，bashの設定ファイルはいくつかあり，それぞれ読み込まれるタイミングが異なります。これらのファイルはホームディレクトリにドットファイルとして存在します[†5]。

.bashrc …………bashの起動のたびに毎回読み込まれます
.profile …………ログイン時に一度だけ読み込まれます
.bash_logout ……ログアウト時に読み込まれます

ファイル.bashrcは，bashを起動するたびに毎回読み込まれます。エイリアスの設定や，bashの動作に関わるシェル変数などはこのファイルで設定します。また，ファイル.profileはログイン時に一度だけ読み込まれます。環境変数などは一度設定しておけばその子プロセスに設定が引き継がれるので，このファイルに記述するのがよいでしょう。最後のファイル.bash_logoutは，ログアウト時に読み込まれます。

設定ファイルを読み込む

前述したように，各設定ファイルが読み込まれるタイミングはそれぞれのファイルごとに決まっています。設定ファイルを書き換えても，その変更はすぐには反映されません。シェルを再起動せずに設定ファイルの内容を再実行するには，sourceコマンドを使います。例として，ファイル.bashrcを読み込んでみましょう。

```
$ source ~/.bashrc ↵
```

このように，sourceコマンドの引数として読み込みたい設定ファイル名を指定します。ただし，読み込んだ設定ファイルが反映されるのはsourceコマンド

†5：一般に，Linuxで使われる各種の設定ファイル名や，設定のためのディレクトリ名は，“.”（ドット）ではじまります。ドットファイルは，単にlsコマンドを実行しても表示されず，-aオプションを指定する必要があります。

を実行したシェルだけであって，起動中のすべてのシェルに設定が反映されるわけではありません。

設定ファイルの書き方

設定ファイルを書くには，エディタを使ってそれぞれのファイルを開き，コマンドラインとして入力するコマンドをそのままファイルに書き込みます。設定ファイルに書き込まれた順にコマンドは実行されます。

以下に，単純な.bashrc，.profileの例を示します。

● ファイル.bashrcの例 ●

```
if [ -f /etc/bashrc ]; then
    . /etc/bashrc
fi

PATH=/usr/local/bin:/usr/bin:/bin:/usr/sbin:/sbin:$PATH
PS1="\u[\h:\w]$ "          ←── プロンプトの設定
alias cp='/bin/cp -i'      ←── 各種のエイリアスの設定
alias hist='history 20'
alias ls='/bin/ls -F'
alias mv='/bin/mv -i'
alias rm='/bin/rm -i'
alias x='echo "see you!" ; exit '
```

● ファイル.profileの例 ●

```
if [ -f ~/.bashrc ]; then
    . ~/.bashrc
fi

PATH=$PATH:$HOME/bin
export PATH
export MANPATH=/usr/share/man
export LESS=-qx4
export MORE=-x4
export PAGER=less
stty erase ^H
```

書式

source 設定ファイル

パス：シェルの内部コマンド

●**使用例**

- 設定ファイル~/.bashrcの設定を読み込みます。

```
$ source ~/.bashrc
```


Column ●端末上でのクリップボードの利用

端末上でさまざまなコマンドを実行していると，同じような表現を繰り返し用いたり，階層構造が深いディレクトリのパスに対して操作を加えたりすることがあります。そのようなとき，シェルのヒストリ機能や補完機能を使うことでキーボードの操作を減らすことができますが，コピーや貼り付けの機能も使えると便利です。

Windowsと同じように，LinuxのGUI上でも，多くのアプリケーションで[Ctrl]＋[c]や[Ctrl]＋[v]でクリップボードを利用してコピーや貼り付けを行うことができます。しかし端末上では，すでにシェルの操作のために多くのキーボード操作が使用されているので，若干異なる操作が必要です。端末上のテキストをクリップボード上にコピーしたい場合には[Ctrl]＋[Shift]＋[c]，クリップボード上のテキストを貼り付けたい場合には[Ctrl]＋[Shift]＋[v]を使います。

シェルスクリプト

ここまでは，コマンドをターミナルに入力することによって実行していましたが，コマンドをテキストファイルに記述し，まとめて実行することもできます。この機能をシェルスクリプトと呼びます。シェルは，単にコマンドの実行だけでなく，条件分岐やループなどプログラミング言語の基本機能も持ち合わせており，簡単なプログラミング言語の側面を持っています。シェルスクリプトとしてファイルに記述することで，柔軟な処理ができます。

シェルスクリプトの作成と実行

では，簡単なシェルスクリプトを作成・実行してみましょう。以下の内容のファイルtest1.shを作ってください。

● ファイルtest1.sh ●

```
#!/bin/sh
ls
pwd
```

1行目には，#!の後にシェルshのパスを記述します。一般的な環境であれば，/bin/shのままで大丈夫です。/bin/shでシェルスクリプトを実行することを表しています。それでは実行してみましょう。作成したシェルスクリプトを初めて実行する前には，chmodコマンドを次のように実行して，ファイルのパーミッションを実行可能にする必要があります。

```
$ chmod u+x test1.sh ↵
```

次に./test1.shと入力すると，このシェルスクリプトを実行できます。

```
$ ./test1.sh ↵
barley  cooktail    liquor  malt  test1.sh  wheat
/home/maltman
```

このように，test1.shに記述したlsコマンドとpwdコマンドが続けて実行され，それぞれの実行結果が表示されます。ファイルtest1.shはコマンドサーチパスで指定されたディレクトリにはないため，実行するには相対パス“./test1.sh”または絶対パス“/home/maltman/test1.sh”での指定が必要です。

シェルスクリプトで変数を使う

$

ここではシェルスクリプト内での変数の利用方法を説明します。

やってみよう

シェルスクリプトの内部でも，“=”を使ってシェル変数を利用することができます。次のようなファイルtest2-1.shを作成してください。

● ファイルtest2-1.sh ●

```
#!/bin/sh

a=abc
str=def

echo $a
echo $str
echo ${a}ABC${str}

b=${a}${str}ghi
echo $b
```

それでは，ファイルを実行可能にしてから実行してみましょう。

```
$ ./test2-1.sh ↵
abc
def
abcABCdef
abcdefghi
```

この例では，変数aにabc，変数strにdefという文字列を代入しています。“=”の左右にスペースを入れることはできないので気をつけてください。

変数の内容を参照するには，変数名に“$”をつけます。“echo $a”では変数aの内容abcが表示されます。また，“${a}ABC${str}”のように変数と文字列をつなぐ場合は，変数名であることを区別するために変数名を“{ }”で囲みます。さらに，“b=${a}${str}ghi”のようにして，ある変数に別の変数の内容を代入することもできます。

もっとやってみよう

通常のコマンドと同様に，シェルスクリプトにも引数を渡すことができます。以下のようなファイルtest2-2.shを作成してください。

●ファイルtest2-2.sh●

```
#!/bin/sh

echo 1st argument is $1
echo 2nd argument is $2
echo The number of arguments is $#

shift
echo 1st argument is $1
```

ファイルを実行可能にしてから実行してみましょう。第1引数にwheat，第2引数にbarleyをつけて試してみます。

```
$ ./test2-2.sh wheat barley↵
1st argument is wheat
2nd argument is barley
The number of arguments is 2
1st argument is barley
```

このように，コマンドの引数を利用するときは，特殊変数$1，$2，$3，……を用います。渡した引数の個数は，$#という特殊変数で調べることができます。

shiftコマンドを使うと，変数$2の値が変数$1の値になり，変数$3の値は変数$2の値に，……というようにすべて1つずつずれます。複数の引数の値を処理するときは，後述するwhile文の中でshiftコマンドを使って中身をずらしながら，変数$1の中身を確認するのが常套手段です。

シェルスクリプトで用いられる特殊変数のうち主なものを表7-8に示します。

■表7-8　シェルスクリプトで用いられる主な特殊変数

変数	意味
$0	シェルスクリプトの名前
$*n*	*n*番目の引数
$*	すべての引数のリスト
$#	与えられた引数の数

変数	意味
$?	直前に実行したコマンドのステータス（戻り値）
$$	シェルスクリプトが実行された際のプロセスID
$LINENO	この変数を記述した行の行番号

シェルで条件判定する

if, case, [, test

ここではシェルスクリプト内部で条件判定によって処理を切り替える方法を説明します。

やってみよう

シェルスクリプトで条件分岐を行うときには，if文を使います。次のようなファイルtest3-1.shを作成してください。

●ファイルtest3-1.sh●

```
#!/bin/sh

if [ $1 = malt ]
then
    echo Argument is malt.
elif [ $1 = wheat ]
then
    echo Argument is wheat.
else
    echo Argument is neither malt nor wheat.
fi
```

ファイルを実行可能にして文字列を引数にして実行してみましょう。

```
$ ./test3-1.sh malt ⏎
Argument is malt.
$ ./test3-1.sh wheat ⏎
Argument is wheat.
$ ./test3-1.sh barley ⏎
Argument is neither malt nor wheat.
```

引数を“malt”にすると“Argument is malt.”，“wheat”にすると“Argument is wheat.”と表示され，引数が“malt”でも“wheat”でもない場合には，“Argument is neither malt nor wheat.”と表示されます。

このように，条件判定を行う条件式を“[”と“]”で囲みます。“[”はコマンド，“]”はコマンドへの独立した引数として扱う必要があるので，“[”の左右および“]”の左に必ずスペースを入れます。この例では，変数$1と文字列maltが等しいかどうかを判定するために“=”を用いています。

条件判定が真のときはthenの後に記述した処理が実行され，偽のときには次のelifもしくはelseの後に記述した処理が実行されます。elifを用いることで，複数の条件判定を行うことができ，どの条件にも当てはまらない場合はelse以下の処理を実行します。elifとelseは省略することもできます。if文は最後にfiと記述して終了します。

もっとやってみよう

条件判定には，“[”と“]”ではなく，testコマンドを用いることもできます。次のようなファイルtest3-2.shを作成してください。

● ファイルtest3-2.sh ●

```
#!/bin/sh

if test -f $1; then
    echo File $1 exists.
fi
```

ファイルを実行可能にしてから実行してみましょう。引数には，カレントディレクトリに存在するファイルの名前を渡してみてください。

```
$ ./test3-2.sh test3-1.sh↵
File test3-1.sh exists.
```

“[”コマンドとtestコマンドは同じ機能を持っており，どちらも条件式の真偽判定に使えます。testコマンドの場合は引数の終わりを示す“]”をつける必要はありません。

testコマンドでは文字列の判定だけではなく，ファイルが存在するか，数値がある値以上かなどの条件を調べることもできます。この例では，testコマンドに-fオプションを指定することで，指定したファイルが存在するかどうかを判定しています。

また，ここではコマンドを区切るのに改行の代わりに“;”を使って，ifとthenの行を1つにまとめています。“;”の後にはスペースを入れる必要があるので気をつけてください。

また，ある1つの変数の中身で条件分岐をしたいときにはcase文が使えます。次のようなファイルtest3-3.shを作成してください。

● ファイルtest3-3.sh ●

```
#!/bin/sh

case $1 in
    wheat) echo Bread ;;
    barley) echo Beer ;;
    *) echo Nothing ;;
esac
```

ファイルを実行可能にしてから，引数を指定して実行してみましょう。

```
$ ./test3-3.sh wheat ↵
Bread
$ ./test3-3.sh barley ↵
Beer
$ ./test3-3.sh maltman ↵
Nothing
```

case文では，“case”の後に評価したい変数を指定して“in”で囲みます。次いで，パターンごとに処理を書き，各処理の末尾には“;;”を書きます。また，最後にパターンとしてワイルドカード“*”を指定すると，ほかのパターンに一致しなかった処理を実行できます。

書式

```
test 式
[ 式 ]
```

パス：/usr/bin/test，/usr/bin/[

●主な式（文字列の検査）

-n *string*	文字列*string*の長さが0でなければ真になります。
-z *string*	文字列*string*の長さが0なら真になります。
str1 = *str2*	文字列*str1*と文字列*str2*が同一なら真になります。
str1 != *str2*	文字列*str1*と文字列*str2*が異なっていれば真になります。

●主な式（数値の検査）

n1 -eq *n2*	整数*n1*と整数*n2*が等しいなら真になります。
n1 -ne *n2*	整数*n1*と整数*n2*が等しくないなら真になります。
n1 -gt *n2*	整数*n1*が整数*n2*より大きいなら真になります。
n1 -ge *n2*	整数*n1*が整数*n2*以上なら真になります。
n1 -lt *n2*	整数*n1*が整数*n2*より小さいなら真になります。
n1 -le *n2*	整数*n1*が整数*n2*以下なら真になります。

●主な式（ファイルの検査）

-f *file*	ファイル*file*が存在し，通常ファイルなら真になります。
-c *file*	ファイル*file*が存在し，特殊デバイスファイルなら真になります。
-e *file*	ファイル*file*が存在すれば真（ファイルの型によらない）になります。
-d *file*	ファイル*file*が存在し，ディレクトリなら真になります。
-L *file*	ファイル*file*が存在し，シンボリックリンクなら真になります。
-r *file*	ファイル*file*が存在し，読み取り可能なら真になります。
-w *file*	ファイル*file*が存在し，書き込み可能なら真になります。
-x *file*	ファイル*file*が存在し，実行可能なら真になります。
file1 -nt *file2*	ファイル*file1*がファイル*file2*より新しければ真になります。
file1 -ot *file2*	ファイル*file1*がファイル*file2*より古ければ真になります。

●主な式（複合式）

expr1 -a *expr2*	式*expr1*と式*expr2*の論理積(and)を取ります。
expr1 -o *expr2*	式*expr1*と式*expr2*の論理和(or)を取ります。
!*expr*	式*expr*の否定を返します。
(*expr*)	括弧内の式*expr*の結果を返します。複数の式を結合する場合などに使います。“( )”はシェルに解釈されるので，“\”でエスケープする，“' '”で囲むなどする必要があります。

●使用例

- ファイルbottleが存在し，ファイルに内容が存在する（サイズが0より大きい）場合に“the file exist.”と表示します。

```
$ if [ -s bottle ]; then echo "the file exists."; fi
```

- ファイルbottleが存在し，通常ファイルである場合に“normal file.”と表示します。

```
$ if test -f bottle; then echo "normal file."; fi
```

シェルで繰り返し処理をする，繰り返しのための数字の列を作成する

for, seq

ここでは，シェルスクリプト内部で一定の回数だけ処理を繰り返す方法を説明します。

やってみよう

一定の回数，処理を繰り返したい場合には，for文を用いるのが便利です。以下のファイルtest4-1.shを作成してください。

● ファイルtest4-1.sh ●

```
#!/bin/sh

for name in dir1 dir2 dir3; do
        mkdir $name
done
```

ファイルを実行可能にしてから実行してみましょう。実行前と後とでカレントディレクトリの内容を比較してみます。

```
$ ls↵
test4-1.sh              ←実行前はカレントディレクトリに1つのファイルがあります
                         （実行環境により内容は異なります）
$ ./test4-1.sh↵
$ ls↵
dir1 dir2 dir3 test4-1.sh ←シェルスクリプトにより3つのディレクトリが
                           作成されました。
```

このように，for文は“for **変数名** in **文字列1 文字列2** …”と記述することにより，与えられた文字列が1つずつ変数に代入され，文字列の数だけdoとdoneの間が繰り返し実行されます。

もっとやってみよう

for文は，コマンドの実行結果を変数に代入し，コマンドの実行結果の数だけ処理を繰り返すこともできます。先の例では，dir1からdir3までを直接記述しましたが，seqコマンドを使うことで，より簡単に書くことができます。ファイ

ルtest4-1.shは，次のファイルtest4-2.shのように書き換えることができます。

● ファイルtest4-2.sh ●

```
#!/bin/sh

for i in `seq 1 3`; do
    mkdir dir$i
done
```

“`”はバッククォーテーションという記号で，Shiftキーを押しながら@キーを押すと入力できます。“` `”で囲まれた部分は，その中にあるコマンドの実行結果と置き換えられます。したがって，変数iには“seq 1 3”の実行結果が1つずつ代入されます。seqコマンドは，1，2，3と続けて出力するので，ディレクトリdir1，dir2，dir3が作成されます。

Column ●シェルスクリプトに使うシェル

Linuxをはじめとする UNIXシステムでは，伝統的にBourneシェルと呼ばれるシェルがシェルスクリプトに利用されています。シェルスクリプトの先頭に書く/bin/shがそのBourneシェルです。

しかし，Linuxの多くのディストリビューションでは，Bourneシェルではなくbashがデフォルトシェルとして利用されていて，より便利な機能が提供されています。実際のところ，CentOSとFedoraでは，/bin/shはbashへのシンボリックリンクとなっています。UbuntuとDebianでは，dashと呼ばれるbashよりも軽量に実装されたBourneシェル互換のシェルへのシンボリックリンクになっています。

互換性を確保する意味からBourneシェルを使うことが多いですが，bashなどでは独自にさまざまな機能がシェルに実装されており，より高度な操作を簡単に利用することができます。そのため，Bourneシェルに拘らずに，bashなどを積極的に利用すべきだという議論もあります。その際には，たとえばbash独自の機能を利用する場合には，シェルスクリプトの先頭を/bin/shではなく，/bin/bashと明示的に書いておくことが推奨されています。

シェルでループ処理をする，さまざまな演算をする

while, expr

ここでは，条件に従って繰り返し処理を行う方法を説明します。

やってみよう

一定の回数だけ繰り返し処理を行いたいときにはfor文を用いましたが，条件が満たされている間だけ処理を繰り返したい場合にはwhile文を使います。次のようなファイルtest5-1.shを作ってください。

● ファイルtest5-1.sh ●

```
#!/bin/sh

num=1
while [ $num -le 3 ]; do
    echo num is $num
    num=`expr $num + 1`
done
```

ファイルを実行可能にしてから実行してみましょう。

```
$ ./test5-1.sh⏎
num is 1
num is 2
num is 3
```

ここで注意しなければならないのが，変数numに代入されているのは数値の1ではなく文字列の“1”であるという点です。ここでは，testコマンドで変数の内容を数値として解釈して条件判定を行っています。

また，変数numが表す数値を1増やすために，exprコマンドを用いています。exprコマンドは，変数の内容を整数値として解釈し，四則演算を行った結果を返してくれます。

もっとやってみよう

while文を使った繰り返し処理では，無限ループを用意し，breakやcontinueといった制御コマンドを利用することで，より柔軟性を持たせることができます。ファイルtest5-1.shは，次のファイルtest5-2.shのように書き換えることができます。

● ファイルtest5-2.sh ●

```
#!/bin/sh

num=1
while :; do
    echo num is $num
    if [ $num -ge 3 ]; then
        break
    fi
    num=`expr $num + 1`
done
```

この例では，ヌルコマンド“:”を使って無限ループを実現しています。ヌルコマンドは何もせずに，常に真を返します。ループ処理の内部でif文を呼び出し条件判定を行い，条件を満たした場合にbreakコマンドでループ処理から抜け出しています。条件を満たした場合に，処理を行わずに次のループにスキップしたい場合には，continueコマンドを使います。

書式

expr 式

パス：/usr/bin/expr

●主な数値演算子

val1 + *val2*	値*val1*に値*val2*を足します。
val1 - *val2*	値*val1*から値*val2*を引きます。
val1 * *val2*	値*val1*に値*val2*を掛けます。
val1 / *val2*	値*val1*を値*val2*で割ります。
val1 % *val2*	値*val1*を値*val2*で割った余りを求めます。

●主な論理演算子

val1	*val2*	値*val1*と値*val2*の論理和を返します。
val1 & *val2*	値*val1*と値*val2*の論理積を返します。

●主な等号，不等号

val1 < *val2*	値*val1*と値*val2*を比較して，値*val1*が小さい場合は1(真)を，それ以外は0(偽)を返します。
val1 <= *val2*	値*val1*と値*val2*を比較して，値*val1*が同じか小さい場合は1(真)を，それ以外は0(偽)を返します。
val1 = *val2*	値*val1*と値*val2*を比較して，2つの値が同じ場合は1(真)を，異なる場合は0(偽)を返します。
val1 != *val2*	値*val1*と値*val2*を比較して，2つの値が異なる場合は1(真)を，同じ場合は0(偽)を返します。
val1 >= *val2*	値*val1*と値*val2*を比較して，値*val1*が同じか大きい場合は1(真)を，それ以外は0(偽)を返します。
val1 > *val2*	値*val1*と値*val2*を比較して，値*val1*が同じか大きい場合は1(真)を，それ以外は0(偽)を返します。

●使用例

・2×4を計算します。

```
$ expr 2 '*' 4
```

シェルスクリプトでオプション指定を処理する

getopts

ここでは，シェルスクリプトでコマンドラインからのオプション指定を処理する方法を説明します。

やってみよう

シェルスクリプトでも通常のコマンドと同じようにオプションを指定できるようにすると，汎用性を高くできます。シェルスクリプト自体はオプションも引数と区別せずに扱うので，どのように引数を処理するかがポイントになります。while文とshiftコマンドを組み合わせて処理することもできますが，シェルにはgetoptsコマンドというオプションを処理するための内部コマンドが用意されています。

次のファイルtest6.shを作ってください。

●ファイルtest6.sh●

```
#!/bin/sh

FLAG=0
while getopts ab: OPT; do
    case $OPT in
        a) FLAG=1 ;;
        b) VALUE=$OPTARG ;;
    esac
done
shift `expr $OPTIND - 1`

echo FLAG: $FLAG
echo VALUE: $VALUE
echo '$1:' $1
```

ファイルを実行可能にしてから，次のように実行してみましょう。

```
$ ./test6.sh -a⏎
FLAG: 1
VALUE:
$1:
$ ./test6.sh -b wheat maltman⏎
FLAG: 0
VALUE: wheat
$1: maltman
```

getoptsコマンドは，while文とcase文を組み合わせて使います。getoptsコマンドの後に，使用したいオプションの文字を並べます。オプションが引数を取る場合には，“:”をつけておくと，変数OPTARGにその値が代入されます。この実行例では，-aオプションと-bオプションを使用し，-bオプションは引数を受け取るようにしています。その後，case文で，各オプションに対する処理を書きます。

さらに2つ目の実行例では，-bオプションへの引数の後に，コマンド全体への引数としてmaltmanを指定しています。getoptsコマンドは，特殊変数$1, $2……の内容は変えないので，最後に，shiftコマンドで，オプションとして処理した引数の分だけ変数の中身をずらして，特殊変数$1がオプションの後の引数を参照するようにしています。変数OPTINDには，次に処理する引数が入っているので，この値から1を引いた分だけshiftコマンドでずらすことでオプションの部分をスキップすることができます。

シェルで関数を使う

ここでは，共通する処理を，関数としてまとめておく方法を説明します。

やってみよう

ファイルtest7-1.shは，2つの数の和と差を表示するシェルスクリプトです。

● ファイルtest7-1.sh ●

```
#!/bin/sh

a=10
b=2
echo $a + $b = `expr $a + $b`
echo $a - $b = `expr $a - $b`

c=4
d=5
echo $c + $d = `expr $c + $d`
echo $c - $d = `expr $c - $d`
```

ファイルを実行可能にしてから実行すると次のようになります。

```
$ ./test7-1.sh↵
10 + 2 = 12
10 - 2 = 8
4 + 5 = 9
4 - 5 = -1
```

この例では，和と差の表示を2回行っていますので，この部分が共通した処理になります。この部分を関数として定義するには，次のように書き換えます。

● ファイルtest7-2.sh ●

```
#!/bin/sh

func () {
    echo $1 + $2 = `expr $1 + $2`
    echo $1 - $2 = `expr $1 - $2`
}

a=10
b=2
func $a $b

c=4
d=5
func $c $d
```

このファイルを実行するとtest7-1.shと同じ結果が得られます。

関数を作るには，シェルスクリプトの最初の部分に“**関数名 ( ) {**”を書き，その後に処理を記述して関数の終わりに“}”を記述します。

関数の引数は$1，$2，……のようにコマンドから引数を渡すときと同じ方法で受け渡せます。したがってファイルtest7-2.shでは，“func $a $b”を実行すると関数func内の$1と$2にそれぞれ変数aと変数bの値が代入され，“func $c $d”を実行すると関数func内の$1と$2にそれぞれ変数cと変数dの値が代入されて関数funcが実行されます。

また，同じシェルスクリプト内に，複数の関数を作ることもできます。

小数演算を行う

bc

ここでは，シェルスクリプトで小数の演算を行う方法を説明します。

やってみよう

2つの数の和や差を計算するときには，exprコマンド（p.226）を使います。しかし，小数を含んだ演算は，exprコマンドではできません。そこで代わりに，bcコマンドを使います。まずは，コマンドラインでbcコマンドをインタラクティブモードで使ってみましょう。

```
$ bc ↵
  ⋮（略）
scale=5 ↵                    ←── 小数点以下の桁数を設定します
(1 + 1) * 5 / 3 ↵            ←── 計算します
3.33333
quit                         ←── 終了します
```

通常，小数点以下の値は切り捨てられますが，上記の例では，小数点以下の計算を可能にするために特別な変数scaleを設定しています。scale=5とすると小数点以下5桁まで計算されます。

次に，ファイルtest8.shを作ってください。

● ファイルtest8.sh ●

```
#!/bin/sh

a=5.7
b=3.2

echo $a '*' $b = `echo "scale=20; $a*$b" | bc`
echo $a / $b = `echo "scale=20; $a/$b" | bc`
```

このシェルスクリプトは，2つの数の積と商を表示します。ここでは，echoコマンドで実行したい計算式を標準出力に出力し，パイプ“|”でbcコマンドに渡しています。

ファイルを実行可能にして実行すると次のようになります。

```
$ ./test8.sh⏎
5.7 * 3.2 = 18.24
5.7 / 3.2 = 1.78125000000000000000
```

もっとやってみよう

さらに高度な計算を行いたい場合には，bcコマンドに-lオプションを指定して実行します。ファイルtest9.shでは，正弦と余弦を求めています。-lオプションを指定すると，変数scaleは20に設定されます。

●ファイルtest9.sh●

```
#!/bin/sh

a=2.0

echo "sin($a)" = `echo "s($a)" | bc -l`
echo "cos($a)" = `echo "c($a)" | bc -l`
```

ファイルを実行可能にして実行すると次のようになります。

```
$ ./test9.sh⏎
sin(2.0) = .90929742682568169539
cos(2.0) = -.41614683654714238699
```

このように，bcコマンドを利用することで，小数演算の他，標準Cライブラリで定義されている三角関数をはじめとするさまざまな関数を利用することができます。

書式

bc [オプション] [ファイル...]

パス：/usr/bin/bc

●主なオプション

-l	標準Cライブラリで定義される関数を利用します。小数点以下の結果を含む除算や三角関数などを利用したい場合に指定します（変数scaleが20に設定されます）。

●特別な変数

scale	計算精度を設定します。デフォルトは0です。

●主な演算子と関数

基本的な演算子には，次のものがあります。

■表7-9　基本的な演算子

var = *expr*	変数*var*に計算*expr*の結果を代入する
expr1 + *expr2*	加算
expr1 - *expr2*	減算
expr1 * *expr2*	乗算
expr1 / *expr2*	除算
expr1 % *expr2*	除算の剰余
expr1 ^ *expr2*	累乗

-lオプションで使える関数には次のものなどがあります。

■表7-10　標準Cライブラリで定義される主な関数

s(*expr*)	正弦（サイン）
c(*expr*)	余弦（コサイン）
l(*expr*)	自然対数
e(*expr*)	指数関数

●使用例

- コマンドラインで小数演算を行います。

```
$ echo "scale=20; 1/3" | bc
```

テキストデータを処理する

sed

ここでは，テキストデータの処理を自動化する方法について説明します。

やってみよう

シェルスクリプトを用いる利点は，同じような操作を繰り返し行いたいときに，自動化できる点にあります。たとえば，ファイルの拡張子.jpegを新しい拡張子.jpgに置き換えたいとしましょう。sedコマンドを用いることで，簡単にテキストのパターンを利用して変更できます。ファイルtest10-1.shでは，引数に指定したファイルで拡張子が.jpegのファイルの拡張子をすべて.jpgに変更します。

● ファイルtest10-1.sh ●

```
#!/bin/sh

while [ $# -gt 0 ]; do
    src=$1
    shift

    dst=`echo $src | sed -e "s/\.jpeg$/\.jpg/"`
    if [ $src = $dst ]; then
        continue
    fi
    echo rename $src to $dst
    mv $src $dst
done
```

ここでは，コマンドラインで指定した引数をwhile文で処理しています。特殊変数$#で引数の個数をチェックし，shiftコマンドで特殊変数$1の内容を1つずつずらしながら，変数srcに代入しています。変数srcに代入されたファイル名は，パイプ“|”でsedコマンドに渡され，パターン処理により，テキストの最後が“.jpeg”である場合に，“.jpg”に置き換えられます。そしてmvコマンドで，変数dstに代入された新しいファイル名に変更されます。テキストの最後が“.jpeg”以外の場合には，変数dstと変数srcの値が等しくなるので，mvコマンドを実行せずにcontinueコマンドでループの続きを実行します。

sedコマンドでは，-eオプション以下にテキストに対する処理を指定します。ここでは，内部コマンドsでテキストの置換を行っています。テキストパターンの指定には正規表現を使います。"\.jpeg$" はテキストの最後尾が ".jpeg" であること示す正規表現です。sedコマンドの正規表現では "." は任意の1文字を表すので，"\" でエスケープしています。

ファイルを実行可能にして実行すると次のようになります。

```
$ ls *.jpeg⏎
wheat.jpeg   barley.jpeg
$ ./test10-1.sh *.jpeg⏎
rename wheat.jpeg to wheat.jpg
rename barley.jpeg to barley.jpg
$ ls *.jpg⏎
wheat.jpg    barley.jpg
```

もっとやってみよう

先ほどのファイルtest10-1.shは，シェル組み込みの文字列操作機能を使うことでもっと簡単に書くことができます。

●ファイルtest10-2.sh●

```
#!/bin/sh
while [ $# -gt 0 ]; do
    src=$1
    shift

    name=${src%.*}
    ext=${src##*.}
    dst=$name.jpg
    if [ $ext = jpeg ]; then
        echo rename $src to $dst
        mv $src $dst
    fi
done
```

ここでは，外部コマンドであるsedコマンドの代わりに，シェル内部コマンドのパターン処理を使っています。“${ **変数名**%**パターン** }”と記述することで，後方一致検索により最初にパターンがマッチした文字列を削除することができます。パターンに“.*”を指定することで，ファイル名の拡張子を取り除いた部分を取り出しています。

また，“${ **変数名**##**パターン** }”と記述することで，前方一致検索により最長でパターンがマッチした文字列を削除することができます。パターンに“*.”を指定することで，ファイルの拡張子以外の部分を取り除いています。最長マッチを用いることで，たとえば“filename.tar.gz”のように複数のピリオド“.”を含むファイル名の場合でも，最後の拡張子だけを取り出せます[†6]。

シェル組み込みの文字列操作機能を表7-11に示します。

■表7-11　シェル組み込みの文字列操作機能

${*var*#*pat*}	変数*var*の値から，前方一致でパターン*pat*に最短でマッチした文字列を削除
${*var*##*pat*}	変数*var*の値から，前方一致でパターン*pat*に最長でマッチした文字列を削除
${*var*%*pat*}	変数*var*の値から，後方一致でパターン*pat*に最短でマッチした文字列を削除
${*var*%%*pat*}	変数*var*の値から，後方一致でパターン*pat*に最長でマッチした文字列を削除

†6：ファイル名の取り出しには，basenameコマンドを利用することもできます。

書式	sed［オプション］コマンド［ファイル...］

パス：/usr/bin/sed

●主なオプション

-f *script_file*	処理をスクリプトファイル*script_file*から読み込みます。
-e *command*	処理*command*を実行します。

●主な内部コマンド

p	表示します。
d	削除します。
=	行番号を表示します。
a\ ⏎ *text*	テキスト*text*を追加します。
i\ ⏎ *text*	テキスト*text*を挿入します。
c\ ⏎ *text*	テキスト*text*で置換します。
s/*old*/*new*/	パターン*old*を，パターン*new*で置き換えます。

●使用例

- 標準入力から“Hello, world!”を入力し，“world”を“maltman”に置き換えます。

```
$ echo Hello, world! | sed -e "s/world/maltman/"
```

- カレントディレクトリにある拡張子が“.txt”のファイルの一覧を表示するときに，ファイル名から拡張子を取り除きます。

```
$ ls *.txt | sed s/\.txt$//
```

テキストデータからデータを抜き出す

awk

ここでは，テキストデータからデータを抜き出して処理する方法を，awkコマンドを使って説明します。

やってみよう

コマンドの実行結果などから，必要な情報だけを抜き出して使いたいということがあります。ここでは，lsコマンドの出力結果から，ファイル名とファイルのサイズだけを抜き出すことを考えてみましょう。

まず，"ls -l" でカレントディレクトリの内容を表示してみます。

```
$ ls -l
合計 12
drwxrwxr-x 2 maltman users 4096  2月 14 00:24 barley
-rw-rw-r-- 1 maltman users    0  2月 14 00:24 cocktail
-rw-rw-r-- 1 maltman users    0  2月 14 00:24 liquor
drwxrwxr-x 2 maltman users 4096  2月 14 00:24 malt
drwxrwxr-x 2 maltman users 4096  2月 14 00:24 wheat
```

実行結果の1行をスペースで区切って考えると，ファイル名は9番目，ファイルサイズは5番目のフィールドであることがわかります。そこで，この出力をパイプ "|" でawkコマンドに渡して，内部コマンドのprintで9番目のフィールド，スペース，5番目のフィールドを表示します。

```
$ ls -l | awk '{print $9 " " $5}'

barely 4096
cocktail 0
liquor 0
malt 4096
wheat 4096
```

このように，awkコマンドを使えば，構造化されたテキストを1行（レコード）ごとに処理して必要な部分を抜き出すといった行単位のテキスト処理が手軽にできます。

もっとやってみよう

awkコマンドでは，csvファイル[†7]などのテキストファイルからデータを抜き出して処理することもできます。1番目のフィールドに性別（F：女性，M：男性），2番目のフィールドに身長（cm），3番目のフィールドに体重（kg）が記述されているファイルdata.csvを作成してみましょう。

● ファイルdata.csv ●

```
M,172,68
F,154,42
F,162,53
M,168,72
```

このファイルの2番目のフィールドだけを表示したい場合には，以下のように実行します。

```
$ awk -F, '{print $2}' data.csv ↵
```

ここでは，-Fオプションで区切り文字を“,”に指定し，組み込み変数$2で2番目のフィールドの値を選んで表示しています。

次のファイルtest12.shは，身長と体重からBMI指数を計算するシェルスクリプトです。BMIは，“**体重**kg ÷ **身長**^{2}m”で計算する体格指数です。

● ファイルtest12.sh ●

```
#!/bin/sh

awk -F, '{print $3 / ($2 / 100) ^ 2}' data.csv
```

ファイルを実行可能にして実行すると次のようになります。

†7：テキストファイル形式の1つで，テキストの各行をレコードとし“,”（カンマ）でフィールドを区切ります。表計算ソフトやデータベースソフトなど，さまざまなソフトウェア間でデータを交換するときに利用します。

```
$ ./test12.sh
22.9854
17.7096
20.1951
25.5102
```

awkコマンドはプログラミング言語としての基本的な機能を持っており，ファイルtest12.shではawkの演算機能を使ってBMIを計算しています。

Column ●プログラミング言語としてのsed，awk

sedやawkコマンドは非常に複雑な作業をこなすことができるので，シェルスクリプトの中で呼び出して使うだけでなく，単体で一種のプログラミング言語として使用することもできます。

sedスクリプトの場合は先頭行に“#!/usr/bin/sed -f”を，awkスクリプトの場合は先頭行に“/usr/bin/awk -f”を書きます。たとえば，小文字をすべて大文字に変換するsedスクリプトは以下のように書くことができます。

●ファイルexample.sed●

```
#!/usr/bin/sed -f
s/\(.*\)/\U\1/
```

また，ファイルdata.csv（p.241）を読み込んでBMIを出力するawkスクリプトは，以下のように書くことができます。

●ファイルexample.awk●

```
#!/usr/bin/awk -f
BEGIN {
FS= “,”
print “BMI”
}
{print $3  / ($2  / 100)^2}
```

どちらもシェルスクリプトと同様にファイルを実行可能にすることで実行できます。

書式 awk [-F フィールドセパレータ] [処理〔-f スクリプトファイル〕] [処理対象ファイル ...]

パス：/usr/bin/awk

●主なオプション

-F *fs*	フィールドセパレータを正規表現*fs*に設定します。
-f *progfile*	処理をスクリプトファイル*progfile*から読み込みます。

●処理

テキスト処理を行う条件と処理を指定します。

pattern {*action*}	レコード(デフォルトでは入力行)に対して条件式*pattern*が真であった場合に，アクション*action*を実行します。アクションを省略した場合には，レコードを表示します。

●主な条件式*pattern*

処理対象となるレコードの条件を指定します。条件式*pattern*の値が真のレコードのみに対してアクション*action*を実行します

/*regexp*/	正規表現*regexp*に一致したレコードに対してアクション*action*を実行します。
BEGIN	最初のレコードを読み込む前にアクション*action*を実行します。
END	最後のレコードを読み込んだ後にアクション*action*を実行します。

●アクション*action*

条件式に一致したレコードに対して実行する処理を指定します。アクション*action*は複数の文*statement*から構成されます。文の間は，";"（セミコロン）もしくは改行で区切ります。

●文*statement*

式*expr*の評価のほか，if文やfor文，while文などの制御構文，printの表示機能などが利用できます。

expr	式*expr*を評価します。
print [*expr* ...]	式*expr*を表示します。

●式*expr*

数値や文字列のほか，変数の利用，四則演算をはじめとする数値演算（+，-，*，/，%，^，++，--，+=，-=，*=，/=，%=，^=），比較演算子（==，>，<，>=，<=，!=），論理演算子（!，||，&&）などを利用できます。

●組み込み変数

組み込み変数（表7-12）が用意されています。フィールドやレコードの処理を調整できます。

■表7-12　組み込み変数

$0	レコード（入力行）全体
$*n*	*n*番目のフィールド
FS	フィールドセパレータ。デフォルトでは空白文字
NF	フィールド数
RS	入力レコードセパレータ。デフォルトでは改行
NR	レコード番号。デフォルトでは行番号
OFMT	数値の出力形式
OFS	出力フィールドセパレータ
ORS	出力レコードセパレータ

●使用例

- CSV形式のファイルfile.csvの各行の2番目と3番目のフィールドの値を合計して表示します。

● ファイルfile.csv ●

```
1,2,3
4,5,6
7,8,9
```

```
$ awk -F, '{print $2 + $3}' file.csv
```

第 8 章

★ ★ ★ ★ ★ ★ ★ ★

ユーザとシステムの管理

スーパーユーザに変身する

su

システムの設定ファイルの書き換えやファイルのオーナの変更など，システム管理に関連する作業はスーパーユーザ権限が必要です。一般ユーザでログイン中に一時的にスーパーユーザに変身するには，suコマンドを使います[†1]。

やってみよう

それでは，現在ユーザmaltmanでログインしていると仮定して，一時的にスーパーユーザになってみましょう。

```
$ whoami ↵
maltman          ←── 今はユーザmaltmanです
$ su ↵
パスワード： ↵    ←── スーパーユーザのパスワードを入力します
# whoami ↵
root             ←── スーパーユーザになりました
# exit ↵         ←── 一般ユーザに戻ります
$
```

上記のようにsuコマンドを引数なしで実行すると，スーパーユーザに変身できます。ただし，その際にはスーパーユーザのパスワードが要求されます。

もっとやってみよう

ユーザを引数に指定して変身することもできます。試しに，ユーザbeerに変身してみましょう（あらかじめユーザbeerを作成しておく必要があります）。

```
$ whoami ↵
maltman          ←── 今はユーザmaltmanです
$ su beer ↵
パスワード： ↵    ←── ユーザbeerのパスワードを入力します
$ whoami ↵
beer             ←── ユーザbeerになりました
```

suコマンドを実行した後のwhoamiコマンドの実行結果を見ると，ユーザbeerに変身できたことがわかります。

---

†1：デフォルト設定のUbuntuではsuコマンドでスーパーユーザに変身できません。代用としてsudoコマンドに -iオプション（p.250）をつけて使います。

書式

su［オプション］［ユーザ名］

パス：/usr/bin/su

主なオプション

-c *command*	指定したユーザで*command*コマンドを実行し，実行後は元のユーザに戻ります。
-	元のユーザの環境変数を引き継ぎません(新たなログインと同じ)。
-s *shell*	変身後のシェルを*shell*にします。

使用例

- スーパーユーザに変身します。

```
$ su
```

- ユーザの環境変数を引き継がず新規ログインと同様の状態で，スーパーユーザに変身します。

```
$ su -
```

- ユーザuserに変身します。

```
$ su user
```

ワンポイント

suコマンドで別のユーザに変身した場合は，普通にログインした場合と違い，変身前のユーザの環境変数がほとんど引き継がれます。変身前のユーザの環境変数を引き継ぎたくない場合は，次のように-オプションを指定します。

```
$ su - user⏎
```

この場合，カレントディレクトリもユーザuserのホームディレクトリに移動し，新規にログインし直した場合と同じ状態になります。スーパーユーザに変身して作業を行うような場合は，変身前のユーザの環境変数を引き継いでいると思わぬトラブルを招いてしまうことも考えられます。こうしたトラブルを未然に防止するために，スーパーユーザに変身するときは-オプションを指定することをお勧めします。

別のユーザ権限でコマンドを実行する

sudo

sudoコマンドを使うとスーパーユーザのパスワードを入力せずに，スーパーユーザの権限でコマンドが実行できます[†2]。

やってみよう

ユーザmaltmanでsudoコマンドを実行しましょう。

```
$ ls -l /etc/gshadow↵
-rw-r----- 1 root shadow 786  3月  1  2019 /etc/gshadow
$ cat /etc/gshadow | head↵
cat: /etc/gshadow: 許可がありません  ←ユーザmalmanには読めません
$ sudo cat /etc/gshadow | head↵
[sudo] maltman のパスワード: ↵  ←ユーザmaltmanのパスワードを入力します
root:*::
daemon:*::
    ：(略)
```

上記のようにスーパーユーザのパスワードを知らなくても，ユーザ自身のパスワードを入力することでスーパーユーザとしてコマンドが実行できます。一度認証されるとしばらくの間はパスワードの入力なしにsudoコマンドが使えます。

もっとやってみよう

sudoコマンドではスーパーユーザ以外のユーザとしてもコマンドを実行することができます。実行するユーザは-uオプションのあとに指定します。ユーザbeerとしてsudoコマンドを実行した場合とスーパーユーザとして実行した場合の違いを確認してみましょう。

```
$ sudo -u beer touch ~beer/hoge.txt↵  ←ユーザbeerとしてファイルを作成します
[sudo] maltman のパスワード: ↵  ←ユーザmaltmanのパスワードを入力します
$ sudo touch ~beer/root.txt↵  ←スーパーユーザとしてファイルを作成します
$ sudo -u beer ls -l ~beer↵  ←ユーザbeerのホームディレクトリを表示します
合計 0
-rw-r--r-- 1 beer beer 0 11月  8  23:20 hoge.txt
-rw-r--r-- 1 root root 0 11月  8  23:20 root.txt
```

†2：Debianではパッケージsudoのインストールや，場合によってはファイル/etc/sudoersの編集が必要です。コラム「sudoコマンドを使うための設定」を参照してください。

また，この実行例のように-uオプションを使う場合でも，一度認証されるとしばらくの間はパスワードの入力なしにsudoコマンドを実行できます。

Column

●sudoコマンドを使うための設定

環境によっては，sudoコマンドを使うために，sudoコマンドが使えるグループ（UbuntuとDebianではsudo，CentOSとFedoraではwheel）にユーザを追加するか，ファイル/etc/sudoersの編集が必要な場合があります。ファイル/etc/sudoersを安全に編集するにはvisudoコマンドを使います。スーパーユーザに変身してから実行します。

```
$ su -↵              ←── スーパーユーザに変身します
パスワード：↵        ←── スーパーユーザのパスワードを入力します
# visudo↵
```

CentOSとFedoraではvim，UbuntuとDebianではnanoというエディタが起動します[†3]。スーパーユーザ（root）は次のように設定してあります。

```
    ：（略）
root ALL=(ALL) ALL
    ：（略）
```

実行権限を許可するときの基本的な書式は以下のようになっています。

ユーザ名またはグループ名　ホスト名＝（変身するユーザ名）許可するコマンド

ただし，グループを許可するときはグループ名の前に%をつけます。具体的には次のように書きます。上記のrootと書いてある行の次に追記してみましょう。

```
maltman ALL=(ALL) ALL  ←── ユーザmaltmanにスーパーユーザ権限を持たせます
%admin ALL=(ALL) ALL   ←── グループadminのユーザにスーパーユーザと同じ
                            権限を持たせます
```

ホスト名，変身するユーザ名，許可するコマンドはいくつかをまとめて定義することもできます。ファイル/etc/sudoersに例が記載されているので参考にしてください。

†3：nanoの使い方はターミナルの下部に表示されているヘルプを参照してください。“^”はCtrlキーのことです。たとえば「^X 終了」とあるのでCtrl＋xでエディタを終了できます。

書式

sudo［オプション］［コマンド］

パス：/usr/bin/sudo

●主なオプション

-i	スーパーユーザに変身します。
-u *user*	ユーザ*user*に変身してコマンドを実行します。
-l	実行したユーザに許可されている権限の一覧を表示します。

●使用例

- スーパーユーザしか見られないファイル/etc/gshadowを表示します。

```
$ sudo less /etc/gshadow
```

- ユーザbeerの権限でユーザbeerのホームディレクトリにファイルhoge.txtを作ります。

```
$ sudo -u beer touch ~beer/hoge.txt
```

Column　**●スーパーユーザのパスワードを忘れた場合**

ユーザのパスワードを変更するコマンドとしてpasswdを紹介しました。一般ユーザのパスワードを忘れてしまった場合は，スーパーユーザに変身してからpasswdコマンドを実行すればそのユーザのパスワードを変更することができます。それでは，スーパーユーザのパスワードを忘れてしまった場合には，どうすればよいでしょうか？

スーパーユーザのパスワードを再設定するにはいくつかの方法があります。もし，sudoコマンドを実行できるユーザがいればpasswdコマンドと組み合わせることでスーパーユーザのパスワードを再設定することができます。

```
$ sudo passwd ↵
```

再起動が可能な環境であれば，シングルユーザモードという特殊なモードで起動することでパスワードなしでスーパーユーザとしてログインできます。本書ではシングルユーザモードで起動するための方法として，ブートローダGRUB2（p.386）を利用する方法を紹介しています。

ユーザを作成・削除する

useradd, userdel

Linuxはマルチユーザ環境なので，複数のユーザを作成することができます。ユーザを作成するにはuseraddコマンドを使います。逆に，ユーザを削除するにはuserdelコマンドを使います。

やってみよう

それでは，useraddコマンドを用いてユーザbeerを作成してみましょう。useraddコマンドでは，新規ユーザに関する情報をすべてオプションと引数で指定します。指定しなかった情報に関してはデフォルトの値が採用されます。指定できる項目は，ユーザID，グループ名（またはグループID），ログインシェル，ホームディレクトリなどがあります。useraddコマンドはスーパーユーザでないと実行できません。

```
$ su -↵
パスワード: ↵                    ←スーパーユーザのパスワードを入力します
# useradd -m beer↵
# passwd beer↵                          ユーザbeerのパスワードを入力します
新しい UNIX パスワードを入力してください: ↵
新しい UNIX パスワードを再入力してください: ↵  ←確認のためユーザbeerのパスワードを再度入力します
passwd: パスワードは正しく更新されました
```

これでOKです。-mオプションをつけてuseraddコマンドを実行すると，新規ユーザのホームディレクトリが存在しない場合には自動的に作成してくれます。またパスワードは，useraddコマンドの引数で指定することもできますが，ここではuseraddコマンドを実行した後にpasswdコマンドでパスワードを設定しています（useraddコマンドは，-pオプションをつけないとパスワードが設定されないので注意してください）。

もっとやってみよう

ユーザを間違った名前で作成したり，あるユーザが不要になった場合など，ユーザを削除したいことがあります。その場合にはuserdelコマンドを使います。試しに，先ほど作成したユーザbeerを削除してみましょう。useraddコマンドと同様，userdelコマンドもスーパーユーザでないと実行できません。

```
$ su -↵
パスワード：↵   ←スーパーユーザのパスワードを入力します
# userdel beer↵
```

あっけないですが，これでユーザbeerが削除されました。ユーザを削除するときには十分注意してください。

ユーザやグループの設定ファイル

ユーザやグループをネットワークで管理していない場合にはそれらの情報は，/etc/passwd，/etc/shadow，/etc/group，/etc/gshadowというファイルに書かれています[†4]。グループの作成や削除には，groupaddコマンドやgroupdelコマンド（p.256）を使います。ここでは，これらのファイルの内容を解説します。

ファイル/etc/passwd

各行に個々のユーザアカウントの情報が：（コロン）で区切られて記述されています。たとえばユーザmaltmanのアカウント情報は次のようになっています。

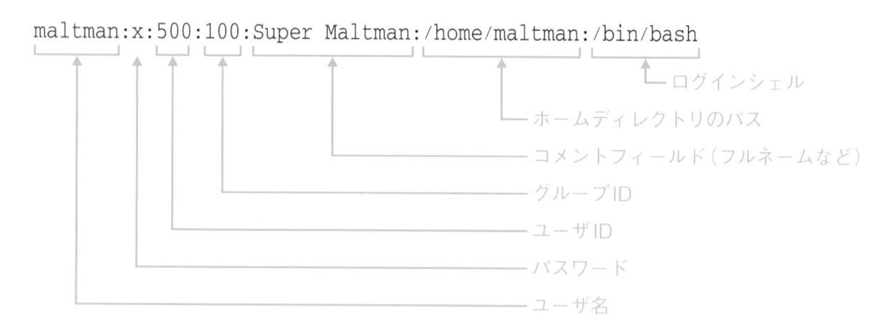

パスワードが設定されている場合はパスワードのフィールドに“x”と書かれています。暗号化されたパスワードはファイル/etc/shadowに書かれています。

†4：ユーザの管理にはディレクトリサービスを使うこともあります。p.254のコラムを参照してください。

ファイル/etc/shadow

各行に個々のユーザアカウントの暗号化されたパスワードなどの情報が書かれています。

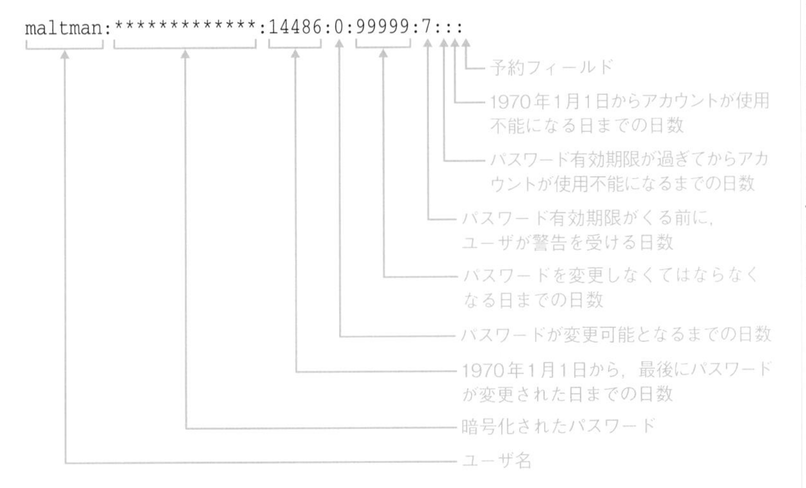

ファイル/etc/group，ファイル/etc/gshadow

各行には各々のグループの情報が書かれています。

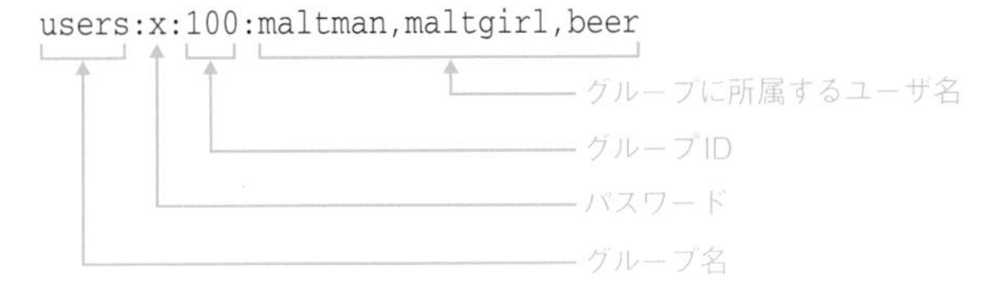

グループに所属するユーザが複数いるときは“,”で区切って書いてあります。

グループにはパスワードがある場合もあります。グループに所属しない人がそのグループの権限を取得するときにパスワードが必要になります。パスワードがあるグループの情報は，ファイル/etc/gshadowで管理されます。しかし，グループのパスワードが使われることは少ないため，本書では説明を割愛します。

Column ●ディレクトリサービスによるユーザ管理

Linuxでのユーザ管理にはそのコンピュータ自身に保存されている/etc/passwdなどのローカルファイルを使わずに，ネットワークの別のコンピュータの情報を利用することもできます。このネットワーク上で情報を共有するためのシステムを**ディレクトリサービス**と呼びます。

ディレクトリサービスを使うメリットは，ネットワーク上で共有するコンピュータが複数ある場合のユーザ管理が簡単になることです。たとえば，パスワードなどを個々のコンピュータで管理しているとユーザを追加したり削除したりするときにコンピュータの数だけ設定をしなければなりません。一方，ディレクトリサービスが使用できる環境では一度の設定で済んでしまいます。

ユーザ管理にディレクトリサービスを使うにはいくつかの方法がありますが，LDAP（Lightweight Directory Access Protocol），PAM（Pluggable Authentication Modules），NSS（Name Service Switch）の3つのシステムを組み合わせて利用したものが広く使われています。

LDAPはユーザ情報が保存されているサーバとその情報を取りにいくクライアントとなるコンピュータとの間でやりとりするための仕組みです。PAMはログインが必要なプログラム（login，telnet，ssh，gdmなど）でユーザ認証が行われるときに呼び出されるシステムで，LDAPからもユーザ認証ができるように設定しなければなりません。NSSはコンピュータのユーザ認証をローカルファイルで行うのかLDAPで行うのかを設定するシステムです。

ディレクトリサービスによるユーザ管理についてはこの本の範疇を超えるのでこれらのシステムの紹介にとどめます。興味を持った方は関連書籍やWebなどを参考に挑戦してみてください。

書式

useradd［オプション］ユーザ名
userdel［オプション］ユーザ名

パス：/usr/sbin/useradd，/usr/sbin/userdel

●主なオプション（useraddコマンド）

-m	ユーザのホームディレクトリが存在しない場合に自動的に作成します。
-c *name*	ユーザのフルネームを*name*とします。
-d *directory*	ユーザのホームディレクトリを*directory*とします。
-e *date*	ユーザのアカウントが無効になる日を*date*とします（指定しなければ無期限）。
-g *group*	ユーザのグループIDを*group*とします。
-G *group1*[，*groupn*...]	ユーザの所属グループを指定します（複数指定するときは，間に“,”をはさむ）。
-p *password*	パスワードを*password*に設定します。
-s *shell*	ユーザのログインシェルを*shell*にします。
-u *uid*	ユーザのユーザIDを*uid*とします。

●主なオプション（userdelコマンド）

-r	削除するユーザのホームディレクトリも削除します。

●使用例

・新規にユーザuserを作成します。

```
# useradd user
```

・ユーザuserを削除します。

```
# userdel user
```

・ユーザuserを作成するときに，アカウントが無効になる日を2020年4月30日にします。

```
# useradd -e 2020-4-30 user
```

グループを作成・削除する

groupadd, groupdel

新しいグループを作成するにはgroupaddコマンドを，逆にグループを削除するにはgroupdelコマンドを使います。

やってみよう

groupaddコマンドを使って新しいグループbreweryを作成してみましょう。groupaddコマンドはスーパーユーザでないと実行できません。

```
$ su -⏎
パスワード: ⏎                       ←── スーパーユーザのパスワードを入力します
# groupadd brewery⏎                 ←── グループbreweryを作成します
# grep brewery /etc/group⏎          ←── ファイル/etc/groupに追加されたか確認します
brewery:x:1004:                     ←── ファイル/etc/groupにbreweryが追加されています
```

先ほど作ったユーザbreweryを削除してみましょう。スーパーユーザになったままコマンドを実行します。

```
# groupdel brewery⏎                 ←── グループbreweryを削除します
# grep brewery /etc/group⏎          ←── ファイル/etc/groupから削除されたか確認します
#                                   ←── ファイル/etc/groupからbreweryの項目が削除
                                        されています
```

書式

groupadd［オプション］グループ名
groupdel グループ名

パス：/usr/sbin/groupadd，/usr/sbin/groupdel

●主なオプション（groupaddコマンド）

-g *gid*	グループIDを*gid*に指定します。
-o	-gオプションで指定したグループIDが存在しても，エラーとせずにグループを作成します。

●使用例

- 新規にグループbreweryを作成します。

```
# groupadd brewery
```

- グループbreweryを削除します。

```
# groupdel brewery
```

- グループbreweryのグループIDを501として作成します。

```
# groupadd -g 501 brewery
```

ユーザやグループの一覧を表示する

getent

ユーザやグループなどいくつかのデータベースの内容はgetentコマンドで表示できます。

やってみよう

getentコマンドを使ってOSに登録されているユーザ情報の一覧を見てみましょう。ユーザ情報を見るにはデータベースpasswdを指定して実行します。

```
$ getent passwd ↵
root:x:0:0:root:/root:/bin/bash
daemon:x:1:1:daemon:/usr/sbin:/bin/sh
bin:x:2:2:bin:/bin:/bin/sh
    ⋮（略）
maltman:x:500:100:Super Maltman:/home/maltman:/bin/bash
```

データベースにはpasswdのほかにもグループ情報groupやホストのIPアドレスなどの情報hostsなどがあります。

もっとやってみよう

データベースのあとにキーを追記することで，表示する情報を限定することができます。データベースgroupのusersの内容を表示してみましょう。

```
$ getent group users ↵
users:x:100:
```

それぞれのデータベースには固有のキーがあります。たとえば，groupデータベースのキーにはグループ名やグループIDを指定することができます。

書式

getent［データベースとキー］

パス：/usr/bin/getent

●主なデータベースとキー

passwd ［*key*］	パスワードの情報を参照します。*key*にはユーザ名かユーザIDを指定します。
group ［*key*］	グループの情報を参照します。*key*にはグループ名かグループIDを指定します。
hosts ［*key*］	ホストの情報を参照します。*key*にはホスト名かIPアドレスを指定します。

●使用例

- データベースpasswdの一覧を表示します。

```
$ getent passwd
```

- データベースgroupのグループusersの情報を表示します。

```
$ getent group users
```

システムメッセージを表示する

dmesg

Linuxのシステムを管理する際，Linuxが出力するシステムメッセージは非常に重要です。システムメッセージを表示するには，dmesgコマンドを使います。

やってみよう

実際に，dmesgコマンドを実行してみましょう。このコマンドは一般ユーザでも実行することができます。

```
$ dmesg ↵
[    0.000000] Linux version 4.15.0-70-generic (buildd@lgw01-amd64-055) (gcc version 7.4.0 (Ubuntu 7.4.0-1ubuntu1~18.04.1)) #79-Ubuntu SMP Tue Nov 12 10:36:11 UTC 2019 (Ubuntu 4.15.0-70.79-generic 4.15.18)
[    0.000000] Command line: BOOT_IMAGE=/boot/vmlinuz-4.15.0-70-generic root=UUID=eb0d8125-b214-4ad6-b824-73ba6d33cba6 ro quiet splash vt.handoff=1
[    0.000000] KERNEL supported cpus:
[    0.000000]   Intel GenuineIntel
[    0.000000]   AMD AuthenticAMD
[    0.000000]   Centaur CentaurHauls
[    0.000000] x86/fpu: x87 FPU will use FXSAVE
[    0.000000] e820: BIOS-provided physical RAM map:
[    0.000000] BIOS-e820: [mem 0x0000000000000000-0x000000000009ffff] usable
[    0.000000] BIOS-e820: [mem 0x0000000000100000-0x000000007ee54fff] usable
[    0.000000] BIOS-e820: [mem 0x000000007ee55000-0x000000007ee55fff] ACPI data
[    0.000000] BIOS-e820: [mem 0x000000007ee56000-0x000000007fed5fff] usable
[    0.000000] BIOS-e820: [mem 0x000000007fed6000-0x000000007ff05fff] type 20
[    0.000000] BIOS-e820: [mem 0x000000007ff06000-0x000000007ff2dfff] reserved
[    0.000000] BIOS-e820: [mem 0x000000007ff2e000-0x000000007ff35fff] ACPI data
[    0.000000] BIOS-e820: [mem 0x000000007ff36000-0x000000007ff39fff] ACPI NVS
[    0.000000] BIOS-e820: [mem 0x000000007ff3a000-0x000000007ffbffff] usable
[    0.000000] BIOS-e820: [mem 0x000000007ffc0000-0x000000007ffdffff] reserved
     ：（略）
```

dmesgコマンドの出力には，上記のようにLinuxのブート時に表示されるようなハードウェア関連の情報などが含まれます。

書式

dmesg［オプション］

パス：/bin/dmesg

●主なオプション

-c　システムメッセージを表示した後，システムバッファをクリアします（スーパーユーザのみ実行可能）。

●使用例

・システムメッセージを表示します。

```
$ dmesg
```

・メモリの情報を調べます。

```
$ dmesg | grep Memory
```

サービスの設定や状態表示を行う

service, systemctl

Linuxには，cronのように常時動作しているプログラムや，サーバとして使う場合に動かすsshd，httpd，ntpdなどのプログラム，起動時に動作するプログラムなどがあります。それらサーバプログラムや起動時に実行するプログラムなどをまとめて**サービス**と称しています。各サービスを動かす，状態を見るなどの操作を統一してできるようにしているのがserviceコマンド（Ubuntu，Debian）とsystemctlコマンド（CentOS，Fedora）です。serviceコマンドはCentOSやFedoraにも互換性を保つために用意されていますが，--status-allオプションがないなど違いがあります。CentOS，Fedoraでは使用を推奨されているsystemctlコマンドを使うこととして解説します。

やってみよう

どのようなサービスがインストールされているかを見てみます。Ubuntu，Debian では次のコマンドを実行します。

```
$ service --status-all
 [ + ]  acpid
 [ - ]  alsa-utils
 [ - ]  anacron
 [ + ]  apparmor
   ：(略)
 [ + ]  cups
   ：(略)
 [ + ]  ssh
   ：(略)
```

acpidやatdなどがサービス名で，+マークのついているサービス（atd，cups，sshなど）が動作しています。

次に，個別のサービスの状態を見てみましょう。

```
$ service cups status
cups start/running, process 4835
```

cupsサービスがプロセス番号4835で実行中であることがわかります。

CentOSやFedoraですべてのサービスの状態を見るには，次のコマンドを実行します。

```
$ systemctl -a list-units ↵
    ：（略）
  crond.service      loaded   active    running   Command Scheduler
  cups.service       loaded   active    running   CUPS Scheduler
  dbus.service       loaded   active    running   D-Bus System Message
Bus
  dm-event.service   loaded   inactive  dead      Device-mapper event
daemon
    ：（略）
```

systemctlコマンドはサービス以外の情報も表示しますが，サービス名には“cups.service”のように“.service”がつきます。またUbuntuやDebianではcups，sshというサービス名のものが，CentOS，Fedoraではcupsd，sshdとなっています。ディストリビューションによりサービス名には多少の違いがあります。

今度はCentOSでsshdサービスの状態を見てみましょう。

```
$ systemctl status sshd ↵
● sshd.service - OpenSSH server daemon
   Loaded: loaded (/usr/lib/systemd/system/sshd.service; enabled;
vendor preset: enabled)
   Active: active (running) since Sun 2019-12-01 02:09:29 JST; 13h
ago    └─有効化されて実行中
     Docs: man:sshd(8)
           man:sshd_config(5)
 Main PID: 894 (sshd)  ←── プロセス番号
    Tasks: 1 (limit: 11512)
   Memory: 1.8M
   CGroup: /system.slice/sshd.service ←── プロセスツリー
           └─894 /usr/sbin/sshd -D -oCiphers=aes256-gcm@
    ：（略）
```

この例では，sshdは有効化（enabled）されて，実行中（active）なので，リモートからsshでログインできることがわかります。

Ubuntuの例では印刷のためのサービスcupsが動作していましたが，それを停止してみましょう。スーパーユーザに変身してから実行します。

```
# service cups stop ↵
cups stop/waiting
```

再度実行するには内部コマンドstartを発行します。

```
# service cups start ↵
cups start/running, process 211
```

CentOSやFedoraではsystemctlコマンドを使います。こちらもサービスを開始するには内部コマンドstart，サービスを停止するには内部コマンドstopを発行します。

```
# systemctl start sshd ↵
# systemctl status sshd ↵
● sshd.service - OpenSSH server daemon
   Loaded: loaded (/usr/lib/systemd/system/sshd.service; enabled; vendor
preset: enabled)
   Active: active (running) since Sun 2019-12-01 02:09:29 JST; 13h ago
     Docs: man:sshd(8)
           man:sshd_config(5)
 Main PID: 894 (sshd)
    Tasks: 1 (limit: 11512)
   Memory: 1.8M
   CGroup: /system.slice/sshd.service
           └─894 /usr/sbin/sshd -D -oCiphers=aes256-gcm@openssh.com,ch
acha20-poly1305@openssh.com,aes256-ctr,aes256-cbc, …(略)
    ⋮(略)
```

ここまでの内容ではシステム起動時にサービスを開始するかどうかの設定はできません。ディストリビューションによって設定方法が異なりますので，本書では詳しい説明は割愛します。

書式

service オプション〔サービス名〕コマンド
systemctl [オプション] コマンド [サービス名]

パス：/usr/sbin/service, /usr/sbin/systemctl（CentOS, Fedora）

●主なオプション（serviceコマンド）

--status-all	登録されているすべてのサービスの状態を表示します。

●主なオプション（systemctlコマンド）

-a	動作する設定になっていない，または動作していないサービスも表示します。

●コマンド

status	指定したサービスの状態を表示します。
start	指定したサービスを開始します。
stop	指定したサービスを停止します。
list-units	サービスなどの一覧と状態を表示します（systemctlコマンドのみ）。サービス名は指定しません。

●使用例

・現在インストールされているすべてのサービスの状態を表示します。

```
# service --status-all      ←── Ubuntu, Debianの場合
$ systemctl -a list-units   ←── CentOS, Fedoraの場合
```

・cupsサービスを停止します。

```
# service cups stop         ←── Ubuntu, Debianの場合
# systemctl stop cupsd      ←── CentOS, Fedoraの場合
```

・cupsサービスを開始します。

```
# service cups start        ←── Ubuntu, Debianの場合
# systemctl start cupsd     ←── CentOS, Fedoraの場合
```

システムを停止・再起動する

shutdown, reboot, poweroff

Linuxでの作業を終えてコンピュータの電源を落とす際には，本書の第1章で述べたように，シャットダウンという手続きをとる必要があります。シャットダウンは，デスクトップ環境ではGUIから行いますが（p.21），リモートから利用する場合などデスクトップ環境ではない場合に端末からシャットダウンを行う方法を知っておいたほうがよいでしょう。コンピュータのシャットダウンを行うにはshutdownコマンドを用います。また，電源を切るためにpoweroffコマンド，再起動をするためにrebootコマンドを使うこともできます。

やってみよう

それでは実際に，コンピュータの電源を切るためにシステムを停止してみましょう。

```
$ shutdown -P +1⏎  ←── 1分後に電源を切ります
Shutdown scheduled for Wed 2020-02-19 02:28:43 JST, use 'shutdown
-c' to cancel.
```

システムの停止には-Pオプションを使います。+1をつけると1分後にシャットダウンします。これでLinuxシステムは停止します。

poweroffコマンドでも電源を切ることができます。

```
$ poweroff⏎
```

ほとんどの環境ではshutdownコマンドやpoweroffコマンドを実行すればシステム停止後に自動的にコンピュータの電源が切れるようになっています。電源が自動的に切れないときは，電源を切ってもよいというメッセージが表示されているのを確認してから電源を切りましょう。

もっとやってみよう

今度は，システムの再起動を行ってみましょう。再起動するには-rオプションを使います。

```
$ shutdown -r +1 ⏎      ← 1分後に再起動します
Shutdown scheduled for Wed 2020-02-19 02:32:15 JST, use 'shutdown
-c' to cancel.
```

上記の例のように-rオプションをつけてshutdownコマンドを実行すると，-Pオプションをつけたときとは違い，システムを終了した後にそのまま再度起動（ブート）されます。

rebootコマンドでも再起動することができます。

```
$ reboot ⏎
```

書式

shutdown［オプション］時間［警告メッセージ］
reboot
poweroff

パス：/usr/sbin/shutdown，/usr/sbin/reboot，/usr/sbin/poweroff

●主なオプション

-k	警告メッセージを各プロセスに送るだけで，実際にはシャットダウンしません。
-r	システムを再起動します。rebootコマンドと同等です。
-P	システムの電源を切ります。poweroffコマンドと同等です。
-c	スケジュールされたシャットダウンをキャンセルします。

●時間

now	ただちにシャットダウンします。
+*n*	*n*分後にシャットダウンします。
hh:*mm*	*hh*時*mm*分にシャットダウンします(24時間表記)。

●警告メッセージ

シャットダウン前にログイン中の端末に表示するメッセージを指定します。

●使用例

- システムを再起動します（shutdownコマンド）。

```
$ shutdown -r now
```

- システムを再起動します（rebootコマンド）。

```
$ reboot
```

- 5分後にシステムの電源を切ります（shutdownコマンド）。

```
$ shutdown -P +5
```

- シャットダウンをキャンセルします。

```
$ shutdown -c
```

第9章

★★★★★★★★★★

ネットワークを使いこなす

Linuxでのネットワーク接続

近年，光ファイバーを利用したネットワーク接続サービスが普及したことから，比較的手軽に自宅のコンピュータからインターネットに接続することが可能となりました。VDSLモデムとルータを組み合わせたブロードバンドルータを準備し，イーサネットケーブルでコンピュータと直接接続するか，Wi-Fiルータと接続してコンピュータを無線接続することで，簡単にインターネットに接続することができるようになっています。また，モバイル回線を利用したインターネット接続サービスやスマートフォンのパーソナルホットスポット（テザリング機能）を利用することで，外出先など，さまざまな場所でメールを読み書きしたり，Webサイトを閲覧できます。そのため，ネットワークに関わるコマンドを理解したいという要求が次第に増えてきているように思います。

本書では，自宅やオフィスなどで，すでにインターネットに接続する環境が整っていることを前提に話を進めます。ネットワーク環境で快適にLinuxを利用するために必要となるコマンドを紹介しながら，関連する用語について説明します。もちろん，これらのコマンドを知らなかったとしても，メールを読み書きしたり，検索エンジンやSNSなどのWebサービスを利用することはできますが，インターネットの仕組みを理解しておけば，ネットワーク管理者を目指す人にはもちろんのこと，それ以外の人でも何かトラブルがあったときに役立つでしょう。

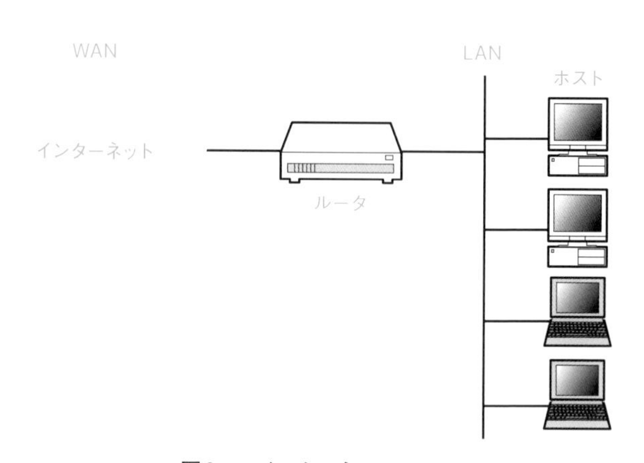

図9-1　インターネット

あるホストとの接続性を確認する

ping

ネットワークにつながっているかどうかを調べたり，ある特定のホストが起動しているかどうかを調べるには，pingコマンドを使います。

やってみよう

pingコマンドは，目的のホストに「返事をして」という旨のメッセージを送ります。相手のホストがメッセージを受け取ったら，「生きているよ」という旨のメッセージを返します。

試しに，pingコマンドを使ってネームサーバとの接続性を確認してみましょう。ネームサーバのIPアドレスは192.168.0.1とします。

```
$ ping 192.168.0.1↵
PING 192.168.0.1 (192.168.0.1) 56(84) bytes of data.
64 bytes from 192.168.0.1: icmp_seq=1 ttl=255 time=1.04 ms
64 bytes from 192.168.0.1: icmp_seq=2 ttl=255 time=1.06 ms

                                ←── Ctrl + c を押す

--- 192.168.0.1 ping statistics ---
2 packets transmitted, 2 received, 0% packet loss, time 1333ms
  └送信パケット数       └受信パケット数 └パケット損失率 └コマンドの実行時間
rtt min/avg/max/mdev = 1.044/1.053/1.063/0.033 ms
                       └送受信にかかった最短時間，最長時間，平均時間，平均偏差
```

pingコマンドを実行すると，Ctrl + c を押すまで，定期的にメッセージを相手に投げ続けます。上記の例のように返事が戻ってくれば，相手ホストとの接続が確立されています。また，pingコマンドを終了すると，実行結果として送信パケット数やパケット損失率などが表示されるので，これらの情報からも接続性を判断することができます。

一方，pingコマンドを実行しても相手からの返事がない場合は「相手先ホストと正しく接続されていない」ということになります。うまく接続できない原因としては，IPアドレスが正しく割り振られていない可能性や，ルータとの

LANの接続が確立できていない可能性が考えられます。

IPアドレスが正しく割り振られているかどうかは，ipコマンドかifconfigコマンド（p.299）で確認できます。ブロードバンドルータを用いている場合は，まずpingコマンドでブロードバンドルータとの接続を確認してみるとよいでしょう。

もっとやってみよう

pingコマンドをはじめとするネットワーク関連のコマンドの多くでは，ターゲットとなるホストを指定する際，IPアドレスのほかにホスト名を利用することができます。たとえば，架空のホストwww.example.co.jpに対する接続性を確認してみましょう。

```
$ ping www.example.co.jp ↵
PING www.example.co.jp (192.168.1.100) 56(84) bytes of data.
64 bytes from www.example.co.jp (192.168.1.100): icmp_seq=1 ttl=48 time=3.71 ms
64 bytes from www.example.co.jp (192.168.1.100): icmp_seq=2 ttl=48 time=4.49 ms

← Ctrl + c を押す

--- www.example.co.jp ping statistics ---
2 packets transmitted, 2 received, 0% packet loss, time 1842ms
rtt min/avg/max/mdev = 3.719/4.108/4.498/0.394 ms
```

www.example.co.jpのようなインターネット上のホスト名のことを**ドメイン名**と呼びます。ドメイン名をネームサーバによってIPアドレスに変換してから，接続を行います。上の例では，ホストwww.example.co.jpのIPアドレスが192.168.1.100であることがわかります。

pingコマンドでは，Internet Control Message Protocol（ICMP）と呼ばれるプロトコルを利用して，ネットワークの接続性を確認します。送信側ホストが“echo request”パケットを送ると，受信側ホストは“echo response”パケットで応えます。先ほどの例では，ホストwww.example.co.jpに対して，2個のICMPパケットを送信し，返事を受け取っています。

最近では，セキュリティ上の問題から，ICMPパケットの依頼に対して返信を行わないように設定されているサーバもありますので，pingコマンドに反応がないからといって，必ずしもホストが存在していないわけではありません。

書式

ping［オプション］相手ホスト

パス：/usr/bin/ping

●主なオプション

-c *count*	Ctrl＋cを押すまでメッセージを投げ続けるのでなく，*count*回メッセージを送信し，返事を受信したら終了します。

●使用例

- ホストhostとの接続性を確かめます。

```
$ ping host
```

- ホストhostに10回メッセージを送信し，接続性を確かめます。

```
$ ping -c 10 host
```

リモートホストへのパケットの経路を表示する

tracepath, traceroute

リモートホストへのネットワーク経路を表示するにはtracepathコマンド[†1]もしくはtracerouteコマンド[†2]を使います。ネットワークのルーティング設定が正しいかを確認する場合などに利用します。

やってみよう

試しに，架空のホストwww.example.co.jpまでのネットワーク経路を表示してみましょう。

```
$ tracepath www.example.co.jp ↵
 1?: [LOCALHOST]                                  pmtu 1500
 1:  192.168.0.1                                     0.296ms
 1:  192.168.0.1                                     0.200ms
 2:  barrel.example.co.jp                         12.889ms asymm 64
 3:  ale.example.co.jp                            18.817ms asymm 63
 4:  malt.example.co.jp                           15.798ms asymm 62
 5:  whiskey.example.co.jp                        17.802ms asymm 61
 6:  www.example.co.jp                            47.165ms reached
     Resume: pmtu 1500 hops 6 back 6
```

```
$ traceroute www.example.co.jp ↵
traceroute to www.example.co.jp (192.168.0.100), 30 hops max, 60
byte packets
 1  _gateway (192.168.0.1)  0.302 ms  0.121 ms  0.079 ms
 2  192.168.77.5 (192.168.77.5)  8.286 ms 192.168.77.223 (192.168.
77.223)  6.891 ms 192.168.44.213 (192.168.44.213)  9.469 ms
 3  192.168.44.16 (192.168.44.16)  7.530 ms 192.168.200.1
(192.168.200.1)  5.586 ms  6.974 ms
```

tracepathコマンドもしくはtracerouteコマンドを使用することで，リモートホストへのネットワーク経路を見ることができます。インターネットにおける通信では，電話と異なり，中心となって全体を管理するホストは存在しません。

---

†1：Debianでは，パッケージiputils-tracepathのインストールが必要です。
†2：Ubuntuでは，パッケージtracerouteのインストールが必要です。

ルータの機能を持つホストが，受け取ったパケットを次のホストに受け渡し，最終的に目的のホストに到達すればよいという方法を用いています。そのため，目的のホストと通信ができるという保証はなく，保証はしないけどできるだけがんばるという意味で，**ベストエフォート型**と呼ばれます。tracepathコマンドもしくはtracerouteコマンドを使うことで，ルータ間でパケットが受け渡される様子を確認することができます。目的のホストにいつまでも到達しない場合には，Ctrl + c で終了しましょう。

インターネットで利用されているIPと呼ばれるプロトコルでは，いつまでも目的のホストに到達しないパケットが多くなってしまうと，ネットワーク全体の通信が阻害されてしまうことになるので，ある一定の回数ルータ間で受け渡しが行われても目的のホストに到達しない場合，そのパケットは廃棄されます。ルータ間での受け渡しの回数は，ホップ数と呼ばれる単位で数えられます。各パケットが廃棄されるまでのホップ数のことをTime to Live（TTL）と呼び，ルータ間で受け渡されるたびに1ずつ減らされます。TTLが0になったところでそのパケットは廃棄され，ICMP Time Exceededエラーを送信元ホストに送ります。tracepathコマンドおよびtracerouteコマンドは，TTLを1から順に1つずつ増やしながらUDPパケットを送信し，ICMP Time Exceededエラーを送信したルータを表示します。

最近では，セキュリティ上の理由から，ICMPパケットを送らないルータも多くなっています。その場合，tracepathコマンドやtracerouteコマンドがうまく働かないので注意が必要です。

書式

tracepath［オプション］ホスト［ポート］
traceroute［オプション］ホスト［パケット長］

パス：/usr/bin/tracepath，/usr/sbin/traceroute（Ubuntu，Debian），/usr/bin/traceroute（CentOS，Fedora）

●主なオプション（tracepathコマンド）

`-n`	アドレスをホスト名ではなくIPアドレスで表記します。
`-l` *plen*	パケット長を*plen*にします。

●主なオプション（tracerouteコマンド）

`-n`	アドレスをホスト名ではなくIPアドレスで表記します。
`-m` *maxttl*	パケットの最大TTLを*maxttl*に設定します。
`-p` *port*	UDPパケットをポート*port*に対して送信します。リモートホストのポートが利用中だと経路が取得できないため，このオプションで送信先ポートを変更します。
`-I`	UDPパケットの代わりにICMPパケットを送信します（スーパーユーザ権限が必要）。

●使用例

- ローカルホストからbarrel.example.jpへの経路を表示します。

```
$ tracepath barrel.example.jp
$ traceroute barrel.example.jp
```

ホストのIPアドレスやドメイン名を調べる

host

インターネット上のホストは，人間にとってわかりやすいようにドメイン名で管理されています。ドメイン名からそのホストのIPアドレスを調べたり，逆にIPアドレスからドメイン名を調べるには，hostコマンドを使用します。

やってみよう

それでは，まずホストwww.example.co.jpのIPアドレスを調べてみましょう。

```
$ host www.example.co.jp ↵
www.example.co.jp has address 192.168.1.100
```

hostコマンドを引数にドメイン名を指定して実行すると，指定したホストのIPアドレスを表示します。今度は逆に，IPアドレスが192.168.1.100であるホストのドメイン名を調べてみましょう。

```
$ host 192.168.1.100 ↵
100.1.168.192.in-addr.arpa domain name pointer www.example.co.jp.
```

IPアドレスが192.168.1.100であるホストのドメイン名は，www.example.co.jpであることがわかります。インターネット上のホストは，それぞれユニークなIPアドレスが割り振られていますが，人間にとって扱いやすいものではありません。そこで，IPアドレスとは別に，ホストを識別するための手段として，ドメイン名が使われています。ドメイン名は，Domain Name System（DNS）と呼ばれるデータベースシステムによって管理されています。ネットワーク関連のコマンドやアプリケーションで，ドメイン名でホストを指定すると，各ホストはDNSサーバに問い合わせて，ドメイン名をIPアドレスに変換してから接続を行います。問い合わせるDNSサーバは，ファイル/etc/resolv.confで指定します。DHCPを利用している場合には，自動的に設定されます。

DNSは，階層的なデータベースシステムであり，1つのDNSサーバに問い合わせを行うと，DNSサーバ間で問い合わせを行いながら，対応するドメイン名を検索します。

ドメイン名は複数のドメインをドット“.”で区切った形で表され，一番後ろのドメインが階層の最上位にあたるトップレベルドメイン（TLD）を表します。ドメイン名www.example.co.jpの場合，日本を表すjpドメインがTLDとなります。最近ではあまり区別されていないようですが，TLDとしては，国を表すドメインのほか，古くから使用されていておなじみの商用目的を表すcomドメイン，非営利団体を表すorgドメイン，ネットワークプロバイダなどに利用されるnetドメインなどがあります。また，インターネット発祥の地であるアメリカでは，歴史的に，国を表すusドメインを使用せずに，com，net，orgといった全世界で利用可能なジェネリックトップレベルドメイン（gTLD）やアメリカ国内のみで使用されるedu，gov，milドメインなどを利用することが多いです。それ以外の国では，jpドメインのような国を表すドメイン（ccTLD）の下位に，商用目的を表すcoドメイン，非営利団体を表すorドメイン，ネットワークプロバイダなどを表すneドメインなどがきます。先ほどの例では，jpドメインの下にcoドメインがきて，その後に組織名を表すexampleがきています。また，example.jpのように，jpドメインのようなccTLDの下に直接組織名がくる場合もあります。

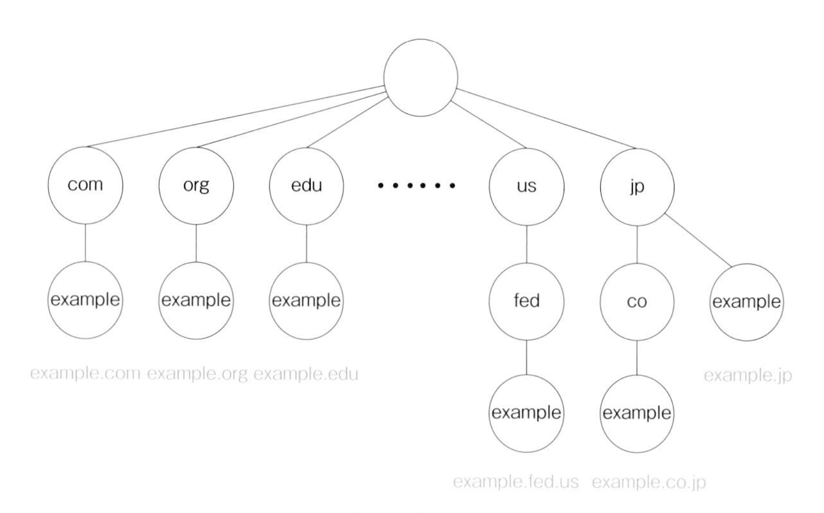

図9-2　ドメイン

host［オプション］ホスト名〔IPアドレス〕

パス：/usr/bin/host

●主なオプション

-v	詳細な情報を表示します。

●使用例

・ホストcask.example.or.jpのIPアドレスを表示します。

```
$ host cask.example.or.jp
```

・IPアドレスが192.168.0.13のホスト名を表示します。

```
$ host 192.168.0.13
```

DNS情報を検索する

dig

インターネット上のドメイン名は，Domain Name System（DNS）によって管理されています。DNSサーバからIPアドレスなどのホストに関する情報を取得するには，digコマンド[†3]を利用します。

やってみよう

それでは，まずホストwww.example.co.jpのIPアドレスを調べてみましょう。

```
$ dig www.example.co.jp↵
; <<>> DiG 9.11.5-P4-5.1ubuntu2-Ubuntu <<>> www.sbcr.jp
;; global options: +cmd
;; Got answer:
;; ->>HEADER<<- opcode: QUERY, status: NOERROR, id: 22481
;; flags: qr rd ra; QUERY: 1, ANSWER: 3, AUTHORITY: 0, ADDITIONAL: 1

;; OPT PSEUDOSECTION:
; EDNS: version: 0, flags:; udp: 4096
;; QUESTION SECTION:              ←問い合わせの内容を表示します
;www.example.co.jp.                 IN      A        問い合わせたホスト
                                                     のIPアドレス
;; ANSWER SECTION:               ←問い合わせに対する回答を表示します
www.example.co.jp.          1251    IN      A        192.168.1.100

;; AUTHORITY SECTION:            ←問い合わせたドメイン名に対して権威を持つサーバを
                                   列挙します
example.co.jp.              1129    IN      NS       ns01.example.co.jp.

;; ADDITIONAL SECTION:           ←追加情報を表示します
ns01.example.co.jp          524923  IN      A        192.168.1.16

;; Query time: 0 msec            ←問い合わせにかかった時間
;; SERVER: 127.0.0.53#53(127.0.0.53) ←問い合わせを行ったサーバのIPアドレス
;; WHEN: 日  2月 16 18:31:29 JST 2020 ←問い合わせを行った日時
;; MSG SIZE  rcvd: 88                ←メッセージのサイズ
```

†3：Debianでは，パッケージdnsutilsのインストールが必要です。

いきなり大量のメッセージが表示されたと思います。メッセージの表示はホスト情報を持っているDNSサーバによって大きく異なります。問い合わせたドメインに対する回答は，“ANSWER SECTION”に表示されます。ここでは，ホストwww.example.co.jpのIPアドレスが192.168.1.100であることがわかります（網掛け部分）。digコマンドは非常に多機能なので，DNSに関わる問題を確認する際に重宝します。なお，“AUTHORITY SECTION”と“ADDITIONAL SECTION”は表示されないこともあります。

もっとやってみよう

digコマンドには，問い合わせを行うネームサーバを指定できます。先ほど“AUTHORITY SECTION”に表示された，www.example.co.jpに対して権威を持つサーバの1つであるns01.example.co.jpに問い合わせを行ってみましょう。

その前にもし“AUTHORITY SECTION”が表示されていない場合には，次のようにクエリータイプにnsを指定して公認ネームサーバを調べます。

```
$ dig www.example.co.jp ns ↵
; <<>> Dig 9.11.3-1ubuntu1.3-Ubuntu <<>> www.example.co.jp ns
;; global options: +cmd
;; Got answer:
;; ->>HEADER<<- opcode: QUERY, status: NOERROR, id: 56607
;; flags: qr rd ra; QUERY: 1, ANSWER: 1, AUTHORITY: 0, ADDITIONAL: 1

;; OPT PSEUDOSECTION:
; EDNS: version: 0, flags:; udp: 4096
;; QUESTION SECTION:
;www.example.co.jp.                  IN      NS
                                                      公認ネームサーバ名
;; ANSWER SECTION:                                          ↓
www.example.co.jp.        101458    IN      NS      ns01.example.co.jp.
    ：（略）
```

それではネームサーバを指定して実行しましょう。digコマンドの第1引数に問い合わせるネームサーバ名もしくはIPアドレスを先頭に“@”をつけて指定し，次の引数には問い合わせを行うドメイン名を指定します。

```
$ dig @ns01.example.co.jp www.example.co.jp⏎
; <<>> Dig 9.11.3-1ubuntu1.3-Ubuntu <<>> @ns01.example.co.jp www.exam
ple.co.jp ; (1 server found)
;; global options: +cmd
;; Got answer:
;; ->>HEADER<<- opcode: QUERY, status: NOERROR, id: 746
;; flags: qr aa rd; QUERY: 1, ANSWER: 1, AUTHORITY: 1, ADDITIONAL: 1
;; WARNING: recursion requested but not available

;; OPT PSEUDOSECTION:
; EDNS: version: 0, flags:; udp: 1272
;; QUESTION SECTION:
;www.example.co.jp.               IN      A

;; ANSWER SECTION:
www.example.co.jp.      1251      IN      A        192.168.1.100
    ⋮（略）
```

“flags”に注目してください。先ほどとは異なり，今回はaaというフラグが加わっています（網掛け部分）。このaaは，回答したネームサーバが問い合わせたドメイン名について権威を持っていることを表しています。なお，qrはサーバからの回答であること，rdは再帰的に問い合わせを要求したこと，raはサーバが再帰的問い合わせをサポートしていることを表しています。DNSは，階層的かつ分散的なデータベースシステムで，各ドメインは特定の権威を持つサーバによって管理されています。各ネームサーバはキャッシュを持っていますが，わからない場合には，トップレベルドメイン（TLD）を管理するサーバに問い合わせれば権威を持つサーバまでたどることができるようになっています。

書式

dig [@サーバ] [ドメイン名〔-x〕] [IPアドレス] [クエリータイプ]

パス：/usr/bin/dig

オプション

-x *address*	IPアドレスが*address*であるホストのDNS情報を検索します。

クエリータイプ

a	指定したホストのIPアドレス
aaaa	指定したホストのIPv6アドレス
any	すべての情報
mx	指定したドメインのメールサーバ
ns	指定したドメインの公認ネームサーバ
ptr	指定したIPアドレスのPTR(domain name pointer)
soa	指定したドメインのSOA(Start of a zone of Authority)レコード
hinfo	指定したホストに関する情報(CPUやOSなど)
axfr	ゾーン転送情報
txt	指定したドメインのテキスト情報

使用例

- DNSサーバns.example.jpに，ホストcask.example.jpのIPアドレスを問い合わせます。

```
$ dig @ns.example.jp cask.example.jp
```

- DNSサーバns.example.jpに，IPアドレスが192.168.0.13のホスト名を問い合わせます。

```
$ dig @ns.example.jp -x 192.168.0.13
```

ワンポイント

digコマンドでは，ネットワークアドレスのほかにもさまざまなDNS情報を問い合わせることができ，クエリータイプとして指定します。特に指定しない場合には，ネットワークアドレスの問い合わせを行います。

ドメイン情報を取得する

whois

ドメイン名は，The Internet Corporation for Assigned Names and Numbers（ICANN）と呼ばれる団体によって管理されています。ICANNによって管理されているWHOISデータベースからドメイン情報を取得するには，whoisコマンド[†4]を使います。

やってみよう

試しに，ドメインsbcr.jpのドメイン情報を表示してみましょう。

```
$ whois sbcr.jp ↵
    ⋮（略）
Domain Information: [ドメイン情報]
[Domain Name]                   SBCR.JP

[登録者名]                      SBクリエイティブ株式会社
[Registrant]                    SB Creative Corp.

[Name Server]                   dns-b.iij.ad.jp
[Name Server]                   dns-c.iij.ad.jp
[Signing Key]
    ⋮（略）
```

whoisコマンドは，指定したドメイン名を管理しているサーバを推測し，そのサーバにドメイン情報を問い合わせます。上の例では，jpドメインを管理しているJPRSのサーバに問い合わせています。問い合わせるサーバを指定したい場合には，-hオプションを指定します。なお，表示される情報は，問い合わせたドメインを管理するサーバによって異なります。

ドメイン名をIPアドレスに変換する際，直接問い合わせたネームサーバが情報を持っていない場合には，トップレベルドメインを管理するサーバに問い合わせます。WHOISデータベースで管理されているネームサーバから，最終的に権威を持つサーバにたどることができる仕組みになっているのです。

書式

whois［オプション］ドメイン名

パス：/usr/bin/whois

●主なオプション

-h *server*	検索に使うサーバ*server*を指定します。

●使用例

- JPNIC（jpドメイン）のWHOISサーバwhois.jprs.jpからexample.co.jpのドメイン情報を取得します。

```
$ whois -h whois.jprs.jp example.co.jp
```

†4：Ubuntuでは，パッケージwhoisのインストールが必要です。CentOSでは，パッケージepel-release.noarchをインストールし，リポジトリにEPELを追加した後，パッケージwhoisのインストールが必要です。

より安全にリモートホストへログインする

ssh

通信の内容を暗号化し，ネットワークを通じたほかのコンピュータへのログインをより安全に行うことができるのがsshコマンドです。

やってみよう

sshコマンドを用いてホストbarrel.example.co.jpにログインしてみましょう[†5]。

```
$ ssh barrel.example.co.jp ↵
Password: ↵          ←──リモートホストでのパスワードを入力します
Last login: Wed Jan 29 10:58:08 2020
%                    ←──リモートホストのプロンプト
```

このように，sshコマンドの引数に接続先のホスト名を指定することで，そのホストにログインすることができます。

なお，指定したホストがsshコマンドではじめてログインするホストである場合，パスワードの入力の前に次のように表示され，ホスト側公開鍵を受け入れるかどうかを聞いてきます。問題なければ“yes”を入力して受け入れてください[†6]。

```
The authenticity of host 'barrel.example.co.jp (192.168.1.22)' can't
be established.
RSA key fingerprint is f1:de:3e:f6:f0:14:09:19:2a:93:54:65:b2:56:f7:87.
Are you sure you want to continue connecting (yes/no)? yes ↵
                        yesと入力してホスト側公開鍵を受け入れます ─┘
```

もっとやってみよう

リモートのホストでコマンドを1つだけ実行したいという場合は，次のようにします。

---

†5：sshコマンドでリモートのホストにログインするには，相手先のホストでsshdというデーモン（p.103）が起動している必要があります。

†6：リモートホストの公開鍵はファイル~/.ssh/known_hostsに保存されます。

```
$ ssh barrel.example.co.jp ls ↵
Password: ↵         ←── リモートホストでのパスワードを入力します
    ⋮（略）
```

この例では，ホスト barrel.example.co.jp で ls コマンドを実行しています。このようにすると，いちいちログインして，コマンドを実行して，ログアウトするという手間を省くことができます。

Column

●sshの公開鍵認証について

sshでは，パスワードを利用した認証のほかに，公開鍵暗号を利用した認証が使えます。公開鍵暗号を利用した認証を行う場合は，あらかじめ暗号および復号に用いる秘密鍵と公開鍵をssh-keygenコマンドにより生成し，公開鍵をログイン先のリモートホストにコピーしておく必要があります。

ssh-keygenコマンドを実行すると，秘密鍵が~/.ssh/id_rsaに，公開鍵が~/.ssh/id_rsa.pubに保存されます。秘密鍵が漏れないように，通常はパスフレーズを利用して秘密鍵を暗号化しておきます。この公開鍵をリモートホストのファイル~/.ssh/authorized_keysに追加すれば，公開鍵暗号方式の認証が可能となります。

・パスフレーズ認証をするための秘密鍵，公開鍵を生成する

```
$ ssh-keygen ↵
Generating public/private rsa key pair.
Enter file in which to save the key (/home/maltman/.ssh/id_rsa):
↵         ←── リターンを入力
Enter passphrase (empty for no passphrase): ↵  ←── パスフレーズを入力
Enter same passphrase again: ↵                 ←── パスフレーズの確認
Your identification has been saved in /home/maltman/.ssh/id_rsa.
Your public key has been saved in /home/maltman/.ssh/id_rsa.pub.
The key fingerprint is:
ee:d7:86:a4:cd:e6:c7:2c:b4:ff:14:95:90:70:c9:e3 maltman@cask.exam
ple.co.jp
The key's randomart image is:
    ⋮（略）
```

書式

ssh [ログイン先ユーザ名@]ログイン先ホスト名 [コマンド]
ssh [-l ログイン先ユーザ名] ログイン先ホスト名 [コマンド]

パス：/usr/bin/ssh

●主なオプション

-l *user*	リモートホストでのユーザ名*user*が現在のホストでのユーザ名と異なる場合にログイン先でのユーザ名を指定します。

●使用例

- ホストremote-hostにログインします。

```
$ ssh remote-host
```

- ホストremote-hostにsmaltというユーザ名でログインします。

```
$ ssh smalt@remote-host
$ ssh -l smalt remote-host
```

- ホストremote-hostでコマンドcommandを実行します。

```
$ ssh remote-host command
```

指定したURLをダウンロードする

wget, curl

インターネット上のファイルをダウンロードするには，wgetコマンドもしくはcurl†7コマンドを使用します。いずれのコマンドも似た機能を持っていますが，環境やダウンロードサイトによって使用するコマンドが異なることがあるため，ここでは両方を紹介しています。

やってみよう

例として，架空のWebサイトhttp://www.example.co.jp/のトップページindex.htmlをダウンロードしてみましょう。引数にダウンロードしたいファイルのURLを記述します。curlコマンドではデフォルトでは標準出力に出力されるため，-Oオプションを指定してファイルに保存します。

```
$ wget http://www.example.co.jp/index.html ↵
```

```
$ curl -O http://www.example.co.jp/index.html ↵
```

実行すると，カレントディレクトリにindex.htmlというファイルがダウンロードされます。このファイルをWebブラウザで開いてみると，画像なしのトップページが表示されます。

サイト全体をダウンロードするには，wgetコマンドに-rオプションを指定して使います。指定されたURLからリンクをたどっていき，リンク先すべてがダウンロードされます。

```
$ wget -r http://www.example.co.jp/index.html ↵
```

curlコマンドでは，再帰的なダウンロードはできませんが，ファイル名が連番になっている場合に，簡単に指定することができます。たとえば，http://www.example.co.jp/上のファイルfile01.txtからfile10.txtまでを連番でダウンロードしたい場合には，以下のように数値の範囲を“[”と“]”の間に指定します。

```
$ curl -O http://www.example.co.jp/file[01-10].txt ↵
```

---

†7：Ubuntu，Debianではパッケージcurlのインストールが必要です。

また，wgetコマンドは，ダウンロードしたいファイルのURLをテキストファイルに書いておくことで，複数のファイルを一括してダウンロードすることもできます。

● ファイルURL.txt ●

```
http://www.example.co.jp/index.html
http://cask.example.jp/top.html
http://www.example.net/index.html
```

```
$ wget -i URL.txt ↵
```

書式

```
wget［オプション］URL
curl［オプション］ URL
```

パス：/usr/bin/wget, /usr/bin/curl

主なオプション（wgetコマンド）

-b	バックグラウンドでダウンロードします。
-i *file*	指定したファイル*file*に書かれたURLをダウンロードします。
-r	リンク先を再帰的にダウンロードします。
-c	ダウンロードを再開します。
-q	メッセージを表示しません。

主なオプション（curlコマンド）

-O	取得したデータをURLから抽出したファイル名で保存します。
-o *file*	取得したデータをファイル*file*に保存します。
-C *offset*	*offset*バイトの位置からダウンロードを再開します。"-"を指定すると再開する位置を自動的に決めます。

使用例

- http://www.example.co.jp/index.htmlをダウンロードします。

```
$ wget http://www.example.co.jp/index.html
$ curl -O http://www.example.co.jp/index.html
```

- http://www.example.co.jp/index.htmlのサイト全体をダウンロードします。

```
$ wget -r http://www.example.co.jp/index.html
```

- ファイルURL.txt内にURLで記述されたファイルを一括してダウンロードします。

```
$ wget -i URL.txt
```

- http://www.example.co.jp/のfile01.txtからfile10.txtを連番でダウンロードします。

```
$ curl -O "http://www.example.co.jp/file[01-10].txt"
```

- http://www.example.co.jp/filename.tgzのダウンロードを再開します。

```
$ wget -c http://www.example.co.jp/filename.tgz
$ curl -C - -O http://www.example.co.jp/filename.tgz
```

ファイルを転送する

ftp, lftp

FTPサイトから何かファイルをダウンロードする場合など，あるホストとの間でファイル転送を行いたいことがあります。ネットワーク越しにファイルを転送するには，ftpコマンド[†8]もしくはlftpコマンド[†9]を使います。

やってみよう

ftpコマンドによるファイルの転送を行ってみましょう。現在，なんらかの方法でインターネットに接続されていると仮定します。この場合，たとえば，FTPサイトftp.example.co.jpにあるファイルをとってきたい場合は次のように入力します。

```
$ ftp ftp.example.co.jp ↵
Connected to ftp.example.co.jp.
220 ::ffff:192.168.1.1 FTP server ready
Name (ftp.example.co.jp:mailman): anonymous ↵
331 Anonymous login ok, send your complete email address as your
password
Password: ↵        ←── パスワードとして自分のメールアドレスを入力します
```

上記のように，FTP接続する際には，接続先ホストでのユーザ名とパスワードを必ず聞かれます。ここではanonymous FTPサイトに接続しているので，ユーザ名には“anonymous”もしくは“ftp”，パスワードには自分のメールアドレスを入力します。

接続に成功すると，以下のようなプロンプトが表示されます。

```
ftp>
```

ftpコマンドで相手先ホストに接続したら，目的のディレクトリに移動して内部コマンドmget，mputを使ってファイルを転送します。このプロンプトの状態で使用できる主なコマンドについては，リファレンスページを参照してください（p.295）。使用できる内部コマンドの中には，cdコマンドやlsコマンドなど，慣れ親しんでいるコマンドも含まれています。

---

†8：Debian, Fedora, CentOSではパッケージ ftp のインストールが必要です。

†9：lftp コマンドを利用するためには，パッケージ lftp のインストールが必要です。

ここでは，ディレクトリ/pub/Linux/ubuntuにあるファイルls-lR.gzをダウンロードしてみましょう。

```
ftp> cd /pub/Linux/ubuntu-releases/19.10↵
250 CWD command successful
ftp> ls↵
200 PORT command successful
150 Opening ASCII mode data connection for file list
    ⋮（略）
-rw-rw-r--   1 archive  archive       150 Oct 17 14:39 SHA1SUMS
-rw-rw-r--   1 archive  archive       916 Oct 17 14:39 SHA1SUMS.gpg
-rw-rw-r--   1 archive  archive       198 Oct 17 14:39 SHA256SUMS
-rw-rw-r--   1 archive  archive       916 Oct 17 14:39 SHA256SUMS.gpg
    ⋮（略）
226 Transfer complete
ftp> ascii  ←―ダウンロードするファイルはテキストなので ascii を指定します
200 Type set to A
ftp> mget SHA256SUMS
mget SHA256SUMS? y↵  ←―本当にダウンロードするのか聞いてくるので
200 PORT command successful   "y" を入力します。
150 Opening BINARY mode data connection for SHA256SUMS (198 bytes)
226 Transfer complete
198 bytes received in 0.10 secs (2.0210 kB/s)
ftp> quit↵
221 Goodbye.
$ ls↵  ←―通常のプロンプトに戻ってきました
SHA256SUMS
```

上記の例では，内部コマンドcdを使って目的のディレクトリに移動し，内部コマンドlsでファイルを確認，内部コマンドmgetでファイルSHA256SUMSをダウンロードしています。そして，内部コマンドquitを入力してftpコマンドを終了しました。

ftpコマンドを終了すると，通常のプロンプトが表示されます。そこで，最後にlsコマンドを実行して，ダウンロードしたファイルが実際にあるかどうかを調べてみました。上記を見るとわかるように，ファイルSHA256SUMSをダウンロードできています。

もっとやってみよう

FTPサイトを利用するツールはftpコマンド以外にもたくさんあります。ここでは，ユーザインターフェイスをさらに使いやすくしたlftpというツールを紹介します。lftpの使い方は，ftpコマンドとほぼ同じですが，それ以外にもいくつかの特徴を持ちます。

- ファイル名やディレクトリ名を補完することができる
- ヒストリ機能（Ctrl＋p，Ctrl＋nで履歴表示）がある
- lessなどのページャがコマンドとして搭載されているので，接続時のメッセージやlsコマンドの表示が長い場合は，パイプを利用してページャで見ることができる
- anonymousFTPに自動的に接続できる
- ブックマークが利用できる
- ascii，binaryを指定する必要がない

試しに，FTPサイトftp.example.co.jpに接続してみましょう。

```
$ lftp ftp.example.co.jp ⏎
lftp ftp.example.co.jp:~>
                      └ カレントディレクトリ
```

lftpでは，上の例のようにftpコマンドと同様にFTPサーバに接続します。lftp内で使用できるコマンドもftp内で使えるコマンドとほぼ同じです。つまり，先ほどと同じコマンドを用いてファイルのダウンロードができるのですが，ftpコマンドで必要だったファイルタイプの指定（asciiまたはbinary）が必要ありません。また，anonymous FTPサイトへのログイン作業の自動化や，Tabによるディレクトリ名やファイル名の補完機能があり，操作がより簡単になっています。とにかく，一度使ってみれば，ftpコマンドとの違いがよくわかるでしょう。

書式

ftp［接続先ホスト名］
lftp［接続先ホスト名］

パス：/usr/bin/ftp, /usr/bin/lftp

●主な内部コマンド（共通）

open *hostname*	ホスト*hostname*にFTP接続します。
close	現在接続しているホストとの接続を切断します。
quit	ftpコマンドを終了します。
ls [*dir*]	ディレクトリ*dir*を表示します。
cd [*dir*]	ディレクトリ*dir*に移動します。
mget *filen*	ファイル*filen*を自分のホストに転送します。
mput *filen*	ファイル*filen*を相手ホストに転送します。
pwd	カレントディレクトリを表示します。
?	使用可能なコマンドを表示します。

●主な内部コマンド（ftpコマンド）

ascii	転送ファイルをテキストファイルと指定します。
binary	転送ファイルをバイナリファイルと指定します。
rget *file*	ファイル*file*を続きから再取得します。

●主な内部コマンド（lftpコマンド）

get -c *file*	ファイル*file*を続きから再取得します。

●使用例

- ホストremote-hostに対して，FTP接続します。

```
$ ftp remote-host
$ lftp remote-host
```

より安全にファイルを転送する

scp, sftp

リモートホストとの間で，通信の内容を暗号化し，より安全にファイルの転送を行いたい場合には，scpコマンドもしくはsftpコマンドを使います。

やってみよう

scpコマンドを用いてホストbarrel.example.co.jp上のユーザmaltmanのホームディレクトリからファイルcocktailをカレントディレクトリにコピーしてみましょう。

```
$ scp maltman@barrel.example.co.jp:~/cocktail .⏎
Password: ⏎        ←――リモートホストでのパスワードを入力します
cocktail                          100%   14     0.0KB/s   00:00
```

このようにscpコマンドでは，コピー元のファイルを，リモートホスト側のユーザ名*user*，リモートホスト名*hostname*，リモートホスト側でのファイルのパス*path*を組み合わせて，“*user@hostname:path*”のように指定し，次の引数にローカルホスト側でのコピー先のパスを指定して実行します。なお，コピー元のファイルを“*hostname:path*”のようにユーザ名を省略して指定すると，ローカルホスト側でのユーザ名が使用されます。ここでは，コピー元のファイルの指定を，ユーザmaltman，リモートホスト名barrel.example.co.jp，ファイルのパス~/cocktailとして，コピー先の指定をカレントディレクトリ“.”にしています。コピー先にファイル名を指定することで，ファイル名を変えることもできます。

また，ここではリモートホスト上のファイルをローカルホストにコピーしましたが，逆に，ローカルホスト上のファイルをリモートホストにコピーすることもできます。

なお，指定したホストがsshコマンドやscpコマンドなどではじめて接続するホストである場合には，ホスト側公開鍵（p.286）の受け入れを確認するメッセージが表示されるので“yes”を入力してください。

もっとやってみよう

リモートホストとの間で，安全に複数のファイルを転送したい場合には，対話的に操作することができるsftpコマンドが便利です。たとえば，リモートホスト barrel.example.co.jp にユーザ maltman で接続してみましょう。

```
$ sftp maltman@barrel.example.co.jp ↵
Password: ↵        ←── リモートホストでのパスワードを入力します
Connected to barrel.example.co.jp.
```

リモートホストの指定は，scp コマンドと同じように "*user@hostname:path*" で行います。パスワードを入力して接続すると，以下のようなプロンプトが表示されます。

```
sftp>
```

ftp コマンド（p.292）同様に，内部コマンド ls でファイルを確認し，内部コマンド cd で目的のディレクトリに移動します。目的のディレクトリに移動したら，内部コマンド mget，mput を使ってファイルを転送します。

ここでは，リモートホスト上のディレクトリ barley 内にあるファイル liquor をダウンロードしてみましょう。

```
sftp> cd barley ↵
sftp> ls ↵
liquor
sftp> mget liquor ↵
Fetching /Users/maltman/barley/liquor to liquor
/Users/maltman/barley/liquor    100%   14     0.0KB/s   00:00
sftp> quit ↵
$ ls ↵
liquor
```

なお，sftp コマンドには，lftp コマンド（p.292）同様，Tab によるディレクトリ名やファイル名の補完機能があります。

書式

scp［オプション］［コピー元］［コピー先］
sftp［接続先ホスト名］

パス：/usr/bin/scp, /usr/bin/sftp

●主なオプション（scpコマンド）

-r	ディレクトリごとコピーします。
-p	日付，ファイルなどのファイル情報をできる限りそのままコピーします。

●コピー元，コピー先の指定方法（scpコマンド）

コピー元，コピー先は，ユーザ名*user*，リモートホスト名*hostname*，パス*path*を組み合わせて“*user@hostname:path*”の形式で指定します。*user@*の部分を省略すると，ローカルホストのユーザ名がそのまま使用されます。*hostname:*の部分を省略すると，ローカルホストが指定されます。ファイルやディレクトリのパス*path*は，絶対パスかリモートホスト上のホームディレクトリからの相対パスで指定します。コピー先の指定からリモートホストのパス*path*を省略すると，リモートホスト上のホームディレクトリにファイルが転送されます。

●主なオプション（sftpコマンド）

ls ［*dir*］	ディレクトリ*dir*を表示します。
cd ［*dir*］	ディレクトリ*dir*に移動します。
mget *filen*	ファイル*filen*をローカルホストに転送します。
mput *filen*	ファイル*filen*をリモートホストに転送します。
pwd	リモートホスト上のカレントディレクトリを表示します。
?	使用可能なコマンドを表示します。
quit	sftpコマンドを終了します。

●使用例

- ホストremote-hostのユーザuserのホームディレクトリ上にあるファイルfileをローカルホストのカレントディレクトリに転送します。

```
$ scp user@remote-host:file .
```

- ホスト remote-host に安全に接続します。

```
$ sftp remote-host
```

ネットワークインターフェイスを確認・設定する

ip addr, ifconfig, nmcli

コンピュータに取りつけられているイーサネットやWi-Fiなどのネットワークインーフェイスに割り振られているIPアドレスを確認したり，IPアドレスを割り当てたりするには，ipコマンドのaddrオブジェクトを指定するかもしくはifconfigコマンド[†10]を使います。

IPアドレスの確認と基本

それでは，まず現在IPアドレスが割り当てられているネットワークインターフェイスを表示してみましょう。ipコマンドのaddrオブジェクトに内部コマンドshowをつけて実行するか，ifconfigコマンドをオプションなしで実行すると，現在のアクティブなインターフェイスの設定が表示されます。

```
$ ip addr show ⏎
1: lo: <LOOPBACK,UP,LOWER_UP> mtu 65536 qdisc noqueue state UNKNOWN
group default qlen 1000
    link/loopback 00:00:00:00:00:00 brd 00:00:00:00:00:00
    inet 127.0.0.1/8 scope host lo
       valid_lft forever preferred_lft forever
    inet6 ::1/128 scope host
       valid_lft forever preferred_lft forever
2: eth0: <BROADCAST,MULTICAST,UP,LOWER_UP> mtu 1500 qdisc fq_codel
state UP group default qlen 1000
    link/ether 08:00:27:39:2d:80 brd ff:ff:ff:ff:ff:ff
    inet 10.0.2.15/24 brd 10.0.2.255 scope global dynamic noprefixro
ute enp0s3
       valid_lft 86260sec preferred_lft 86260sec
    inet6 fe80::431e:d342:b5ce:9fa1/64 scope link noprefixroute
       valid_lft forever preferred_lft forever
```

†10：ifconfigコマンドは不使用が推奨されていますが，まだシステム内でも使用されていることが多いため紹介しています。Ubuntu，Debianではパッケージnet-toolsをインストールする必要があります。

```
$ ifconfig
eth0: flags=4163<UP,BROADCAST,RUNNING,MULTICAST>  mtu 1500
        inet 10.0.2.15  netmask 255.255.255.0  broadcast 10.0.2.255
        inet6 fe80::431e:d342:b5ce:9fa1  prefixlen 64  scopeid 0x20<li
nk>
        ether 08:00:27:39:2d:80  txqueuelen 1000  (イーサネット)
        RX packets 551  bytes 483310 (483.3 KB)
        RX errors 0  dropped 0  overruns 0  frame 0
        TX packets 332  bytes 35796 (35.7 KB)
        TX errors 0  dropped 0 overruns 0  carrier 0  collisions 0


lo: flags=73<UP,LOOPBACK,RUNNING>  mtu 65536
        inet 127.0.0.1  netmask 255.0.0.0
        inet6 ::1  prefixlen 128  scopeid 0x10<host>
        loop  txqueuelen 1000  (ローカルループバック)
        RX packets 97  bytes 8316 (8.3 KB)
        RX errors 0  dropped 0  overruns 0  frame 0
        TX packets 97  bytes 8316 (8.3 KB)
        TX errors 0  dropped 0 overruns 0  carrier 0  collisions 0
```

ここでは，ネットワークインターフェイスeth0と，ループバックloが表示されています。この表示の中で重要なのは，“inet”の部分です。この部分が，現在割り当てられているIPアドレスを表します（網掛け部分）。この例では，インターフェイスeth0にIPアドレス10.0.2.15が割り当てられていることがわかります。

IPアドレスとは，インターネットに接続されているホストのネットワークアダプタに割り振られているアドレスのことです。イーサネットなどの物理ネットワークを抽象化し，インターネット上に異なる物理ネットワークが共存することを可能にします。基本的には，世界中でユニークなアドレスでなければならず，IANA（Internet Assigned Number Authority）によって管理されています。物理ネットワークとしてもっとも普及しているイーサネット上では，固有のアドレスとしてMACアドレスが割り当てられています。この例では，“ether”の部分に当たります。

IPアドレスは，ネットワーク番号部とホスト番号部とから構成されており，IANAからは，ネットワーク番号部が割り当てられます。ネットワーク番号は，割り当てられる組織の規模に応じて，クラスAからクラスEに区別されます。現在，一般的に使用されているIPv4では，32ビットのアドレスが利用されており，クラスAでは上位8ビット，クラスBでは上位16ビット，クラスCでは上位24ビットがネットワーク番号になります（図9-3）。

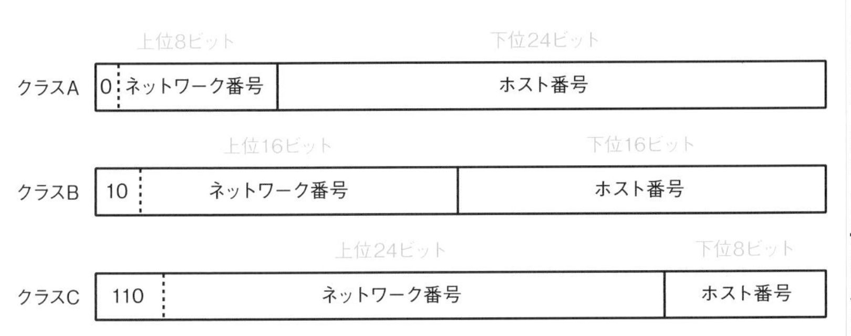

図9-3　IPアドレスのクラス

ネットワーク管理者は，割り振られたネットワーク番号を自由に複数のネットワークに分けることができます。その際に用いられるのが**サブネットマスク**と呼ばれるものです。先ほどの実行例では，ipコマンドのaddrオブジェクトを表示したときに，インターフェイスeth0のinetの部分でIPアドレスの後に“/24”のように表示されています。これは，ネットワークを表すビット数であるネットワークアドレス長もしくはプレフィックス長が24ビットであることを意味しています。32ビットのアドレスのうち上位24ビットがネットワーク番号として扱われ，下位8ビットがホスト番号として扱われます。ですので，サブネットマスクは上位24ビットが1，下位8ビットが0になります。ifconfigコマンドでは，“netmask”の部分に表示され，255.255.255.0と10進数表記で表示されています。このサブネットマスクをIPアドレスに対してマスクとして用いることで，ネットワーク番号やホスト番号を取り出すことができるのです（図9-4）。

通常，IPアドレスは世界中でユニークなものでなければならないので，使用者が好き勝手に割り振ることはできません。しかしながら，ユニークなグローバルIPアドレスとは別に，企業や家庭内LANで自由に利用できるアドレスとし

	10進数表現	2進数表現	
IPアドレス	192.168.0.13	11000000 10101000 00000000 00001101	
サブネットマスク	255.255.255.0	11111111 11111111 11111111 00000000	
ネットワーク番号	192.168.0.0	11000000 10101000 00000000 00000000	上位24ビットが取り出される
ホスト番号	0.0.0.13	00000000 00000000 00000000 00001101	下位8ビットが取り出される

図9-4　サブネットマスク

て，プライベートIPアドレスと呼ばれるアドレスが用意されています。プライベートIPアドレスには，クラスAの10.0.0.0～10.255.255.255，クラスBの172.16.00～172.31.255.255，クラスCの192.168.0.0～192.168.255.255があります。先ほどの実行例でホストに割り振られていた10.0.2.15は，クラスAのプライベートIPアドレスであったことがわかります。プライベートIPアドレスを割り当てられているホストは，そのままではインターネットにアクセスすることはできませんが，NAT（Network Address Transfer）と呼ばれる技術を用いることで，グローバルIPアドレスを割り当てられているホストを介してアクセスすることができます。

また，32ビットのアドレスではアドレス数が将来不足すると考えられ，アドレスを32ビットから128ビットに拡張したIPv6が開発されました。先ほどの実行例では，“inet6”の部分です。IPv6は現時点ではIPv4ほどは広く利用されていません。

IPアドレスの割り当て

ipコマンドとifconfigコマンドはどちらも多機能なコマンドですが，IPアドレスを表示するだけでなく，ネットワークインターフェイスにIPアドレスを割り当てることもできます。

コンピュータにイーサネット用のネットワークアダプタが接続されており，インターフェイス名がeth0であるとします。このインターフェイスにプライベートIPアドレスである10.0.2.12（サブネットマスク：255.255.255.0，ネットワークアドレス長24ビット）を設定したい場合には，スーパーユーザ権限でip addrコマンドかifconfigコマンドを使って次のようにします。

```
# ip addr flush dev eth0⏎  ←―― インターフェイスeth0のアドレスをすべて削除します
# ip addr add 10.0.2.12/24 dev eth0⏎  ←―― インターフェイスeth0にIPアドレスを割り当てます
```

```
# ifconfig eth0 inet 10.0.2.12 netmask 255.255.255.0⏎
```

最近のほとんどのブロードバンドルータは，DHCP（Dynamic Host Configuration Protocol）の機能を有しているため，特にユーザ側で設定を行わなくても，ホストに動的にIPアドレスが割り当てられるようになっています。オフィス内でも，ネットワーク管理者がDHCPサーバを立ち上げていることが多く，手動でIPアドレスを設定する必要はほとんどありません。DHCPサーバがある環境で実際に試してみたい場合には，“dhclient -r eth0”を実行し，DHCPを解除してから実行します。ただし，オフィス内で勝手にIPアドレスを割り当てると周囲に迷惑がかかることがあるので，自宅のネットワークなど安全な場所で試しましょう。改めてDHCPを有効にしたい場合には，一旦“ip addr flush dev eth0”でIPアドレスを削除してから，“dhclient eth0”を実行します。

ネットワークインターフェイスの設定

起動時に，ホストに固定IPアドレスを割り振りたい場合や，DHCPで動的に割り振りたい場合には，起動スクリプトで設定されるようにしておきます。通常は，デフォルトでNetworkManagerデーモンがネットワークインターフェイスの設定を自動的に行っているので，DHCPを利用したい場合には，特に設定を変える必要はありません。

ネットワークインターフェイスの設定を変更するには，nmcliコマンドを利用します。まずは，ネットワーク接続の状態を表示してみましょう。

```
$ nmcli con show⏎
NAME        UUID                                  TYPE      DEVICE
有線接続 1  3a07916d-eda8-39ee-b707-cb0e7ce5827c  ethernet  enp0s3
```

ここでは，“有線接続 1”という接続がデバイスenp0s3に設定されていることがわかります。この接続の設定を確認してみましょう。

```
$ nmcli con show 有線接続\ 1†11⏎
Nconnection.id:                    有線接続 1
    ⋮（略）
ipv4.method:                       auto
    ⋮（略）
IP4.ADDRESS[1]:                    10.0.2.15/24
IP4.GATEWAY:                       10.0.2.2
    ⋮（略）
```

この接続は，“ipv4.method”が“auto”に設定されていることから，DHCPで自動的にIPアドレスを割り当てていることがわかります。また，割り当てられているIPアドレスが10.0.2.15/24でゲートウェイのIPアドレスが10.0.2.2であることも確認できます。

固定IPアドレスで設定したい場合には，スーパーユーザ権限で次のように変更します。

```
# nmcli con down 有線接続\ 1⏎ ←── ネットワーク接続“有線接続 1”を停止します
# nmcli con mod 有線接続\ 1 ipv4.method manual ipv4.address 10.0.2.11/24⏎
                                  └ホストのIPアドレスを固定アドレス
                                   10.0.2.11/24に設定します
# nmcli con mod 有線接続\ 1 ipv4.gateway 10.0.2.2⏎
                                  └デフォルトルータを10.0.2.2に設定します
# nmcli con mod 有線接続\ 1 ipv4.dns 192.168.0.1⏎
                                  └ネームサーバを192.168.0.1に設定します
# nmcli con up 有線接続\ 1⏎ ←── ネットワーク接続“有線接続 1”を接続し直します
$ ip addr show⏎ ←── IPアドレスが変更されていることを確認
```

なお，設定ファイルは，Ubuntu，Debianではディレクトリ/etc/NetworkManager/system-connections以下に，CentOS，Fedoraではディレクトリ/etc/sysconfig/network-scripts以下に保存されます。

ネームサーバの設定は，Debian，CentOS，Fedoraではファイル/etc/resolv.confに保存されます。Ubuntuでは，ネームサーバの設定はsystemd-resolvedで行なっています。ファイル/etc/resolv.confはシンボリックリンクになっており，systemd-resolvedが提供するスタブリゾルバ127.0.0.53:53を参照しています。nmcliコマンドで手動で設定すると，ファイル/run/systemd/resolv/resolv.confに保存され，スタブリゾルバを介して参照されます。

書式

ip［オプション］**addr**［内部コマンド］
ifconfig［オプション］［インターフェイス］［**inet**］［**IP**アドレス］
［**netmask**］［ネットマスク］

パス：/usr/sbin/ip，/usr/sbin/ifconfig

●主なオプション（ipコマンド）

-s	情報をより詳細に表示します。
-f *family*	ネットワークアドレスの種類*family*をinet，inet6，linkのいずれかから指定します。
-r	ホスト名を表示します。

●主なオプション（ifconfigコマンド）

-a	すべてのインターフェイスの設定を表示します。

●主な内部コマンド（ipコマンド）

show dev *device*	デバイス*device*のアドレスを表示します。
add *addr* dev *device*	デバイス*device*に対してアドレス*addr*を追加します。
del *addr* dev *device*	デバイス*device*からアドレス*addr*を削除します。
flush dev *device*	デバイス*device*のアドレスを一括削除します。

●使用例

- 現在のネットワークインターフェイスの設定を表示します。

```
$ ip addr list
$ ifconfig
```

- インターフェイスeth0に，IPアドレス10.0.2.12を割り当てます。

```
# ip addr flush dev eth0
# ip addr add 10.0.2.12/24 dev eth0          ← ipコマンドの場合

# ifconfig eth0 inet 10.0.2.12 netmask 255.255.255.0   ← ifconfigコマンドの場合
```

†11：接続名“有線接続 1”には空白文字が入っているので，\でエスケープすることで引数やオプションの区切りだと認識されないようにしています。

書式

nmcli［オプション］操作対象 操作コマンド

パス：/usr/bin/nmcli

●主なオプション

-p	表示を読み易くします。

●主な操作対象

dev	ネットワークインターフェイスを操作します。
con	ネットワーク接続を操作します。

●主な操作コマンド（操作対象がdevの場合）

status	各ネットワークインターフェイスの状態を表示します。
show [*if*]	ネットワークインターフェイス*if*の状態を詳細に表示します。*if*を省略すると，すべてのインターフェイスの情報が表示されます。

●主な操作コマンド（操作対象がconの場合）

show [*id*]	ネットワーク接続*id*の状態を表示します。*id*にはネットワーク接続名やUUIDなどで指定が可能です。
up *id*	ネットワーク接続*id*を接続します。
down *id*	ネットワーク接続*id*を停止します。
modify *id* *setting*...	ネットワーク接続の属性を変更します。設定*setting*には属性*property*と値*value*を空白文字で区切って指定します。modifyはmodと省略可能です。

●使用例

・すべてのネットワークインターフェイスの状態を表示します。

```
$ nmcli dev status
```

・すべてのネットワーク接続を表示します。

```
$ nmcli con show
```

・ネットワーク接続“有線接続 1”の接続名を“wired”に変更します。

```
# nmcli con modify 有線接続\ 1 connection.id wired
```

インターネットへの経路を設定する

ip route, route

インターネット上のホストと通信するには，自分のホストが経路表を持っている必要があります。この経路表を設定・表示するには，ipコマンドでrouteオブジェクトを表示するかrouteコマンド[†12]を使います。

やってみよう

それでは，まず現在の経路表を表示してみましょう。ipコマンドとrouteコマンドのそれぞれで試してみます。

```
$ ip route ↵
default via 10.0.2.2 dev eth0  proto static
10.0.2.0/24 dev eth0  proto kernel  scope link  src 10.0.2.15
metric 1

$ route ↵
カーネルIP経路テーブル
受信先サイト  ゲートウェイ  ネットマスク    フラグ Metric Ref 使用数 インタフェース
default      10.0.2.2     0.0.0.0         UG     0      0         0 eth0
10.0.2.0     *            255.255.255.0   U      1      0         0 eth0
```

このようにipコマンドの引数にrouteオブジェクトを指定して実行するか，routeコマンドを引数なしで実行すると，現在の経路表を表示できます。ここで重要なのが，“default”と表示されているエントリです。defaultエントリは，パケットが通常送信されるインターフェイスを示します。経路表の設定は，DHCPサーバからIPアドレスが割り振られている場合，同時に自動的に設定されます。

インターネット上のホストは，それぞれ経路表を持っており，通信パケットを送る目的のホストが経路表にない場合にはdefaultエントリに送ります。defaultエントリには，ルータ機能を持つホストが指定されます。各ルータは必ずしも目的のホストの位置を知っているとは限りませんが，知らない場合にはdefaultエントリに送ることでバケツリレー式にパケットがルータ間で手渡さ

†12：routeコマンドは不使用が推奨されていますが，まだ一般的に使用されることが多いため紹介しています。Ubuntu，Debian ではパッケージnet-toolsをインストールする必要があります。

れ，最終的に目的のホストにたどり着きます。電話とは違い，全体を総括するホストが存在しない分散型のネットワークであることから，必ずしも目的のホストとの通信が保証されているわけではないという特徴があります。また，ベストエフォート型なので，ルータの処理能力を超えてしまった場合にはパケットを廃棄することもあります。

もっとやってみよう

通常，ブロードバンドルータを介して接続している場合には，経路表のdefaultエントリは自動的に設定されます。ここでは，defaultエントリが設定されていなかったものと仮定し，自分で経路を設定してみましょう。

経路を設定するには，ますパケットを中継する次のホストのアドレスが必要となります。多くの場合，同じサブネット内では，ホスト番号が1または255がルータとして設定されています。ここでは，ネットワーク番号が10.0.2.0なので，defaultエントリとしてIPアドレスが10.0.2.1のホストを指定しましょう。

```
# ip route add default via 10.0.2.1 dev eth0↵
```

```
# route add default gw 10.0.2.1↵
```

実際のルータのアドレスはこの例とは異なりますので，何を設定すべきかネットワーク管理者に問い合わせてください。これでdefaultエントリが作成されます。

ホストのIPアドレスを静的に割り当てている場合には，nmcliコマンドで，デフォルトルータのIPアドレスを設定します。詳しくは，「ネットワークインターフェイスを確認・設定する」(p.299) を参照してください。

書式

ip route［内部コマンド］
route［オプション］［内部コマンド］

パス：/usr/sbin/ip, /usr/sbin/route

●主なオプション（route コマンド）

-n	ホストを名前ではなくIPアドレスで表示します。

●主な内部コマンド（ip コマンド）

show dev *device*	デバイス*device*の経路表を表示します。
get *adr*	アドレス*adr*への経路を表示します。
add *adr1* via *adr2* dev *device*	デバイス*device*の経路表に*adr1*への経路*adr2*を追加します。

●主な内部コマンド（route コマンド）

add *entry*	経路テーブルにエントリ*entry*を追加します。
del *entry*	経路テーブルのエントリ*entry*を削除します。

●主なエントリの指定方法（route コマンド）

-net *target*	エントリのネットワークを*target*とします。
-host *target*	エントリのホストを*target*とします。
netmask *mask*	エントリのサブネットマスクを*mask*とします。
dev *interface*	ネットワークインターフェイス*interface*の経路を設定します。

●使用例

・現在の経路表を表示します。

```
$ ip route show
$ route
```

・経路表にネットワークインターフェイスeth0経由のネットワーク10.0.2.0をネットワークアドレス長を24ビット（サブネットマスクを255.255.255.0）として追加します。

```
# ip route add 10.0.2.0/24 dev eth0
# route add -net 10.0.2.0 netmask 255.255.255.0 dev eth0
```

ネットワークのソケット情報や接続状況を表示する

ss, ip link, netstat

ネットワークのソケット情報の表示には，ssコマンドもしくはnetstatコマンド[†13]を使います。また，ネットワークインターフェイスの接続状況を確認するには，ipコマンドのlinkオブジェクトを表示するか，netstatコマンドを使います。

やってみよう

まずは，ネットワークのソケット情報を表示してみましょう。ssコマンドとnetstatコマンドを引数なしで実行してみましょう。引数なしで実行すると，ssコマンドは，接続が確立されているソケットの一覧を，netstatコマンドは，オープンされているソケットの一覧を表示します。

```
  ：（略）
稼働中のUNIXドメインソケット（w/oサーバ）
稼働中のUNIXドメインソケット（w/oサーバ）
Proto RefCnt Flags Type   State     I-Node パス
unix  2      [ ]   DGRAM            24658  /run/user/1000/systemd/notify
unix  3      [ ]   STREAM CONNECTED 33819  /run/user/1000/bus
unix  3      [ ]   STREAM CONNECTED 26711
unix  3      [ ]   STREAM CONNECTED 23549  /run/systemd/journal/stdout
```


：（略）

このように，ssコマンドでは，UNIXドメインソケット（u_str），INETドメインソケット（tcp，udpなど）の順で表示され，netstatコマンドでは，INETドメインソケット（tcp，udpなど），UNIXドメインソケット（unix）の順で表示されます。

いずれのコマンドでも，オープンされているソケットだけでなくすべてのソケットを表示したい場合には -aオプションを，接続待ち状態のソケットだけを表示したい場合には -lオプションを指定して実行します。また，-nオプションを指定することで，ホストのDNS名を解決せずに，IPアドレスで表示します。また，TCPソケットを表示したい場合には -tオプションを，UDPソケットを表示したい場合には -uオプションを，UNIXドメインソケットを表示したい場合には -xオプションを，各プロトコルの統計情報を表示したい場合には -sオプションを指定して実行します。

†13：netstatコマンドは不使用が推奨されていますが，まだ一般的に使用されることが多いため紹介しています。Ubuntu，Debian ではパッケージnet-toolsをインストールする必要があります。

ネットワークインターフェイスの接続状況を表示するには，ipコマンドで-sオプションを指定してlinkオブジェクトを表示するか，netstatコマンドに-iオプションを指定して実行します。

```
$ ip -s link
1: lo: <LOOPBACK,UP,LOWER_UP> mtu 65536 qdisc noqueue state UNKNOWN mode
DEFAULT group default
    link/loopback 00:00:00:00:00:00 brd 00:00:00:00:00:00
    RX: bytes  packets  errors  dropped overrun mcast
    44211      426      0       0       0       0
    TX: bytes  packets  errors  dropped carrier collsns
    44211      426      0       0       0       0
2: eth0: <BROADCAST,MULTICAST,UP,LOWER_UP> mtu 1500 qdisc fq_codel state
UP mode DEFAULT group default qlen 1000
    link/ether 08:00:27:39:2d:80 brd ff:ff:ff:ff:ff:ff
    RX: bytes  packets  errors  dropped overrun mcast
    10993750   8861     0       0       0       0
    TX: bytes  packets  errors  dropped carrier collsns
    210473     1968     0       0       0       0
```

最大通信単位（mtu 65536）
インターフェイス名（lo）
受信関連情報（RX）
送信関連情報（TX）

```
$ netstat -i
カーネルインタフェーステーブル
Iface   MTU Met RX-OK RX-ERR RX-DRP RX-OVR TX-OK TX-ERR TX-DRP TX-OVR フラグ
eth0   1500 0   10779      0      0 0      45938      0      0      0 BMRU
lo    65536 0   25014      0      0 0      25014      0      0      0 LRU
```

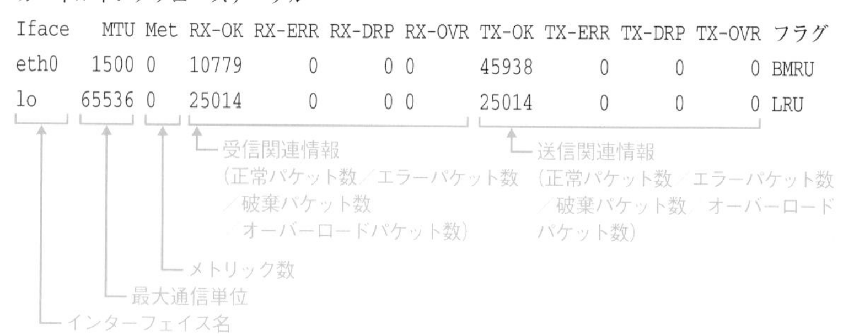

上記のように，インターフェイス名，最大通信単位，メトリック数，受信関連情報，送信関連情報などが，各インターフェイスごとに表示されます。また，netstatコマンドは，ほかにも経路情報の表示などを行うこともできます。

書式

ss［オプション］
ip［オプション］link［内部コマンド］
netstat ［オプション］

パス：/usr/sbin/ss，/usr/sbin/ip，/usr/bin/netstat

●主なオプション（ssコマンド）

-s	各プロトコルの統計情報を表示します。
-a	使用していないソケットの情報も表示します。
-l	接続待ち状態にあるソケットのみを表示します。
-n	ネットワークアドレスを数字で表示します。
-t	TCPソケットの情報を表示します。
-u	UDPソケットの情報を表示します。
-x	UNIXドメインソケットの情報を表示します。

●主なオプション（ipコマンド）

-s	情報をより詳細に表示します。
-f *family*	ネットワークアドレスの種類*family*をinet，inet6，linkのいずれかから指定します。
-r	ホスト名を表示します。

●主なオプション（netstatコマンド）

-i	ネットワークインターフェイスの接続状態に関する情報を表示します。
-r	経路表を表示します。
-s	各プロトコルの統計情報を表示します。
-a	使用していないソケットの情報も表示します。-iオプションとともに指定すると，各ネットワークインターフェイスおよびIPアドレスについて，使用されているすべてのマルチキャストアドレスを表示します。
-l	接続待ち状態にあるソケットのみを表示します。
-n	ネットワークアドレスを数字で表示します。
-t	TCPソケットの情報を表示します。
-u	UDPソケットの情報を表示します。
-x	UNIXドメインソケットの情報を表示します。

●使用例

- オープンされているソケットの接続状態を表示します。

```
$ ss
$ netstat
```

- すべてのソケットの接続状態を表示します。

```
$ ss -a
$ netstat -a
```

- すべてのTCPソケットの接続状態を，ネットワークアドレスを解決せずに表示します。

```
$ ss -ant
$ netstat -ant
```

- 各プロトコルの統計情報を表示します。

```
$ ss -s
$ netstat -s
```

- ネットワークインターフェイスの接続状態を表示します。

```
$ ip -s link
$ netstat -i
```

ネットワークインターフェイス上のトラフィックデータを表示する

tcpdump

ネットワークインターフェイス上のトラフィックデータを取得するには，tcpdumpコマンド†14を使います。

やってみよう

まず，tcpdumpコマンドを使ってネットワークインターフェイス上のパケットを取得してみましょう。特に何も指定しないと，取得可能なパケットをすべて取得してしまうので，ここではプロトコルがHTTPのデータを見てみます。tcpdumpコマンドの引数に条件として“port http”を指定して実行した状態でWebブラウザを立ち上げ，適当なサイトを見てみましょう。なお，tcpdumpコマンドを実行する際には，スーパーユーザ権限が必要となります。

```
# tcpdump port http
tcpdump: verbose output suppressed, use -v or -vv for full protocol decode lis
tening on eth0, link-type EN10MB (Ethernet), capture size 65535 bytes
←―― ここでブラウザを起動してみましょう
15:33:46.730240 IP 192.168.0.112.52714 > example.jp.http: F 1971868885:1971868
885(0) ack 1557018908 win 65535 <nop,nop,timestamp 22702555 419130029>
15:33:47.029775 IP example.jp.http > 192.168.0.112.52714: . ack 1 win 14 <nop,
nop,timestamp 419131441 22702555>

←―― Ctrl + c を押して終了

2 packets captured
2 packets received by filter
0 packets dropped by kernel
```

このように，tcpdumpコマンドは，指定した条件にマッチするネットワークインターフェイス上のパケットを取得（ダンプ）しトラフィックデータを調べるコマンドです。パケットの中身ものぞき見ることができてしまうため，telnetコマンド（p.319）など暗号化がされないコマンドでログインすると，パスワードや実行したコマンドやその結果まで，ネットワーク上を流れたすべての情報

† 14：Debianではパッケージtcpdumpのインストールが必要です。

を見ることができてしまいます。そのため，sshコマンド（p.286）など通信の内容を暗号化するコマンドの使用が推奨されます。サーバの管理などを行う立場では，他人の個人的な情報までのぞき見できてしまう危険性があるので，使用する際には慎重になる必要があります。

もっとやってみよう

tcpdumpコマンドは，論理演算子を使うことで，複雑な条件を指定して実行することができます。たとえば，送信元のホストを指定するには，条件として“src host **ホスト名**”を指定します。試しに，リモートホストwww.example.co.jpからローカルホストに送られるHTTPプロトコルのデータを表示してみましょう。

```
# tcpdump port http and src host www.example.co.jp↵
```

ほかにも，ネットワークアドレスやプロトコルなど，さまざまな条件を指定することが可能です。詳しくは，リファレンスページを参照してください。

書式

tcpdump［オプション］［条件］

パス：/usr/sbin/tcpdump

主なオプション

-c *count*	*count*個のパケットを取得して終了します。
-F *file*	パケットマッチングの条件をファイル*file*から読み込みます。
-i *if*	インターフェイス*if*を指定します。
-n	IPアドレス/ポート番号を，ホスト名/サービス名に変換しません。
-N	ホスト名のうち，ドメイン名を表示しません。
-q	一部の情報を除いた形式で表示します。
-r *wfile*	パケットを-wオプションで作成したファイル*wfile*から読み込みます。*wfile*に"-"を指定した場合，標準入力からパケットを読み込みます。
-T *type*	取得したパケットをパケットタイプ*type*として解釈します。*type*には，cnfp，rpc，rtp，rtcp，snmp，vat，wbなどが指定可能。
-v	通常より詳細な形式で表示します。
-vv	-vよりもさらに詳細な形式で表示します。
-vvv	-vvよりもさらに詳細な形式で表示します。
-w *wfile*	受信したパケットをファイル*wfile*にそのまま格納します。

条件

パケット取得の条件を指定します。条件には，表に示した型，パケットの進行方向，プロトコルを“**型　パケットの進行方向　プロトコル**”の順番で指定できます。複数の条件を組み合わせることにより，複雑な条件指定も可能です[†15]。

◆型

型名	説　明	引数の例
host *host*	ホスト名またはIPアドレス*host*	host example.co.jp， host 10.0.0.10
net *net* [mask *mask*]	ネットワークアドレス*net*， ネットマスク*mask*	net 10.0.0， net 10.2.0.0 mask 255.255.240.0
port *port*	ポート番号またはサービス名*port*	port 21，port ftp

†15：tcpdumpコマンドでは，上記以外にも指定できる条件があります。詳しくはオンラインマニュアルを参照してください。

◆パケットの送信方向

記述	説明
src *type*	パケットの送信元の型*type*
dst *type*	パケットの送信先の型*type*

◆論理演算子

演算子	説明
and	左右の条件を同時に満たす
or	左右の条件のいずれかを満たす
not	条件に一致しない

◆プロトコル

プロトコル名	説明
ether	イーサネット
ip	IP (IPv4)
ip6	IP (IPv6)
arp	ARP
tcp	TCP
udp	UDP
icmp	ICMP
icmp6	ICMP6

●使用例

- リモートホストftp.example.co.jpからローカルホストの21番ポートに送られるパケットを取得します。

```
# tcpdump port 21 and src host ftp.example.co.jp
```

- 取得したパケット情報をファイルtcpdump.logに保存します。

```
# tcpdump -w tcpdump.log
```

- ファイルtcpdump.logに保存したパケット情報を閲覧します。

```
# tcpdump -r tcpdump.log
```

ネットワークサービスを確認する

telnet

ネットワークサービスが動いているか調べたい場合，テキストベースのプロトコルであればtelnetコマンドを使って簡単に調べることができます。

やってみよう

telnetコマンドは，ポート番号やサービスを指定しない場合，telnetサービス（TCPの23番ポート）に接続します。その場合，リモートホストにログインを試みますが，データが暗号化されないため，代わりにsshコマンド（p.286）を利用することが推奨されています。ここでは，リモートホストにログインする代わりに，ローカルホストで動いているネットワークサービスの状況を調べる目的で，telnetコマンドを使ってみましょう。

たとえば，ローカルホストでHTTPサーバが動いているかどうか調べたい場合，HTTPのポート番号である80もしくはサービス名であるhttpを指定して実行し，GETメソッドで要求を行います。

```
$ telnet www.example.co.jp http↵
Trying 192.168.1.100...
Connected to www.example.co.jp.
Escape character is '^]'.
GET /↵                              ←入力します
<!DOCTYPE HTML PUBLIC "-//IETF//DTD HTML 2.0//EN"> ←サーバからの応答
<html><head>
<title>Example</title>
    ：（略）
```

なお，サービス名とポート番号の関係は，ファイル/etc/servicesに記述されています。

telnet 接続先ホスト名［ポート番号〔サービス名〕］

パス：/usr/bin/telnet

●**使用例**

・ホストremote-hostの80番ポート（HTTP）に接続します。

```
$ telnet remote-host 80
```

第 10 章

★ ★ ★ ★ ★ ★ ★ ★ ★

ファイルシステムを使いこなす

ファイルシステムとストレージデバイス

Linuxでは，ファイルとディレクトリは第1章で説明したようにツリー構造になっています（図10-1(a)）。

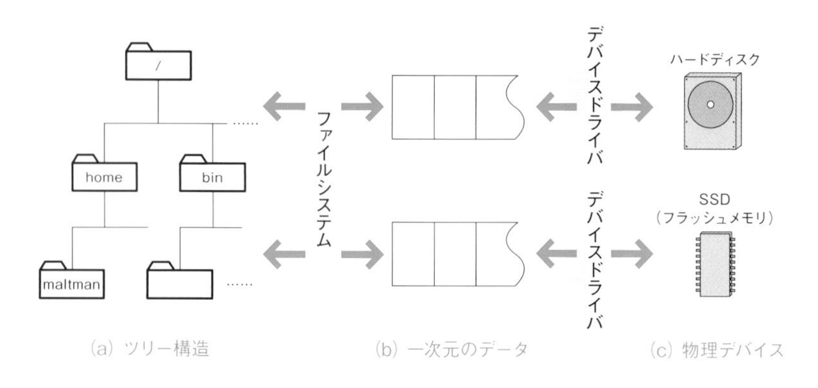

図10-1　ディレクトリとファイル，一次元のデータ，物理デバイス

一方，ハードディスクやフラッシュメモリでは，データをこのようなツリー構造で保存していません。ハードディスクやフラッシュメモリ上のデータは，物理的には円盤や半導体素子が並んだものに記録されます（図10-1(c)）。コンピュータからは，ハードディスクやフラッシュメモリ上のデータは0，1のどちらかが一列に並んでると認識されるので，特定のかたまりごとにそれを読んだり書き込んだりすることになります（図10-1(b)）。Linuxでは，図10-1(a)のディレクトリとファイルの構造を，0，1のデータのかたまりとしてハードディスクなどに保存して使うために2つの仕組みを重ねています。それを，ディレクトリとファイルの構造と，ハードディスクなどのデータ構造に対応させています。

仕組みの1つは，図10-2のようにファイルの構造を，0，1（バイナリ）のデータ（の小さなかたまり）を一列に並べたものの上で表す仕組みで，これを**ファイルシステム**といいます（ほかにもいろいろな工夫が盛り込まれています）。

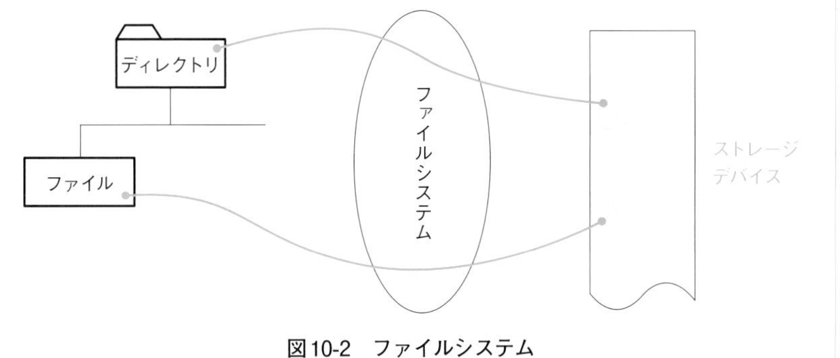

図10-2　ファイルシステム

もう1つは，ハードディスクなどのデータを読み書きする部分を抽象化する仕組みです。ハードディスクやフラッシュメモリとのデータのやりとりは，SATA，USBなどさまざまなインターフェイスがあり，それを実現するハードウェアもさまざまです。ファイルシステムのデータを読み書きするときは，そういった違いを気にせず，同じように扱いたくなります。

Linuxでは，接続されているハードウェアを**デバイス**といい，デバイスと通信してデータをやりとりしたり制御したりする仕組みを**デバイスドライバ**といいます（図10-3）。デバイスには，ハードディスクのようなデータを保存するためのストレージデバイスのほかに，ネットワークアダプタなどの通信デバイス，キーボードやマウスなどの入力デバイスなどさまざまな種類があり，その種類や機種ごとにデバイスドライバがあります。

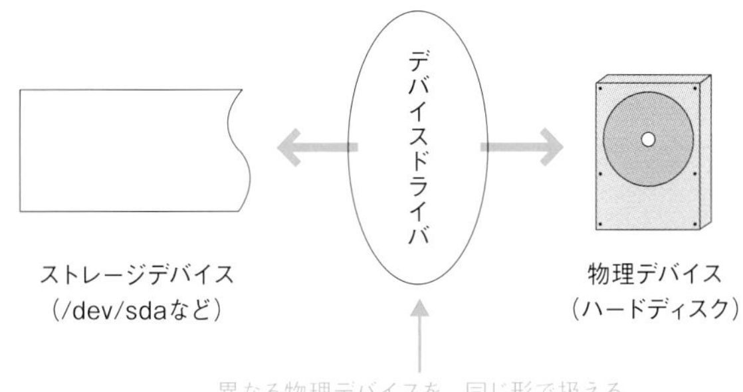

図10-3　デバイスドライバ

デバイスドライバによって抽象化されたデバイスに対して，ソフトウェアからの入出力を容易にするために，**デバイスノード**と呼ばれるファイルがディレクトリ/devの下に置かれています。ハードディスクなどのストレージデバイスは，/dev/sdaのような名称になります。このデバイスノードに対して，ファイルと同じように入出力を行うとデバイスとデータをやりとりすることができます。ただしネットワークデバイスなど，デバイスノードが作成されないデバイスもあります。

lsコマンドでディレクトリ/devにどのようなデバイスノードがあるか確認してみましょう。

```
$ ls -F /dev
autofs          loop13   sda2    tty28  tty6    ttyS5
block/          loop14   sdb     tty29  tty60   ttyS6
bsg/            loop15   sdb1    tty3   tty61   ttyS7
btrfs-control   loop16   sg0     tty30  tty62   ttyS8
bus/            loop17   sg1     tty31  tty63   ttyS9
cdrom@          loop18   sg2     tty32  tty7    ttyprintk
    ：(略)
```

パーティション

ストレージデバイスにはバイナリデータが一列に並んでいると説明しましたが，それだけでは同じハードディスク上に複数のOSをインストールしたりすることが難しくなります。

そのため，OSに関係なくストレージデバイスを分割して扱えるように，ストレージデバイスの領域をいくつかに分割する方法が決められています。ストレージデバイスをいくつかの領域に区切ったものを**パーティション**といいます。

よく使われているパーティションの方式には，GUIDパーティションがあります。現在はあまり使われなくなったMBRパーティションというものもあります。両方の方式に共通する構造は，図10-4のようにストレージの先頭に（GUIDは末尾にも）領域の分け方が記されたテーブルがあり，残りの部分がいくつかの領域に分割されることです。

図10-4　パーティションの模式図

ストレージデバイスを示すデバイスノードには，ストレージ全体に対応するものとパーティションに対応するものがあります。たとえばsda1という名称は“sd”が汎用SCSIディスクデバイス（SCSIまたはシステム内でSCSIをシミュレートしているもの）を表し，“a”がその1番目のディスクで“1”がそのディスクの1番目のパーティションを表しています。この場合，ディレクトリ/devの下にあるファイルを見ると，ディスク全体を現すデバイスノード/dev/sdaと，パーティションを表すデバイスノード/dev/sda1があることになります。

```
$ ls /dev/sd* ↵
/dev/sda    /dev/sda1
      ⋮（略）
```

ファイルシステムをデバイス上に置く

このように，ファイルとディレクトリからなる構造は，ファイルシステムとデバイスドライバの仲立ちでハードディスクなどのストレージデバイス上に置かれます。ファイルシステムを利用するには，先ほど説明したパーティションを作成して，その上にファイルシステムを置く操作が必要です。Linuxのインストール時には，インストーラがこの作業を行っています。

この章では，ファイルシステムを確認・設定したり，ハードディスクなどのストレージデバイスの上にファイルシステムを置くためのコマンドなどを紹介します。

ファイルシステムをマウントする

mount, umount

Linuxのディレクトリ構造は“/”（ルートディレクトリ）からはじまるツリー構造になっていますが，それらはすべて同じデバイス（同じハードディスク，同じパーティション）である必要はありません。つまり，異なるデバイスのディレクトリを1つのツリー構造に埋め込んでもまったくかまいません。その埋め込み（**マウント**）を行うのがmountコマンドで，逆にマウントを解除するのがumountコマンドです。

やってみよう

まず，現在のマウント状況を表示してみましょう。マウント状況を表示するには，mountコマンドを引数なしで実行します。

```
$ mount ↵
    ：(略)
tmpfs on /run type tmpfs (rw,nosuid,noexec,relatime,size=204068k,mode=755)
/dev/sda2 on / type ext4 (rw,relatime,errors=remount-ro,data=ordered)
securityfs on /sys/kernel/security type securityfs (rw,nosuid,nodev,noexec
,relatime)
    ：(略)
/dev/sda1 on /boot/efi type vfat (rw,relatime,fmask=0077,dmask=0077,codepa
ge=437,iocharset=iso8859-1,shortname=mixed,errors=remount-ro)
    ：(略)
```

“/dev/sda2 on / type ext4”の行では，ルートディレクトリ“/”に1つ目のハードディスクの2つ目のパーティションを表すデバイスファイル“/dev/sda2”がマウントされています。インストール時に論理ボリュームマネージャ（LVM）が有効になっていると，“/dev/sda2”の代わりに，論理的なボリュームを表すデバイスファイルがマウントされます。

```
/dev/mapper/cl-root on / type xfs (rw,relatime,seclabel,attr2,inode
64,noquota)
```

ディレクトリ/devにある/dev/sda2などのファイルは，デバイスノードといってハードディスクやその上に置かれたパーティションを表す特別なファイルです。

USBメモリやDVDなどのリムーバブルメディアや新たに接続したハードディスクをLinuxで利用する場合には，それらをマウントする必要があります。原則としてマウントを行えるのはスーパーユーザだけですが，デスクトップ向けのディストリビューションでは，リムーバブルメディアは一般ユーザでもマウントできたり自動でマウントされる設定になっていることがあります。

次に，FATパーティションのあるUSBメモリを接続してみます。

```
$ ls /dev/sd* ↵
/dev/sda   /dev/sda1   /dev/sda2
     ←── ここでUSBメモリを接続します
                                            ┌USBメモリのデバイスが
$ ls /dev/sd* ↵                              ↓追加された
/dev/sda   /dev/sda1   /dev/sda2   /dev/sdb   /dev/sdb1
```

USBメモリを接続する前後のlsコマンドの実行結果を比較するとデバイス/dev/sdb，dev/sdb1が追加されています。これがUSBメモリのデバイスです。

リムーバブルメディアを自動でマウントする設定になっている場合，mountコマンドの実行結果も変わります。

```
$ mount ↵
    ⋮（略）
/dev/sdb1 on /media/maltman/USBMEM type vfat (rw,nosuid,nodev,relatime,uid=1
000,gid=1000,fmask=0022,dmask=0022,codepage=437,iocharset=iso8859-1,shortna
me=mixed,showexec,utf8,flush,errors=remount-ro,uhelper=udisks2)
```

デバイス/dev/sdb1がディレクトリ/media/maltman/USBMEMにマウントされていることがわかります（“USBMEM”はFATパーティションにつけられたラベルです）。

ここでは，実際にmountコマンドを使ってファイルシステムをマウントしてみましょう。まず，自動でマウントされていた場合はアンマウントします。アンマウントは，umountコマンドにマウント先ディレクトリを指定します。

```
# umount /media/maltman/USBMEM ↵
```

umountコマンドを実行したら，mountコマンドを引数なしで実行してアンマウントされたことを確認してみてください。

次に，mountコマンドを実行してUSBメモリ上のファイルシステムをマウントします。Linuxでは，一時的にファイルシステムをマウントするために/mntというディレクトリが用意されています。

```
# mount /dev/sdb1 /mnt ↵
```

ハードディスクを増設したり接続を入れ替えたりすると，これまで例に挙げた/dev/sdb1などのデバイスファイルが示すデバイスが変わってしまうことがあります。それでは不便なので，同じデバイスを常に同じやり方で指定する方法がいくつかあります。

1. UUIDでデバイスを指定する

Linuxのパーティションには Universally Unique IDentifierという，ファイルシステムで一意に決まるIDがあります。これを使ってデバイスを指定します。FATやNTFSについても，LinuxでUUIDを生成してUUIDでの指定を可能にしています。

/dev/disk/by-uuid/*UUID*

で指定できます。“ls -l /dev/disk/by-uuid” を実行すると，このディレクトリ下のUUIDを示すファイルが/dev/sda1などのデバイスファイルへのシンボリックリンクであることがわかります。

また，mountコマンドの引数に，デバイス名の代わりに

UUID=*UUID*

という形式で指定することもできます。

2. ラベルでデバイスを指定する

UUIDは自動生成される文字列ですが，ユーザの指定した文字列をIDに使うラベルという仕組みもあります。ラベルがついているファイルシステムは

/dev/disk/by-label/**ラベル**

というファイル名で示されます[†1]。UUIDと同じく，実際のデバイスファイルへのシンボリックリンクになっています。

3. 論理ボリュームマネージャ(LVM)を使用する

デバイスを指定する方法ではありませんが，論理ボリュームマネージャ（コラム，p.342参照）の利点の1つに，ボリュームのデバイス名が変わらないことがあります。

/dev/mapper/**ボリュームグループ名-論理ボリューム名**

で指定します。

起動時には自動でファイルシステムがマウントされます。その設定が記述されているファイルが/etc/fstabです。このファイルでデバイスを指定するときにUUIDやラベルを使うと，ハードディスクやSSDをつなぎかえてデバイス名が変わってしまった場合も修正する必要がありません。

```
$ less /etc/fstab
    ：(略)
UUID=d29c5372-f0c8-4ffb-abab-23ad3b651115 /boot  ext2  defaults  0 2
```

ファイルシステムにはext4，CentOSで標準で使われているxfsのほかに，btrfs，zfsなどがあります[†2]。

zfsではデバイスファイルは作成されません。zfsのマウント，アンマウントはzfsコマンドが行います。

---

†1：ラベルのついたファイルシステムがない場合は，このディレクトリは存在しません。

†2：Ubuntu 19.10からはインストール時にzfsが選択できるようになっています。

書式

mount ［オプション］ ［-t ファイルシステムの種類］ デバイス マウント先ディレクトリ
mount ［オプション］
umount マウント先ディレクトリ

パス：/usr/bin/mount，/usr/bin/umount

●主なオプション（mountコマンド）

-a	ファイル/etc/fstabで指定されているファイルシステムをすべてマウントします。
-t *type dev dir*	デバイス*dev*をファイルシステム*type*としてディレクトリ*dir*にマウントします。
-a -t *type*	ファイルシステムの種類が*type*のものだけマウントします。
-r	読み取り専用でマウントします。デフォルトでは読み取り・書き込み可能に設定されます。
-w	読み取り・書き込み可能でマウントします。

●主なオプション（umountコマンド）

-t *type*	ファイルシステムの種類が*type*のファイルシステムのマウントを解除します。

●ファイルシステムの種類

- ext2　古いLinuxファイルシステム
- ext3　Linuxファイルシステム
- ext4　Linuxファイルシステム
- ufs　UNIXファイルシステム
- xfs　extentsファイルシステム
- zfs　Zettabyteファイルシステム
- iso9660　DVD，CD-ROMなど
- msdos　FATファイルシステム
- vfat　FAT32ファイルシステム
- ntfs　NTFSファイルシステム
- btrfs　btrfsファイルシステム

●使用例

・現在のマウント状況を表示します。

```
$ mount
```

・DVD（ここでは/dev/cdrom）をディレクトリ/mntにマウントします。

```
# mount -t iso9660 /dev/cdrom /mnt
```

・ディレクトリ/mntにマウントされているDVD（ここでは/dev/cdrom）のマウントを解除します。

```
# umount /mnt
```

・USBメモリのFAT32ファイルシステム（ここでは/dev/sdb1）をディレクトリ/media/maltman/usbdiskにマウントします。

```
# mount -t vfat /dev/sdb1 /media/maltman/usbdisk
```

・UUIDを指定して，ファイルシステムをディレクトリ/mntにマウントします。

```
# mount UUID=db548eb1-6c65-4fab-b14f-ebaddb8b22b7 /mnt
# mount /dev/disk/by-uuid/db548eb1-6c65-4fab-b14f-ebaddb8b22b7 /mnt
```

パーティションを作成する

parted

ハードディスクやUSBメモリなどのストレージにGUIDパーティション[†3]を作成してみましょう。partedコマンドを使います。

やってみよう

partedコマンドの実行にはスーパーユーザ権限が必要です。はじめにスーパーユーザ権限でpartedコマンドを起動して，/dev/sdbのパーティション情報を見てみましょう。操作対象のデバイスはコマンドの引数で指定します。パーティション情報の表示には内部コマンドprintを，partedコマンドの終了には内部コマンドquitを使います。

```
# parted /dev/sdb ↵
[sudo] maltman のパスワード：↵  ←── ユーザmaltmanのパスワードを入力します
GNU Parted 3.2
/dev/sdb を使用
GNU Parted へようこそ！ コマンド一覧を見るには 'help' と入力してください。
(parted) print ↵
モデル: General USB Flash Disk (scsi)
ディスク /dev/sdb: 8023MB
セクタサイズ (論理/物理): 512B/512B
パーティションテーブル: gpt
ディスクフラグ:

番号  開始    終了    サイズ  ファイルシステム  名前                 フラグ
 1    1049kB  8022MB  8021MB  fat32             Basic data partition  msftdata

(parted) quit ↵
```

/dev/sdbがPCに接続したUSBメモリで，FAT32ファイルシステムのパーティションが1つあることが確認できています。

---

†3：古いPCではMBRパーティションが使われていますが，ここでは割愛します。

パーティション情報の変更

注意：ここからは，パーティション情報の変更を説明します。**操作を間違えるとデータがすべて消えてしまう可能性がある**ので，十分注意してください。partedコマンドでは，書き込み操作を行う内部コマンドは**入力したらすぐ書き込みが行われます**。入力を間違えても取り返しがつきません。

それでは，ディスク/dev/sdbを上書きしてGUIDパーティションを作成してみましょう。ディスク/dev/sdbの内容は消去されますので気をつけてください。この例では単位をMB（メガバイト）にします。GUIDパーティションを使う場合は容量が大きいことが多いのですが，もっと大きな単位が必要であればGB（ギガバイト）も使えます。

partedコマンドの操作対象は先ほどのようにコマンドラインで指定するほか，内部コマンドselectでも指定できます。

```
(parted) select /dev/sdb ↵
/dev/sdb を使用
(parted) unit MB ↵  ←── 単位をMBにします
(parted) mklabel ↵
新しいディスクラベル? gpt ↵
警告: いま存在している /dev/sdb のディスクラベルは破壊され，このディスクの
全データが失われます。続行しますか?
はい(Y)/Yes/いいえ(N)/No? y ↵
```

パーティションテーブルが作成できたら，内部コマンドmkpartでパーティションを作成します。mkpartに引数を指定しない場合，次のように対話的に入力を求められます。

```
(parted) mkpart ↵
パーティションの名前?  []? usbmem ↵  ←GUIDパーティションではパーティション名をつけます
ファイルシステムの種類?  [ext2]? ext4 ↵
開始? 0 ↵  ←ディスクの先頭を指定します
終了? 8023 ↵  ←あらかじめprintコマンドで確認したディスクの最大サイズを指定します
警告: 操作の結果できるパーティションはアライメントが正しくないためにパフォーマンスがでません。
無視(I)/Ignore/取消(C)/Cancel? i ↵  ←警告を無視してパーティションを作成します
(parted) print ↵
モデル: General USB Flash Disk (scsi)
ディスク /dev/sdb: 8023MB
セクタサイズ (論理/物理): 512B/512B
パーティションテーブル: gpt
ディスクフラグ:

番号  開始     終了    サイズ  ファイルシステム  名前    フラグ
 1    17.4kB  8023MB  8023MB  ext4              usbmem

(parted) set 1 boot on ↵  ←1番目のパーティションに起動フラグを設定します
(parted) quit ↵
通知: 必要であれば /etc/fstab を更新するのを忘れないようにしてください。
```

ディスク全体を使いたい場合は，開始に“0%”，終了に“100%”を指定します。作成したパーティションにOSをインストールして起動可能にしたい場合は，起動フラグbootをonに設定します。そうでなければこの操作は不要です。

GUIDパーティションではディスクの先頭と末尾にパーティションテーブルが置かれます。パーティションの開始位置と終了位置をパーティションテーブルや既存のパーティションに重なるように指定してしまった場合でも，その部分をよけるようにpartedコマンドが自動で調整します。きちんと調整されているかは内部コマンドunitで表示単位をセクタに変更してから内部コマンドprintで確認するとよいでしょう。

```
(parted) unit s ↵  ←表示する単位をセクタサイズにします
(parted) print ↵
```

書式

parted［オプション］［デバイス［内部コマンド］］

パス：/usr/sbin/parted

●主なオプション

-l	指定されたデバイスのパーティション情報を出力します。

●デバイス

操作対象のデバイスファイルを指定します。指定しない場合は最初のブロックデバイス（通常は/dev/sda）になります。

●主な内部コマンド

コマンドラインでデバイスに続いて指定する内部コマンドと，対話的に実行する内部コマンドがあります。主な内部コマンドには次のものがあります。パーティション*part*には，内部コマンドprintで表示されるパーティションの番号を指定します。

select *dev*	操作対象のデバイスを*dev*に設定します。
unit *n*	サイズや開始，終了位置を示す数値の単位*n*を指定します。単位として指定できるのは，s（セクタ），B（バイト），kB，MB，GB，TB，%，cyl（シリンダ），compactなどです。compactは入力はMBですが，表示にはサイズに応じて適宜BからTBが使われます。
check *part*	パーティション*part*の簡単なチェックを行います。
print	パーティションの状態を出力します。
mklabel *ltype*	パーティションテーブルを作成します。指定するラベルの種類*ltype*はmsdos，gptなどです。
mkpart *ptype*［*type*］ *start* *end*	パーティション種別を*ptype*に設定します。primary，logical，extendedのいずれかを指定できます。ファイルシステム種別*type*は，ext2，linux-swap，fat32（VFAT）などを指定できます。開始位置と終了位置も*start*と*end*に設定可能です。

rm *part*	パーティションを削除します。
set *part* *flag* on|off	パーティション*part*に対してフラグ*flag*を設定/解除(on/off)します。フラグにはboot, swapなどがあります。
name *part* *name*	パーティション*part*の名称を*name*に設定します。
quit	コマンドを終了します。

●使用例

• ディスク/dev/sdcに対してpartedコマンドを実行します。

```
# parted /dev/sdc
```

• ディスク/dev/sdbのパーティション情報を表示します。

```
# parted -l /dev/sdb
```

• 内部コマンドでディスク sdb を選択します。

```
(parted) select /dev/sdb ↵
```

• 内部コマンドで選択しているディスクのパーティション情報を表示します。

```
(parted) print ↵
```

• 内部コマンドで選択しているディスクにgptラベルを設定します。

```
(parted) mklabel gpt ↵
```

• 内部コマンドで選択しているディスクにfat32パーティションを作成します。

```
(parted) mkpart fat32 ↵
```

ファイルシステムを初期化する

mkfs

パーティションを割り当てたら，その上にファイルシステムを作成します。パーティション上にファイルシステムを作成するコマンドがmkfsです。

やってみよう

「パーティションを作成する」(p.332) で作成したパーティション/dev/sdb1にext4ファイルシステムを作成してみましょう。Linuxのファイルシステムにはさまざまな種類がありますが，多くのディストリビューションでデフォルトインストールに用いられるのがext4ファイルシステムです。mkfsコマンドの実行にはスーパーユーザ権限が必要です。

```
# mkfs -t ext4 /dev/sdb1⏎
mke2fs 1.44.1 (24-Mar-2018)
Creating filesystem with 1958647 4k blocks and 490560 inodes
Filesystem UUID: a72e3137-3141-4ebf-8b14-88c93aa16ef9
Superblock backups stored on blocks:
    ⋮（略）
Writing superblocks and filesystem accounting information: done
```

ファイルシステムの種類は-tオプションで指定しています。ファイルシステムには，ext4，ext3，msdos（FAT16，FAT32），ntfsなどが指定できます。

mkfsコマンドは，単独のプログラムで複数のファイルシステムに対応しているわけではなく，指定されたファイルシステムの種類に応じて“mkfs.**種類名**”というプログラムを実行してファイルシステムを作成します。ext4の場合はmkfs.ext4というプログラムが使われますが，このプログラムの実体はmke2fsというプログラムで，ext4，ext3と共通になっています（実行結果のはじめに“mke2fs”と出力されているのはそのためです）。

ファイルシステムを作成したら，/dev/sdb1をマウントできます。

```
# mount /dev/sdb1 /mnt⏎
```

mountコマンドを引数なしで実行して，ファイルシステムがマウントされたことを確認してください。

```
$ mount⏎
```

mkfs ［オプション］ デバイス

パス：/usr/sbin/mkfs

●主なオプション

-t *type*	ファイルシステムの種類(p.330)を*type*にして作成します。

●使用例

- パーティション/dev/sdb1にext4ファイルシステムを作成します。

```
# mkfs -t ext4 /dev/sdb1
```

- パーティション/dev/sdc2にxfsファイルシステムを作成します。

```
# mkfs -t xfs /dev/sdc2
```

- パーティション/dev/sdc1にfatファイルシステムを作成します。

```
# mkfs -t fat /dev/sdc1
```

ファイルシステムを検査する

fsck

ファイルシステムが正しくアンマウントされないと，ファイルシステム上の情報に不一致が生じる場合があります。Linuxで利用されているext4ファイルシステムやそのほかの新しいファイルシステムでは，データを書き出す順序やジャーナリングという仕組みで問題が起こりにくいようにしています。しかし，ファイルシステムを正しくアンマウントしなかった場合は整合性のチェックを行い，問題があれば修復する必要があります。そのためのコマンドがfsckです。

fsckコマンドはファイルシステムをアンマウントした状態で実行します。

やってみよう

「パーティションを作成する」(p.332) で作成したパーティションをアンマウントして，そのファイルシステムを検査してみましょう。実行にはスーパーユーザ権限が必要です。

```
# fsck /dev/sdb1
fsck from util-linux 2.31.1
e2fsck 1.44.1 (24-Mar-2018)
/dev/sdb1: clean, 11/489600 files, 55732/1958144 blocks
```

正しくアンマウントされたためファイルシステムに問題はなく，“clean”と表示されます。

mkfsコマンドと同様に，fsckコマンドもファイルシステムの種類に合わせたプログラムを起動し，ファイルシステムの検査と修復はそのプログラムが行います。実行結果の2行目に表示されているe2fsckは，ext2，ext3，ext4ファイルシステムに対応しているプログラムです。

fsckに対応するプログラムとして，xfsファイルシステムにはxfs_repair，btrfsファイルシステムにはbtrfsckというプログラムがありますが，fsckからは呼び出されませんので直接起動する必要があります。zfsファイルシステムにはfsckにあたるプログラムはありません。

もっとやってみよう

電源が切れたなど正常にアンマウントされなかった場合，ファイルシステムにfsckを行ってからでないとマウントできない場合があります。その場合，スーパーユーザになってfsckコマンドを実行します。

```
# fsck /dev/sdb1⏎
fsck from util-linux 2.31.1
e2fsck 1.42.9 (24-Mar-2018)
/dev/sdb1: recovering journal
Pass 1: Checking iノードs, blocks, and sizes
Pass 2: Checking ディレクトリ structure
Pass 3: Checking ディレクトリ connectivity
Pass 4: Checking reference counts
Pass 5: Checking グループ summary information
Free iノードs count wrong (524266, counted=524267).
修正<y>?⏎ ←── ⏎を入力して修復を実行します。yを入力したことになります。

/dev/sdb1: ***** ファイルシステムは変更されました *****
/dev/sdb1: 21/524288 files (0.0% non-contiguous), 70309/2096896
blocks
```

これで/dev/sdb1をマウントできるようになります。

上記の実行例では“recovering journal”という表示が出ています。これはジャーナリングという仕組みが有効であることを表しています。

書式

fsck［オプション］［デバイス］

パス：/usr/sbin/fsck

●主なオプション

-A	ファイル/etc/fstabに登録されているファイルシステムを，6番目のカラムに記載された順に検査します（0（ゼロ）が指定されている場合は検査しない）。
-R	-Aオプション実行時にルートファイルシステム（/）をスキップします。
-p	安全に修復できるエラーを自動で修復します。
-y	エラーを修復するかどうかの質問にすべてyと回答したものとします。
-t *type*	検査するファイルシステムの種類（p.330）を*type*に指定します。

●使用例

- ルートファイルシステム以外の/etc/fstabに記載されたファイルシステムを検査します。

```
# fsck -A -R
```

Column ●論理ボリュームマネージャ(Logical Volume Manager)

mountコマンドの実行結果を見ると，CentOSとFedoraでは，/dev/sda2のようなデバイスファイルで表されるハードディスク上のパーティションではなく，/dev/mapper/cl_rootというようなデバイスをマウントしています。

これは，ファイルシステムをハードディスクのパーティションに直接置かずに，パーティションを抽象化したものに置いているからです。これを論理ボリュームと呼びます。

論理ボリュームは，論理ボリュームマネージャ（LVM）という仕組みで管理されていて，ファイルシステムからはハードディスクのパーティションと同じように扱われます。

ハードディスクパーティションをマウントしている例：

```
$ mount ↵
/dev/sdb1 on /mnt type ext4 (rw)
```

論理ボリュームをマウントしている例：

```
$ mount ↵
/dev/mapper/cl-root on / type xfs (rw,relatime,seclabel,attr2,in
ode64,noquota)
```

論理ボリュームは，図のような構成をとって実際のディスク上に置かれています。

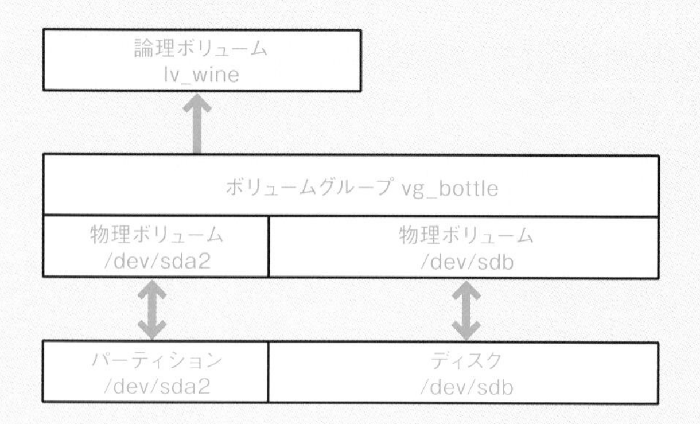

まず，ハードディスク全体，もしくはパーティションといった物理デバイスがあり，それに対して物理ボリュームが結びつけられています。その上に物理ボリュームを束ねるボリュームグループがあり，そこから論理ボリュームに容量を割り当てます。物理ボリュームはパーティションを小さな区画に分割して扱い，論理ボリュームへの割り当てを柔軟にできるようにします。

LVMに関わるコマンドは数が多くここでは説明しきれませんが，簡単な例として，先ほど図で示したパーティション/dev/sda2とディスク/dev/sdbを1つのボリュームグループに割り当てて，そこから論理ボリュームを1つ作成する例を示します。操作はすべてスーパーユーザ権限で行います。

```
# vgscan ↵
  Reading all physical volumes. This may take a while...

# pvcreate /dev/sda2 /dev/sdb ↵   ←物理ボリュームを作成します
  Physical volume "/dev/sda2" successfully created
  Physical volume "/dev/sdb" successfully created

# vgcreate vg_bottle /dev/sda2 /dev/sdb ↵   ←2つの物理ボリュームをまとめてvg_bottleという名称のボリュームグループを作成します
  Volume group "vg_bottle" successfully created

# lvcreate -n lv_wine -L 1g vg_bottle ↵
   ↑ボリュームグループvg_bottle内にlv_wineという名称の論理ボリュームを1ギガバイトのサイズで作成します
```

またvgdisplay，pvdisplay，lvdisplayコマンドでLVMの情報を表示できます。

ボリュームグループ，論理ボリュームの名称は，ファイル名と同等で自由につけられます。

Ubuntu，Debianではデフォルトのインストールではlvmを利用しませんが（インストールディスクの種類によっては選択できるものもあります），lvm2パッケージをインストールすれば利用できます。

USBデバイスの情報を調べる

lsusb

システムにどのようなUSBデバイスが接続されているか調べたい場合があります。lsusbコマンドを使うと，現在システムに接続されているUSBデバイスの情報が表示できます。

やってみよう

lsusbコマンドを実行してみましょう。

```
$ lsusb
Bus 001 Device 004: ID 13fe:4100 Kingston Technology Company Inc.
Bus 001 Device 001: ID 1d6b:0002 Linux Foundation 2.0 root hub
Bus 002 Device 002: ID 80ee:0021 VirtualBox USB Tablet
Bus 002 Device 001: ID 1d6b:0001 Linux Foundation 1.1 root hub
```

USBのバスが2つ認識されていて，それぞれのバスにデバイスが1つずつ接続されていることとデバイスの名称がわかります。

-tオプションをつけて実行すると，接続状態を示すツリー表示になります。

```
$ lsusb -t
/:  Bus 02.Port 1: Dev 1, Class=root_hub, Driver=ohci-pci/8p, 12M
    |__ Port 1: Dev 2, If 0, Class=Human Interface Device, Driver=
usbhid, 12M
/:  Bus 01.Port 1: Dev 1, Class=root_hub, Driver=ehci-pci/8p, 480M
    |__ Port 1: Dev 4, If 0, Class=Mass Storage, Driver=usb-storage
, 480M
```

書式

lsusb［オプション］

パス：/usr/bin/lsusb

●主なオプション

-v	USBデバイスの詳細な情報を表示します。スーパーユーザ権限が必要です。
-t	USBデバイスの階層構成をツリー状に表示します。

●使用例

- USBデバイスの情報を表示します。

```
$ lsusb
```

- USBデバイスの構成をツリー状に表示します。

```
$ lsusb -t
```

Column ●ファイルシステムのスナップショット

btrfsやzfsなどの高機能なファイルシステムには，スナップショットという機能があります。この機能を使うと，ファイルシステムは動かしたまま，ある時点のファイルを読み取り専用で保存できます。

スナップショットを利用すれば，例えば頻繁に読み書きされているファイルシステムでも，ファイルシステムを動作させたまま整合性を保ってバックアップを取ることが可能になります。

ほかにも定期的にスナップショットを取っておくことで，うっかりファイルを消してしまったりしても，過去の時点のスナップショットからかなり簡単にファイルを復活させることができます。ファイルシステムが壊れるとスナップショットにもアクセスできなくなるのでバックアップとしては不完全ですが，取ったり戻したりが容易な簡易バックアップとして便利に使えます。

btrfsやzfs関連のコマンドは多くの機能を持つためここでは説明しませんが，これらのファイルシステムを利用していたら，ぜひスナップショットを扱うコマンドを調べて使ってみてください。

第11章

★★★★★★★★★★★

パッケージのインストール

アプリケーションを追加・管理する（Ubuntu, Debian）

apt-get, apt-cache, dpkg

通常，Debian系LinuxであるUbuntuおよびDebianでは，deb形式のパッケージを使用します。非常に多機能で，インストール時にパッケージ間の依存関係やファイルの重複などをチェックしてくれます。debパッケージの管理には，dpkgコマンドおよびdpkgではじまるコマンド群ならびに，apt-getおよびaptではじまるコマンド群を使います。また，dpkgコマンドにはdselect，apt-getコマンドにはaptitudeという対話的にインストールを行うことができるプログラムも用意されています。さらに，Ubuntuソフトウェア（Debianではソフトウェア）というGUIアプリケーションもありますので，必要に応じて使い分けましょう。ここでは，apt-getコマンドによるインストール方法を中心に紹介します。

apt-getコマンドの設定

Debian系のLinuxでは，最低限のシステムをインストールした後は，ネットワークから最新のパッケージをインストールすることが推奨されています。deb形式のパッケージをインストールする際には，apt-getコマンドを使用します。

apt-getコマンドを利用するには，パッケージファイルが置かれている場所の情報をファイル/etc/apt/sources.listに記述します。このファイルを編集するには，スーパーユーザ権限が必要です。ファイルの記述形式は，次のようになります。

deb *URI distribution component* [*component* ...]

URI（Universal Resource Identifier）には，システム内のディレクトリ，WebサーバやFTPサーバ上のディレクトリを指定します。*distribution*はUbuntuのリリース名（コードネーム）で，Ubuntu 18.04 LTSであれば“bionic”，Ubuntu 19.10であれば“eoan”を指定します。*component*はパッケージの分類名で，main，restricted，universe，multiverseなどが指定できます。

日本国内のサイトの1つからパッケージファイルをインストールする場合の例を次に示します。

最近では，システムのインストールの段階で，サーバのリストから選択する項目があり，すでに登録されている可能性があります。その場合には，特に問題がなければそのままでよいでしょう。

設定ファイルが準備できたところで，apt-getコマンド自体の持つパッケージ情報を更新しておきます。スーパーユーザ権限で次のように実行します。

```
# apt-get update↵
ヒット:1 http://jp.archive.ubuntu.com/ubuntu bionic InRelease
ヒット:2 http://archive.ubuntulinux.jp/ubuntu bionic InRelease
    ：（略）
3,329 kB を 13秒 で取得しました (249 kB/s)
パッケージリストを読み込んでいます... 完了
```

パッケージ情報の確認

実際にパッケージをインストールする前に，パッケージに関する情報を知りたい場合には，apt-cacheコマンドを使用します。インストール可能なすべてのパッケージを表示するには，“dumpavail”をつけて実行します。出力が1画面で収まらない場合には，パイプを用いてlessコマンドなどと組み合わせて実行するとよいでしょう。

```
$ apt-cache dumpavail↵
Package: accountsservice
Architecture: amd64
Version: 0.6.45-1ubuntu1
Priority: standard
Section: gnome
Origin: Ubuntu
Maintainer: Ubuntu Developers <ubuntu-devel-discuss@lists.ubuntu.com>
Original-Maintainer: Debian freedesktop.org maintainers <pkg-freede
sktop-maintainers@lists.alioth.debian.org>
Bugs: https://bugs.launchpad.net/ubuntu/+filebug
    ：（略）
```

特定のパッケージが存在するか調べたい場合には，“search”を使います。試しに，vimのパッケージが存在するか調べてみましょう。

```
$ apt-cache search vim↵
exuberant-ctags - ソースコード定義のタグファイルインデックスを作成
tmux - 端末マルチプレクサ
vim - Vi IMproved - 強化版 vi エディタ
vim-common - Vi IMproved - Common files
vim-doc - Vi IMproved - HTML ドキュメント
vim-gtk3 - Vi IMproved - enhanced vi editor - with GTK3 GUI
vim-gui-common - Vi IMproved - Common GUI files
vim-runtime - Vi IMproved - Runtime files
vim-tiny - Vi IMproved - enhanced vi editor - compact version
vim-gnome - Vi IMproved - enhanced vi editor (dummy package)
cernlib-base - CERNLIB data analysis suite - common files
    ：(略)
```

個々のパッケージの情報を調べたい場合には，“show”を使用します。

```
$ apt-cache show vim↵
Package: vim
Architecture: amd64
Version: 2:8.0.1453-1ubuntu1.1
Priority: optional
Section: editors
Origin: Ubuntu
Maintainer: Ubuntu Developers <ubuntu-devel-discuss@lists.ubuntu.
com>
Original-Maintainer: Debian Vim Maintainers <pkg-vim-maintainers@
lists.alioth.debian.org>
Bugs: https://bugs.launchpad.net/ubuntu/+filebug
Installed-Size: 2785
Provides: editor
Depends: vim-common (= 2:8.0.1453-1ubuntu1.1), vim-runtime (= 2:8.0
.1453-1ubuntu1.1), libacl1 (>= 2.2.51-8), libc6 (>= 2.15), libgpm2
(>= 1.20.7), libpython3.6 (>= 3.6.5), libselinux1 (>= 1.32), libtin
fo5 (>= 6)
    ：(略)
```

ほかにも，パッケージの依存関係なども調べることが可能です。

パッケージのインストールとアップグレード

それでは，実際にパッケージをインストールしてみましょう。スーパーユーザ権限でapt-getコマンドを実行するだけです。

```
# apt-get install vim⏎
パッケージリストを読み込んでいます... 完了
依存関係ツリーを作成しています
状態情報を読み取っています... 完了
以下の追加パッケージがインストールされます:
  vim-runtime
提案パッケージ:
  ctags vim-doc vim-scripts
以下のパッケージが新たにインストールされます:
  vim vim-runtime
    ：(略)
この操作後に追加で 32.0 MB のディスク容量が消費されます。
続行しますか? [Y/n] Y⏎  ←── インストールするには“Y”を入力します
    ：(略)
```

また，インストール済みのパッケージをすべてアップグレードしたい場合には，“upgrade”をつけて実行します。

```
# apt-get upgrade⏎
パッケージリストを読み込んでいます... 完了
依存関係ツリーを作成しています
状態情報を読み取っています... 完了
アップグレードパッケージを検出しています ... 完了
  bind9-host bluez bluez-cups bluez-obexd dnsutils file-roller gdb
  gdbserver gir1.2-mutter-2 gir1.2-nm-1.0 gir1.2-nma-1.0 initramfs-tools
    ：(略)
アップグレード: 37 個、新規インストール: 0 個、削除: 0 個、保留: 0 個。
359MB → 12.1 MB 中 10.7 MB のアーカイブを取得する必要があります。
この操作後に追加で 3,230 kB のディスク容量が消費されます。
続行しますか? [Y/n] Y⏎  ←── アップグレードするには“Y”を入力します。
```

インストール済みパッケージに含まれるファイルの確認

インストール済みパッケージに含まれるファイルを確認したい場合には，dpkgコマンドに-Lオプションをつけて引数にパッケージ名を指定して実行します。

試しに，先ほどインストールしたvimのファイルを確認してみましょう。

```
$ dpkg -L vim ↵
/usr
/usr/bin
/usr/bin/vim.basic
/usr/share
/usr/share/bug
/usr/share/bug/vim
/usr/share/bug/vim/presubj
/usr/share/bug/vim/script
/usr/share/doc
    ：(略)
```

インストール済みパッケージの確認

すでにインストールされているパッケージを確認したい場合には，dpkgコマンドに-lオプションをつけて実行します。この場合も，lessコマンドなどと組み合わせて実行するとよいでしょう。

```
$ dpkg -l ↵
    ：(略)
||/ 名前               バージョン            アーキテクチ 説明
+++-================-==================-============-========================
ii  accountsservice  0.6.45-1ubuntu1    amd64        query and manipulate use
r account information
ii  acl              2.2.52-3build1     amd64        Access control list util
ities
ii  acpi-support     0.142              amd64        scripts for handling man
y ACPI events
ii  acpid            1:2.0.28-1ubuntu1  amd64        Advanced Configuration a
nd Power Interface event daemon
    ：(略)
```

書式

apt-get［オプション］［内部コマンド］

パス：/usr/bin/apt-get

主なオプション

-d	ファイルのダウンロードのみで，インストールは行いません。
-S	実行はせず，動作の確認を行います。

主な内部コマンド

update	パッケージの情報を更新します。
install *package_name*	パッケージ*package_name*をインストールします。
remove *package_name*	パッケージ*package_name*を削除します。--purgeオプションを先に指定すると，設定ファイルも削除します。
upgrade	現在インストールされているパッケージの中で，updateで更新したパッケージ情報よりも古いものがあれば，すべてアップグレードします。

使用例

- パッケージの情報を更新します（スーパーユーザのみ実行可能）。

```
# apt-get update
```

- パッケージpackage_nameをインストールします（スーパーユーザのみ実行可能）。

```
# apt-get install package_name
```

- パッケージ package_name を削除します（スーパーユーザのみ実行可能）。

```
# apt-get remove package_name
```

- インストール済みパッケージを最新のものにアップグレードします（スーパーユーザのみ実行可能）。

```
# apt-get upgrade
```

- パッケージpackage_nameを設定ファイルも含めて削除します（スーパーユーザのみ実行可能）。

```
# apt-get --purge remove package_name
```

書式

apt-cache [内部コマンド]

パス：/usr/bin/apt-cache

●主な内部コマンド

search *pattern*	正規表現*pattern*に当てはまるパッケージを検索して表示します。
dumpavail	インストール可能なすべてのパッケージを表示します。
show *package_name*	パッケージ*package_name*に関する情報を表示します。

●使用例

- 正規表現patternに当てはまるパッケージを表示します。

```
$ apt-cache search pattern
```

- インストール可能なパッケージを表示します。

```
$ apt-cache dumpavail
```

- パッケージpackage_nameの情報を表示します。

```
$ apt-cache show package_name
```

書式

dpkg［オプション］

パス：/usr/bin/dpkg

●主なオプション

-i *package_file*	パッケージファイル*package_file*をインストールします。
-r *package_name*	パッケージ*package_name*の設定ファイル以外をすべて削除します。
--purge *package_name*	パッケージ*package_name*をすべて削除します。
-l ［*pattern*］	正規表現*pattern*に合ったインストール済みパッケージを表示します。パターンを指定しなかった場合には，すべてのインストール済みパッケージを表示します。
-L *package_name*	すでにインストールされているパッケージに含まれるファイルを表示します。
-s *package_name*	パッケージの情報を表示します。
-S *pattern*	正規表現*pattern*に合ったファイルを含む，インストール済みパッケージを表示します。

●使用例

- パッケージファイルpackage_file.debをインストールします（スーパーユーザのみ実行可能）。

```
# dpkg -i package_file.deb
```

- パッケージpackage_nameを削除します（スーパーユーザのみ実行可能）。

```
# dpkg -r package_name
```

- インストール済みパッケージをすべて表示します。

```
$ dpkg -l
```

- インストール済みパッケージpackage_nameに含まれるファイルを表示します。

```
$ dpkg -L package_name
```

アプリケーションを追加・確認する（CentOS, Fedora）

dnf, rpm

RedHat系LinuxであるCentOSおよびFedoraでは，RPM形式のパッケージを使用します。非常に多機能で，インストール時にパッケージ間の依存関係やファイルの重複などをチェックしてくれます。

また，パッケージのアップデートも簡単にできます。パーケージ情報の確認やインストールにはdnfコマンド[†1]を使用します。パッケージが手元にある場合にはrpmコマンドでインストールもできますが，ここでは詳しく解説しません。rpmコマンドに関しては情報の確認について解説します。

パッケージのインストールや削除にはスーパーユーザ権限が必要になります。

さらに，「ソフトウェア」(gnome-softwareコマンド）と呼ばれるGUIアプリケーションも用意されています。必要に応じて使い分けましょう。

有効化されたリポジトリの確認

dnfコマンドではリポジトリの情報を入手し，rpmパッケージの管理をしています。リポジトリとはrpmパッケージをまとめて置いてある場所のことです。dnfコマンドは，rpmパッケージの入手先やアップデートの有無についてなどをリポジトリから読み取ります。リポジトリはインターネット上にたくさんあります。まずは，OSをインストールした時点で使用できるリポジトリのリストを表示してみましょう。

```
$ dnf repolist ↵
メタデータの期限切れの最終確認: 0:46:51 時間前の 2019年11月14日 14時45分20秒 に実施しました。
repo id             repo の名前                   状態
AppStream           CentOS-8 - AppStream          5,089
BaseOS              CentOS-8 - Base               2,843
extras              CentOS-8 - Extras                 3
```

これらは主要なパッケージのリポジトリです。OSのインストール時から使用できるように有効化されています。内部コマンドrepolistにオプションallをつけて実行すると，登録されているリポジトリの一覧を取得することができます。

---

†1：dnfコマンドはyumコマンドの後継です。

```
$ dnf repolist all↵
    ：(略)
BaseOS             CentOS-8 - Base               有効化: 2,843
BaseOS-source      CentOS-8 - BaseOS Sources     無効化
PowerTools         CentOS-8 - PowerTools         無効化
    ：(略)
```

主要なリポジトリ以外にも多くのリポジトリが登録されていて，それらは無効化されていることがわかります。dnfコマンドでは特別なオプションをつけない限り，有効化されているリポジトリを利用します。

リポジトリの有効化・無効化

リポジトリの有効化・無効化は，内部コマンドconfig-managerに--set-enabled，--set-disabledオプションをつけて実行することで切り替えることができます。試しに，リポジトリPowerToolsを有効化・無効化してみましょう。内部コマンドconfig-managerを実行するときにはスーパーユーザに変身します。

```
# dnf config-manager --set-enabled PowerTools↵
# dnf repolist all↵
    ：(略)
PowerTools        CentOS-8 - PowerTools          有効化: 1,507
    ：(略)
# dnf config-manager --set-disabled PowerTools↵
# dnf repolist all↵
    ：(略)
PowerTools        CentOS-8 - PowerTools          無効化
    ：(略)
```

リポジトリの追加登録

登録されているリポジトリには含まれていないrpmパッケージをインストールしたいこともあります。その場合は，使いたいパッケージを含んだリポジトリを登録します。内部コマンドconfig-managerと--add-repoオプションでできます。試しに，docker-ceのリポジトリを登録してみましょう。

```
# dnf config-manager --add-repo=https://download.docker.com/linux/
centos/docker-ce.repo ↵
repo の追加: https://download.docker.com/linux/centos/docker-ce.repo
# dnf repolist ↵
    ⋮(略)
repo id          repo の名前                 状態
AppStream        CentOS-8 - AppStream        5,089
BaseOS           CentOS-8 - Base             2,843
docker-ce-stable Docker CE Stable - x86_64      57 ←docker-ce-stable
extras           CentOS-8 - Extras               3   が追加された
```

このようにdocker-ce-stableが有効化されたリポジトリとして登録されています。CentOS 8ではdockerは主要なリポジトリには含まれていませんが，この作業だけでインストールが簡単になります。リポジトリのURLはパッケージの開発元で公開されていることが多いです。

プログラムの機能が向上したり，不具合が修正されたりすると開発者によってリポジトリのパッケージが更新されます。まずはじめにインストールされているパッケージを最新版に更新しましょう。はじめて更新する場合には少し時間がかかるかもしれません。

```
# dnf update ↵
    ⋮(略)
Upgrading:
 firefox               x86_64  68.2.0-2.el8_0              AppStream    95 M
 dracut                x86_64  049-10.git20190115.el8_0.1  BaseOS      361 k
 dracut-config-rescue  x86_64  049-10.git20190115.el8_0.1  BaseOS       51 k
 dracut-network        x86_64  049-10.git20190115.el8_0.1  BaseOS       96 k
 dracut-squash         x86_64  049-10.git20190115.el8_0.1  BaseOS       52 k
    ⋮(略)
これでよろしいですか? [y/N]:  y ↵  ←── "y" を入力すると更新を続行します
    ⋮(略)
完了しました!
```

これでインストールされているパッケージがすべて最新版に更新されます。

dnfコマンドによるパッケージ情報の確認

dnfコマンドは，ディレクトリ/etc/yum.repos.d以下のファイルに記述されているリポジトリサーバにアクセスし，パッケージに関する情報を取得します。現時点でインストール可能なパッケージを調べるには，dnfコマンドに内部コマンドlistをつけて実行します。

```
$ dnf list
メタデータの期限切れの最終確認: 0:06:02 時間前の 2019年11月14日 15時05分40秒 に実施しました。
インストール済みパッケージ
GConf2.x86_64                3.2.6-22.el8      @AppStream
ModemManager.x86_64          1.8.0-1.el8       @anaconda
ModemManager-glib.x86_64     1.8.0-1.el8       @anaconda
      ：(略)
```

この結果から，実際にインストールしたいプログラムが存在するかどうか調べることができます。通常は1画面では表示しきれないので，lessコマンドなどを使って確認します。

まだシステム上にインストールされていないが，インストール可能なパッケージのみを表示するには，内部コマンドlistに“--available”をつけて実行します。

```
$ dnf list --available
メタデータの期限切れの最終確認: 0:00:05 時間前の 2019年11月14日 17時07分02秒 に実施しました。
利用可能なパッケージ
CUnit.i686                   2.1.3-17.el8      AppStream
CUnit.x86_64                 2.1.3-17.el8      AppStream
GConf2.i686                  3.2.6-22.el8      AppStream
      ：(略)
```

それ以外にも，インストール済みパッケージのみを表示したい場合には“--installed”，アップデート可能なパッケージのみを表示したい場合には“--updates”などをつけて実行することにより，情報を絞り込むことができます。パッケージ名がわかっている場合はgrepコマンド（p.142）と組み合わせて使用するとさらに絞り込めます。

また，特定のパッケージの詳細な情報を表示したい場合には，内部コマンドinfoを使用します。例として，thunderbirdの情報を見てみましょう。

```
$ dnf info thunderbird ⏎
メタデータの期限切れの最終確認: 0:13:27 時間前の 2019年11月14日 17時07分02秒 に実施しました。
利用可能なパッケージ
名前          : thunderbird
バージョン    : 68.2.0
リリース      : 1.el8_0
アーキテクチャ : x86_64
サイズ        : 86 M
ソース        : thunderbird-68.2.0-1.el8_0.src.rpm
Repo          : AppStream
概要          : Mozilla Thunderbird mail/newsgroup client
URL           : http://www.mozilla.org/projects/thunderbird/
ライセンス    : MPLv1.1 or GPLv2+ or LGPLv2+
説明          : Mozilla Thunderbird is a standalone mail and newsgroup client.
```

このようにパッケージの詳細が確認できます。

dnfコマンドによるバイナリパッケージのインストール

パッケージのインストールを行う場合には，dnfコマンドに内部コマンドinstallをつけて実行します。

```
# dnf install thunderbird ⏎
メタデータの期限切れの最終確認: 1:08:11 時間前の 2019年11月14日 16時15分22秒 に実施しました。
依存関係が解決しました。
    ：(略)
Installing:
 thunderbird    x86_64    68.2.0-1.el8_0    AppStream    86 M
    ：(略)
これでよろしいですか? [y/N]: y ⏎  ←―― "y" を入力するとインストールします
    ：(略)
インストール済み:
  thunderbird-68.2.0-1.el8_0.x86_64
完了しました!
```

dnfコマンドはインストール時に依存関係を調べ，必要なパッケージを同時にインストールすることがあります。

リポジトリの一時的な有効化によるパッケージのインストール

無効化されているリポジトリを一時的に有効化してパッケージをインストールすることもできます。dnfコマンドに--enablerepoオプションをつけて実行します。たとえば，リポジトリPowerToolsのxorg-x11-appsをインストールするには次のように実行します。

```
# dnf  --enablerepo=PowerTools install xorg-x11-apps ⏎
    ：（略）
Installing:
 xorg-x11-apps          x86_64  7.7-21.el8      PowerTools  334 k
依存関係をインストール中：
 libXaw                 x86_64  1.0.13-10.el8   AppStream   194 k
 xorg-x11-fonts-misc    noarch  7.5-19.el8      AppStream   5.8 M
 xorg-x11-xbitmaps      noarch  1.1.1-13.el8    AppStream    42 k

トランザクションの概要
=================================================================
インストール  4 パッケージ

ダウンロードサイズの合計： 6.3 M
インストール済みのサイズ： 8.5 M
これでよろしいですか？ [y/N]: y ⏎  ←── "y" を入力するとインストールします
    ：（略）
```

--enablerepoオプションを使うことでリポジトリを一時的に有効化してインストールできます。--enablerepoオプションは内部コマンドlistや内部コマンドinfoと組み合わせて使うこともできます。

rpmコマンドによるインストール済みパッケージの確認

たくさんのパッケージを次々にインストールしていくと，どんなパッケージがインストールされているのかがわからなくなってしまいます。そのような場合には，rpmコマンドに-qaオプションを使うことで，インストール済みパッケージの情報を確認することができます。

```
$ rpm -qa⏎
numad-0.5-26.20150602git.el8.x86_64
iso-codes-3.79-2.el8.noarch
initial-setup-0.3.62.1-1.el8.x86_64
pulseaudio-libs-glib2-11.1-22.el8.x86_64
iwl7260-firmware-25.30.13.0-92.el8.1.noarch
liberation-fonts-common-2.00.3-4.el8.noarch
radvd-2.17-12.el8.x86_64
boost-program-options-1.66.0-6.el8.x86_64
xorg-x11-xinit-1.3.4-18.el8.x86_64
desktop-file-utils-0.23-8.el8.x86_64
iwl3945-firmware-15.32.2.9-92.el8.1.noarch
yelp-xsl-3.28.0-2.el8.noarch
openssh-clients-7.8p1-4.el8.x86_64
libdaemon-0.14-15.el8.x86_64
urw-base35-nimbus-roman-fonts-20170801-10.el8.noarch
    ⋮（略）
```

特定のパッケージがインストール済みかどうかを確認したい場合には，grepコマンドと組み合わせて使用するとよいでしょう。

インストール済みパッケージに含まれるファイルの一覧を表示したい場合には，rpmコマンドに-qlオプションを使います。

```
$ rpm -ql thunderbird⏎
/usr/bin/thunderbird
/usr/lib/.build-id
/usr/lib/.build-id/10
/usr/lib/.build-id/10/4680d42ef620218c856e88601faed5cfbb045e
/usr/lib/.build-id/15
/usr/lib/.build-id/15/2718be1adfdc4a5986eb3fbb0f805d7d83377f
/usr/lib/.build-id/1e
/usr/lib/.build-id/1e/88745d8b6c2dd3ccf5ae2b0cda6b2e5b2f2e36
/usr/lib/.build-id/2c
/usr/lib/.build-id/2c/ade79c894c6291a443609a0c01cfea5b2bc29b
    ⋮（略）
```

書式

dnf［オプション］［内部コマンド］［パッケージ名...］

パス：/usr/bin/dnf

●主なオプション

-y	質問に対してすべて"yes"と回答します。
-c *config*	設定ファイル*config*を指定します。ローカルファイルのほか，URLでの指定も可能です。
-v	詳細なメッセージを表示します。
-C	必要がない限り，キャッシュを利用します。
-x=*package*	パッケージ*package*のアップデートを行いません。
-enablerepo=*repository*	リポジトリ*repository*を一時的に有効化します。

●主な内部コマンド

install	パッケージをインストールします。
update	パッケージをアップデートします。パッケージ名を指定しなかった場合には，インストール可能なすべてのパッケージをアップデートします。
check-update	アップデート可能なパッケージをチェックします。
remove	パッケージを削除します。eraseでも同じです。
list [*list-option* ...]	パッケージに関する情報を表示します。
info [*list-option* ...]	パッケージに関する記述および概要を表示します。
・*list-option*の値	
package_name	指定したパッケージ*package_name*を表示します。
--all	インストール済みおよびインストール可能なパッケージを表示します。
--available	インストール可能なパッケージを表示します。
--installed	インストール済みパッケージを表示します。
--upgrades	アップデート可能なパッケージを表示します。
--extras	システムに設定済みのどのリポジトリからも入手はできないが，すでにインストールされているパッケージを表示します。
--obsoletes	インストール済みだが時代遅れのパッケージを表示します。
provides *feature* ...	指定した特徴もしくはファイル*feature*を提供するパッケージを検索します。

`clean` *arg*	キャッシュ*arg*をクリーンアップします。キャッシュとして指定できる値には，`packages`，`headers`，`metadata`，`cache`，`dbcache`，`all`があります。
`search` *string* ...	文字列*string*を，パッケージ名やパッケージの記述，概要のいずれかに含むパッケージを列挙します。
`config-manager` *config-option*	リポジトリの設定をします。
・*config-option*の値	
`--set-enabled` *repo_id*	リポジトリ*repo_id*を有効化します。
`--set-disabled` *repo_id*	リポジトリ*repo_id*を無効化します。
`--add-repo=`*repo_url*	リポジトリ*repo_url*を追加します。

●パッケージ名

インストール，削除，情報の表示などを行いたいパッケージ名を指定します。パッケージ名は，名前*name*，アーキテクチャ*arch*，バージョン*ver*，リリース*rel*などから構成され，*name*，*name*.*arch*，*name*-*ver*，*name*-*ver*-*rel*のように指定します。

●使用例

- インストール済みパッケージを最新のものに更新します（スーパーユーザのみ実行可能）。

```
# dnf update
```

- パッケージzshをインストールします（スーパーユーザのみ実行可能）。

```
# dnf install zsh
```

- インストール可能なパッケージを表示します。

```
$ dnf list --available
```

- パッケージzsh.x86_64に関する情報を表示します。

```
$ dnf info zsh.x86_64
```

- パッケージnkfを削除します。

```
# dnf remove nkf
```

書式

rpm［オプション］

パス：/bin/rpm

●主なオプション

`-q` ［*query-option*］	パッケージに関する情報を表示します。
・*query-option*の値	
package_name	パッケージ*package_name*に関する情報を表示します。
`-p` *package_file*	パッケージファイル*package_file*に関する情報を表示します。
`-f` *file*	ファイル*file*が属するパッケージに関する情報を表示します。
`-i`	パッケージに関する情報を表示します。
`-l`	パッケージに含まれるファイルを表示します。
`-a`	インストール済みパッケージをすべて表示します。
`-e` *package_name*...	パッケージ*package_name*を削除します。
`-v`	より詳しい情報を表示します。
`-i` ［*install-option*］ *package_file*...	パッケージファイルをインストールします。
`-U` ［*install-option*］ *package_name*...	パッケージをアップグレードします。
・*install-option*の値	
`-h`	50個のアスタリスクで，インストールの進行状況を表示します。
`--percent`	インストールの進行状況をパーセンテージで表示します。
`--test`	実際にはインストールせずに，衝突してしまう可能性のあるファイルを，チェックして表示します。
`--oldpackage`	古いパッケージは，新しいパッケージに置き換えます。
`--replacefiles`	ほかのパッケージのファイルも置き換えます。
`--replacepkgs`	インストール済みパッケージを置き換えます。
`--force`	`--replacepkgs`，`--replacefiles`，`--oldpackage`を併用します。

●使用例

・インストール済みのパッケージを表示します。

```
$ rpm -qa
```

・パッケージファイルpackage_file.rpmに含まれるファイルを表示します。

```
$ rpm -qlp package_file.rpm
```

・パッケージファイルpackage_file.rpmに関する情報を表示します。

```
$ rpm -qip package_file.rpm
```

・ファイルfileが属するパッケージに関する情報を表示します。

```
$ rpm -qif file
```

・パッケージファイルpackage_file.rpmをインストールします（スーパーユーザのみ実行可能）。

```
# rpm -ihv package_file.rpm
```

Column ●パッケージ化されていないソフトウェアのインストール

パッケージからのインストールを紹介しましたが，その大元は**ソースコード**の形で配布されています。ソースコードとは人間がわかりやすい**プログラミング言語**でコンピュータへの命令を記述したファイルです。ここでは，ソースコードからプログラムを実行できるようにするまでの流れを例を交えて説明します。

ソースコードは付属文書などとひとまとめにして配布されています。クラウドのリポジトリに公開されているものや，tar形式でまとめたファイルをgzip形式やbzip2形式で圧縮したものが多いです。例として，架空のリポジトリsample_repo_xyzから関連ファイルを入手するコマンドを示します。

```
$ git clone http://cask.example.jp/sample_repo_xyz
```

gitコマンドはソースコードなどのバージョン管理のツールです。この例では，インターネットにあるリポジトリの複製（clone）を作っており，リポジトリに含まれるすべてのファイルがダウンロードされます。また，gitコマンドを使うと，GitHubやGitLabなどのリポジトリサーバからファイルを入手することもできます。

通常，入手したファイル一式のなかにはプログラムのインストール方法を書いたファイルがあります。たとえばINSTALLやREADMEという名前のテキスト，md形式，html形式，pdf形式のファイルであることが多いです。このようなファイルの指示に従ってソフトをインストールします。

プログラムを実行するときには，ソースコードはコンピュータがわかりやすい形に変換される必要があります。変換方法の違いにより，プログラムのソースコードは**インタープリタ型言語**で書かれたものと**コンパイラ型言語**で書かれたものに分類できます。インタープリタ型言語で書かれたソースコードでは，コマンドの実行時に変換がなされます。つまり，入手したものをそのまま実行ファイルとして使うことができます。インタープリタ型言語にはPython，Ruby，Perlなどがあり，第7章で説明したシェルスクリプトもインタープリタ型言語の一例です。一方，コンパイラ型言語にはC，C++，Javaなどがあります。これらの言語で書かれたソースコードはコマンド実行前に**ビルド**をして，実行ファイルを作ります。

ここでは，よくあるビルドの例としてconfigureコマンドとmakeコマンドを使った方法を紹介します。まず，ソースコード入手時にできたディレクトリ（この例ではuseful_program）に移り，ソフトをインストールするための事前準備をします。

```
$ cd ./useful_program
$ ./congfigure
```

configureコマンドはシェルスクリプトです。インストールの際にユーザ側で事前準備が必要なファイルの有無をチェックしたりします。必要なファイルがシステムにインストールされているかどうかはdpkgコマンドやrpmコマンドで確認しましょう。次に，makeコマンドでソースコードから実行ファイルを生成します。

```
$ make ↵
```

makeコマンドでは実行ファイルを生成するためにさまざまな処理が行われます。たとえば，ソースコードをコンピュータがわかりやすい形のファイルに変換する**コンパイル**を行います。また，ソースコードが複数ある場合には，コンパイルの結果として複数のファイルができることがありますし，ほとんどのプログラミング言語にはあらかじめ汎用性の高い処理をまとめたファイル，**ライブラリ**があります。複数のコンパイルの結果やライブラリを結びつける**リンク**もmakeコマンドの実行過程で行われます。このようにして最終的な実行ファイルが作成できます。ビルドの過程でエラーが出たときには，事前準備がきちんとできているか付属文書を参考に確認して直しましょう。エラーが表示されなければビルドが完了しています。

最後に**インストール**をして，実行ファイルをパスが通っている場所に移しましょう。この作業も付属文書の指示に従って行いましょう。ここでは例としてmakeコマンドでインストールする方法を示します。このような場合のインストール先はディレクトリ/usr/localの下にすることが多いです。一般ユーザではディレクトリ/usr/localに書き込みができないことがあるのでスーパーユーザに変身してから作業しましょう。

```
# make install ↵
```

ソースコードからのインストール方法はここで紹介した以外の場合もありますが，ソースコードの入手と展開，ビルド，インストールといった大きな流れは似ています。使ってみたいソフトウェアがパッケージとして配布されていないとき，パッケージになっているものよりも新しいバージョンを使いたいときには挑戦してみましょう。

また，コマンドを使って自分でソースコードからパッケージを作成することもできます。たとえば，rpmパッケージを作成するにはrpmbuildコマンドなどを，debパッケージを作成するにはdebuildコマンドなどを使います。

エディタ emacs, vi ／ブートローダ

テキストファイルを編集する

emacs

Linux上で文章（テキストファイル）を書くためのアプリケーションとして，よく使われているエディタのひとつがemacs[†1]です。

やってみよう

それでは，emacsを実際に使ってみましょう。

```
$ emacs & ↵
```

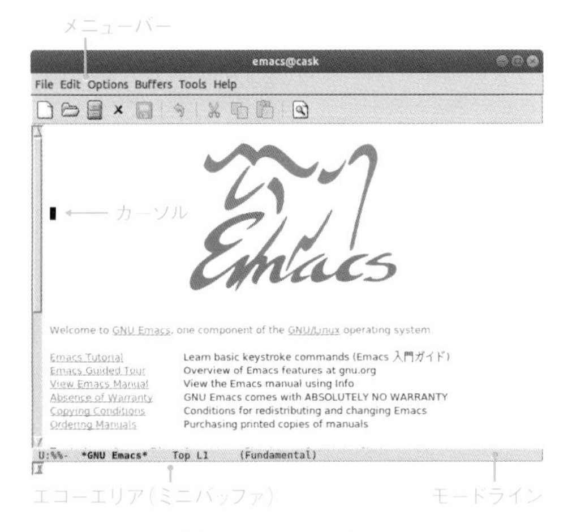

図A-1　emacsのウィンドウ

emacsが起動したら編集するファイル名を指定します。Ctrl + x Ctrl + f と続けて入力してください。すると，ウィンドウの一番下のエコーエリアに“find file:~/”のようにカレントディレクトリをベースにファイル名の入力をうながすメッセージが表示されます。ここでたとえば“memo1.txt”のようにファイル名を入力すると，その名前のファイルが開かれます。ファイルが存在しないときは，そのファイル名で新規作成になります。

次に，適当に文字を入力してみてください。入力した内容を保存するには

†1：emacsが使えない場合は，第11章を参照してインストールしてください。

Ctrl + x Ctrl + s と続けて入力します。

emacsを終了するには，Ctrl + x Ctrl + c と続けて入力します。

もっとやってみよう

文章を書いていると，頻繁にカーソルの移動を行います。もちろん，emacsのカーソル移動はマウスや矢印キーでも可能ですが，すべての操作をキーボード上で行うこともできます（図A-2)。前，後ろ，上，下にカーソルを移動するには，それぞれ Ctrl + f，Ctrl + b，Ctrl + p，Ctrl + n を使います。ファイルの先頭に移動するには Esc < （または Alt + <），ファイルの末尾に移動するには Esc > （または Alt + >）と入力してください。また，任意の行へも移動できます。Esc x goto-line ↵ と入力してみてください。ミニバッファに行番号の入力をうながすメッセージが表示されます。

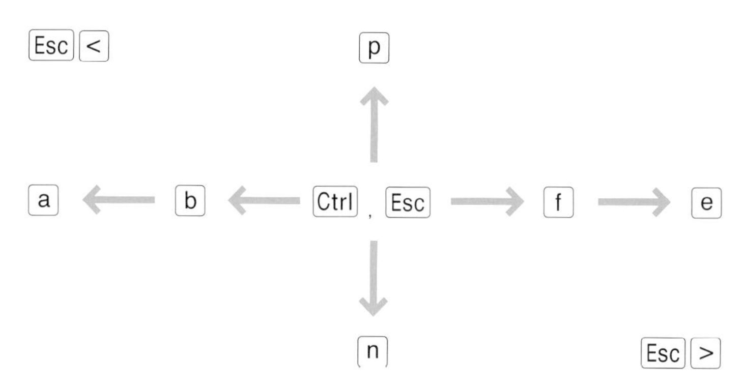

図A-2　カーソル移動

入力ミスなどで，そのコマンドの実行を中断する場合は，Ctrl + g を使います。また，Ctrl + x u で前に行った操作を取り消す（undo）ことができます。このとき，Ctrl + x u を繰り返し入力すると，入力した分だけ前にさかのぼって操作を取り消すことができます（無限undo)。上記の説明でもわかるように，emacsでは，エディタに対するコマンドのほとんどが Ctrl + **文字**や Esc **文字**（Alt + **文字**）というキー操作になっています。

emacsは非常に多機能です。本書では基本的な機能の一部しか紹介していませんが，ほかにもemacsから電子メールを読み書きしたり，emacs lispと呼ばれるプログラミング言語を用いて非常に柔軟なカスタマイズが行えます。emacsの基本操作に慣れたら，ぜひこれらの機能にも挑戦してみてください。

Column ●バッファの活用

emacsを使いこなすうえで重要となる概念の1つに，**バッファ**があります。たとえば，emacsでファイルを開いたとしましょう。その場合，開いたファイルの内容は，コンピュータのメモリ上のバッファと呼ばれる領域にキャッシュ（貯蔵）されます。そして，文章の追加や削除，修正などといったemacs上で行う操作は，すべてバッファ内のデータに対して行われるのであり，直接ファイルに対して行われるわけではないのです。したがって，emacsを使ってファイルの内容（バッファ内のデータ）を変更した場合，その変更をファイルそのものに反映させるために，Ctrl＋x Ctrl＋sなどのファイルを保存するコマンドを実行する必要があります。逆に，その変更を中断したいならば，変更をバッファだけにとどめておき，ファイルに反映させなければよいのです。

また，カットやコピーを行ったリージョンの内容は，**キルリングバッファ**（kill-ring buffer）と呼ばれる一時的なバッファに取り込まれます。実際に，ペーストの作業ではこのキルリングバッファのデータが参照されています。

emacsは複数のバッファを扱う**マルチバッファ機能**を持ちます。そのため，複数のファイルを扱いたい場合は，ウィンドウに表示されるバッファの名前を指定してバッファを切り替えて作業します。なお，バッファの名前はファイルと同じ名前で，モードラインに表示されます。また，複数のバッファを同時に参照するために，emacsにはウィンドウを分割して表示する機能などがあります。詳しくは，p.377を参照してください。

書式

emacs［オプション］［ファイル名］

パス：/usr/bin/emacs

●主なオプション

-nw	emacsの起動時に-nwオプションを指定すると，通常現れるようなemacs独自のウィンドウは生成されずに，起動した端末上にemacsが立ち上がります。リモートログインしている場合，画面が狭くて見づらいような場合や，ちょっとだけファイルを編集するような場合は，このような方法で起動すると便利です。

●ファイル名とコマンドの補完

emacsには，エコーエリア内でコマンドやファイル名を途中まで入力すると，残りの部分を補ってくれる**入力補完機能**があります。入力補完機能を使うには，コマンドやファイル名を入力する途中でTabを押します。補完の候補が一意に定まれば補完は完了し，該当するコマンドまたはファイルがいくつかある場合は，共通する部分までを補完します。その場合は，引き続きコマンドまたはファイル名を入力してからTabを押すと，同じように補完が繰り返されます。Tabを続けて押すと，補完の候補のリストが表示されます。

●ファイル操作

ファイルの保存はCtrl + x Ctrl + sで，ファイルを開くにはCtrl + x Ctrl + fで行います。ファイル操作に関するコマンドはp.375の表を参照してください。

●文字列検索

文字列の検索には次のようなコマンドを使います。emacsの文字列検索は，検索文字列の文字を1文字入力するたびにマッチする場所へカーソルが移動する**インクリメンタルサーチ**を行います。現在位置からファイルの末尾へ向けて（前方）検索するにはCtrl + s，現在位置からファイルの先頭へ向けて（後方）検索するにはCtrl + rを押して，続けて検索したい文字列を入力します。

検索文字列が小文字だけの場合は大文字と小文字を区別しませんが，検索文字列に大文字を混ぜると区別して検索します。また，同じ文字列の検索を続けるにはCtrl + sまたはCtrl + rを続けて入力します。

Ctrl + s ↵ または Ctrl + r ↵ と入力するとインクリメンタルではない検索になり，検索文字列を入力後 ↵ を押すとそれぞれ前方または後方で一番近くマッチした場所に移動します。また，日本語入力の種類によってはインクリメンタルでない検索をしなければならないことがあります。

文字列検索に関するコマンドはp.376の表を参照してください。

領域のカット，コピー，ペースト

emacsでは，Ctrl + Space または Ctrl + @ で**マーク**が設定できます（Ctrl + Space はデスクトップ環境で日本語変換に使われていることがあります）。マークの位置と現在のカーソル位置ではさまれた領域を**リージョン**と呼び，これもカットやコピーの対象となります。

カット，コピー，ペーストに関するコマンドはp.376の表を参照してください。

文字列の置換

カーソルよりも後ろの文字列を置換するには，まず Esc % を入力します。するとミニバッファが表示されるので，次のように置き換える前の文字列（string1）と置き換えた後の文字列（string2）を入力します。

```
Query replace: string1 ↵ with: string2 ↵
```

上記のコマンドを実行すると，emacsは，それぞれの該当箇所で置換を実行するかどうかを問い合わせてきます。

```
Query replacing string1 with string2: (? for help)
```

この問い合わせに対して，置換する場合は y （yes），キャンセルならば n （no）を押します。また，該当文字列を一括して変換する場合には，“!”（エクスクラメーション）を入力します。

文字列の置換に関するコマンドはp.376の表を参照してください。

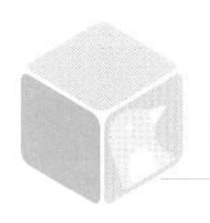

emacsの主なコマンド一覧

カーソルの移動に関するコマンド

キー	内容
Ctrl + b	カーソルを前の文字へ移動する
Ctrl + f	カーソルを次の文字へ移動する
Ctrl + p	カーソルを前の行へ移動する
Ctrl + n	カーソルを次の行へ移動する
Ctrl + a	カーソルを行頭に移動する
Ctrl + e	カーソルを行末に移動する
Esc b	カーソルを前の単語(文節)へ移動する
Esc f	カーソルを次の単語(文節)へ移動する
Esc a	カーソルを段落の先頭へ移動する
Esc e	カーソルを段落の末尾へ移動する
Ctrl + v	カーソルを1画面分次へ移動する
Esc v	カーソルを1画面分前へ移動する
Esc <	カーソルをファイルの先頭へ移動する
Esc >	カーソルをファイルの末尾へ移動する

ファイル操作に関するコマンド

キー	内容
Ctrl + x Ctrl + s	ファイルに保存する
Ctrl + x Ctrl + w	ファイルに名前をつけて保存する
Ctrl + x Ctrl + f	ファイルを開く
Ctrl + x i	ファイルを挿入する

文字列検索に関するコマンド

Ctrl + s	カーソル以降の前方検索(インクリメンタルサーチ)
Ctrl + r	カーソル以前の後方検索(インクリメンタルサーチ)
↵	検索の終了
Ctrl + s ↵	カーソル以降の前方検索(文字列を入力し終えてから検索)
Ctrl + r ↵	カーソル以前の後方検索(文字列を入力し終えてから検索)

文字列の置換に関するコマンド

Esc %	文字列の置換を対話的に行う。置換前の文字列と置換後の文字列を入力し，各該当文字列に対して置換を実行するかどうかをy(yes)またはn(no)で答える。一括して置換するには ！を入力する

カット，コピー，ペーストに関するコマンド

Ctrl + Space	マークの設定
Ctrl + w	リージョンの削除
Esc w	リージョンのコピー
Ctrl + k	カーソルから行末までをカット(削除)
Ctrl + y	直前にカットまたはコピーしたリージョンをペーストする
Esc y	繰り返し入力した分だけ，過去にカット，コピーしたリージョンにさかのぼってペーストする

操作に関するコマンド

Ctrl + _	操作の取り消し(undo)
Ctrl + g	コマンド操作のキャンセル
Ctrl + x Ctrl + c	emacsの終了

マルチバッファ，ウィンドウの操作に関するコマンド

Ctrl + x 2	ウィンドウを上下に分割する
Ctrl + x 3	ウィンドウを左右に分割する
Ctrl + x 0	分割されたウィンドウのうち，カーソルがあるほうを消す
Ctrl + x 1	分割されたウィンドウのうち，カーソルがないほうを消す
Ctrl + x o	分割されたウィンドウ間のカーソル移動
Ctrl + x b	表示するバッファを切り替える
Ctrl + x Ctrl + b	バッファの一覧を表示する
Ctrl + x k	バッファを消去する

キーボードマクロに関するコマンド

Ctrl + x (	マクロ定義の開始
Ctrl + x)	マクロ定義の終了
Ctrl + x e	最後に定義したマクロの実行

そのほかのemacsの操作に関するコマンド

Esc x `auto-fill-mode`	各行の文字数を自動的に設定する
Esc x `goto-line`	行番号で指定した行へ移動する

テキストファイルを編集する

vi, vim

viはUNIX系のOSで古くから使われているエディタです。テキスト入力モードとコマンドモードが分かれているという少しとっつきにくいものですが，OSに付属しており動作が軽かったこともあって多くの人が使ってきました。現在では，viといっても機能を大幅に拡張したvimが使われることが多くなっています。viにはいくつかの実装がありますが，ここではそれらのviに共通する操作やコマンドについて説明します。

やってみよう

viを実行するには，次のようにコマンドを入力します。

```
$ vi ↵
```

viには，**テキスト入力モード**と**コマンドモード**の2つのモードがあります。テキストの入力はテキスト入力モードで行い，カーソルの移動や文字列の削除，コピー&ペースト，検索，置換などのテキスト入力以外のすべての操作は，コマンドモードから実行します。

viを起動した時点でのモードは，コマンドモードになっています。テキストを入力するには，コマンドモードからテキスト入力モードに切り替えなければいけません。テキスト入力モードに切り替えるためのコマンドはいくつかありますが，ここでは例として[i]（insert）を入力してみてください。これで，テキストが入力できるようになります。なお，viの種類によっては日本語が入力できないものもあります。

コマンドモードに戻すには，[Esc]を押します。このように本来，[Esc]はテキスト入力モードからコマンドモードに切り替えるためのコマンドですが，コマンド入力の途中で[Esc]を押すと，そのコマンドの実行を中断することができます。また，現在のモードがわからなくなってしまったような場合などでも，[Esc]を入力して，一旦コマンドモードにしてから作業を継続します。

もっとやってみよう

コマンドモードで行う基本的な操作の例として，カーソルの移動を行ってみましょう。カーソルを移動するには，図A-3のようなコマンドを入力します。

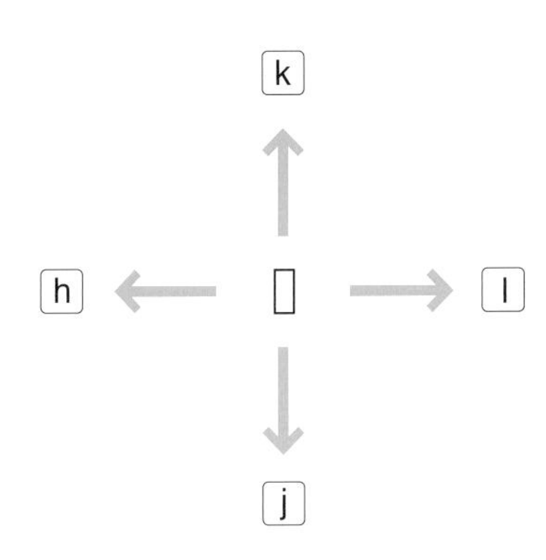

図A-3　カーソル移動

試してみるとよくわかりますが，図A-3の4つのコマンドはキーボード上に1列に割り当てられています。比較的簡単に覚えられるでしょう。また，vimではカーソルキーも使えます。

このほかの基本的な操作であるファイル操作関連のコマンドのほとんどは，[:]（コロン）からはじまります。ファイルの保存であれば，[:]を押した後に“w”を入力し[↵]を押します。詳しくはp.384の表を参照してください。また，viを終了するには，コマンドモードで[:]を押した後“q”と入力し[↵]を押します。

書式

vi ［ファイル］
vim ［ファイル］

パス：/usr/bin/vi [†2]，/usr/bin/vim [†3]

●テキスト入力モードへの切り替え

テキスト入力モードに切り替える方法は，6種類あります。[i]であればカーソル前からテキスト入力，[a]であればカーソルの次の位置からテキスト入力というように，コマンドによって入力開始位置が異なります。詳しくはp.383の表を参照してください。

●文字列検索

viで文字列の検索を行うには，コマンドモードで，表A-1のどちらかのコマンドを入力します。

■表A-1　文字列検索のためのコマンド

[/]	カーソル以降を検索する(前方検索)
[?]	カーソル以前を検索する(後方検索)

すると，viの画面の下部にそのコマンドが表示されるので，続けて検索したい文字列を入力します。引き続き同じ文字列の検索をする場合は，[n]を押します。

viの検索機能は大文字と小文字を区別します。

文字列の検索に関するコマンドはp.384の表を参照してください。

●カット，コピー，ペースト

たとえば，カーソルから行末までの文字列を移動したいときは，[D]を押してカーソル位置から行末までを削除して，カーソルを移動したあとに，[p]を押してペーストします[†4]。

細かく範囲を指定したカットやコピーもできます。[v]を押してから[j]や[l]などのカーソル移動コマンドで移動すると表示が反転します。そのまま[d]を押すと反転した部分がカットされます。コピーする場合は[v]**移動コマンド**[y]と入力します。

カット，コピー，ペーストに関するコマンドはp.383の表を参照してください。

---

†2：実際はより高機能なvimで，/usr/bin/viで起動するのは機能限定版です。

†3：高機能版のvimを使うためにはパッケージvimのインストールが必要な場合があります。

†4：emacsと同様に，viでの編集もバッファに対して行われます。カットやコピーした内容も一時的なバッファに取り込まれ，ペーストの際には，その内容が参照されます。

文字列の置換

ある領域を別の文字列に置換するには，置換のためのコマンドとカーソル移動コマンドを組み合わせて使います。特定の文字列を別の文字列に置き換えるには，[:]を押した後“%s/*string1*/*string2*/g”の書式で入力します。

“%s/*string1*/*string2*/c”のように，後ろにcをつけると対話的に置換することができます。“%s/*string1*/*string2*/gc”のように組み合わせて指定することもできます。cをつけてコマンドを実行すると，置換を実行するかどうか問い合わせてきます。置換するならば[y]（yes）を，キャンセルならば[n]（no）を押します。

文字列の置換に関するコマンドはp.384の表を参照してください。

viの主なコマンド一覧

カーソルの移動に関するコマンド

j	カーソルを次の行に移動する
k	カーソルを前の行に移動する
h	カーソルを前の文字に移動する
l	カーソルを次の文字に移動する
^	カーソルを行頭に移動する
$	カーソルを行末に移動する
e	カーソルを単語の末尾に移動する
E	e コマンドと同じ。ただし句読点は無視される
w	カーソルを次の単語の先頭に移動する
W	w コマンドと同じ。ただし句読点は無視される
b	カーソルを前の単語の先頭に移動する
B	b コマンドと同じ。ただし句読点は無視される
(	カーソルを前の文の先頭に移動する
)	カーソルを次の文の先頭に移動する
{	カーソルを前の段落の先頭に移動する
}	カーソルを次の段落の先頭に移動する
G	カーソルをファイルの末尾に移動する
n G	カーソルを*n*行目に移動する
%	カーソル位置にある括弧に対応する括弧へ移動する
H	カーソルを画面内の先頭行へ移動する
M	カーソルを画面内の中央行へ移動する
L	カーソルを画面内の最終行へ移動する
n H	カーソルを画面内の先頭行から*n*行目へ移動する
n L	カーソルを画面内の最終行から*n*行前の行へ移動する
Ctrl + d	前方へ1/2画面分スクロールする
Ctrl + u	後方へ1/2画面分スクロールする

Ctrl + b	前方へ1画面分スクロールする
Ctrl + f	後方へ1画面分スクロールする

テキスト入力モードへの切り替えに関するコマンド

i	カーソルの前の位置からテキストを入力する
a	カーソルの次の位置からテキストを入力する
I	行の先頭からテキストを入力する
A	行の末尾からテキストを入力する
o	カーソルと次の行の間にテキストを入力する
O	カーソルと前の行の間にテキストを入力する

コマンド入力モードへの切り替えに関するコマンド

Esc	コマンド入力モードへ切り替える

カット，コピー，ペーストに関するコマンド

x	カーソル位置にある1文字をカットする
X	カーソル位置の手前の1文字をカットする
n x	カーソル位置からn文字をカットする
n X	カーソル位置の手前のn文字をカットする
v **カーソル移動コマンド** d	カーソル位置からカーソル移動コマンドで指定した位置までをカットする
D	カーソルの位置から行末までカットする
d d	カーソルが位置する行をカットする
n d d	カーソルの位置からn行をカットする
v **カーソル移動コマンド** y	カーソル位置からカーソル移動コマンドで指定した位置までをコピーする
y y または Y	カーソルが位置する行をコピーする
n y y またはn Y	カーソルが位置する行からn行コピーする
p	コピー，またはカットした内容をカーソルの次の行(後ろ)にペーストする

P	コピー，またはカットした内容をカーソルの前の行(手前)にペーストする
" *n* p	*n*回前にコピー，またはカットした内容をカーソルの次の行(後ろ)にペーストする
" *n* P	*n*回前にコピー，またはカットした内容をカーソルの前の行(手前)にペーストする

ファイル操作に関するコマンド

: w	ファイルに保存する
: w *filename*	ファイルに名前*filename*をつけて保存する
: e *filename*	ファイル*filename*を開く
: r *filename*	カーソルの次の行にファイル*filename*を挿入する
: -r *filename*	カーソルの前の行にファイル*filename*を挿入する
: wq，Z Z	ファイルを保存して終了する

文字列の検索に関するコマンド

f *x*	カーソルと同じ行にある次の文字*x*を検索する
F *x*	カーソルと同じ行にある前の文字*x*を検索する
/ *string*	カーソル以降の文字列*string*を検索する(前方検索)
? *string*	カーソル以前の文字列*string*を検索する(後方検索)
n	前回と同じ方向へ検索を続ける
N	前回と逆方向へ検索を続ける
/	前方への検索を続ける
?	後方への検索を続ける

文字列の書き換え，置換に関するコマンド

~	大文字←→小文字の変換を行う
c **カーソル移動コマンド**	カーソル位置から，カーソル移動コマンドで指定領域を書き換える
c c	現在行の内容をすべて書き換える
C	カーソル位置から行末までを書き換える

r	カーソル位置の1文字を書き換える。書き換え後はコマンドモードに戻る
R	カーソル位置以降の文字列を範囲を指定せずに書き換える
s	カーソル位置の1文字を書き換える。書き換え後はテキスト入力モードとなる
S	c c コマンドと同じ
: s/*string1*/*string2*/	カーソルと同じ行にある次の文字列*string1*を*string2*に置換する
: s/*string1*/*string2*/g	カーソルと同じ行にあるすべての文字列*string1*を*string2*に置換する
: *m*,*n*s/*string1*/*string2*/g	*m*行目から*n*行目の間のすべての文字列*string1*を*string2*に置換する。*m*, *n*には数字以外に"."(カーソルがある行),"$"(最終行)が指定可能
: %s/*string1*/*string2*/g	ファイル内のすべての文字列*string1*を*string2*に置換する
: g/*string*/*cmd1*	*string*に一致するすべての位置で : *cmd1*を実行する(: を外して*cmd1*の部分だけを指定する)
: g/*string*/normal *cmd2*	*string*に一致するすべての位置でコマンド*cmd2*を実行する(*cmd2*には : ではじまるコマンドは指定できない)

※ : gはファイル全体が対象だが, : *m*, *n*s//と同様に範囲指定ができる

※ : s/*string1*/*string2*/gcのように,最後にcをつけることで対話的に置換が行える

その他のviの操作に関するコマンド

u	最後に実行したコマンドを取り消す
.	直前に実行したコマンドを繰り返す
: !*Linuxcommand*	*Linuxcommand*で指定したLinuxのコマンドを実行する
: r!*Linuxcommand*	*Linuxcommnad*の実行結果をカーソルの次の行に挿入する
: -r!*Linuxcommand*	*Linuxcommnad*の実行結果をカーソルの前の行に挿入する
: q	viを終了する
: q!	変更を保存せずにviを終了する
: w!	パーミッションを無視して強制的に書き込む
: e!	保存せずにファイル(バッファ)を切り替える

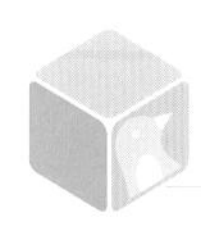

ブートローダ

ブートローダとは，コンピュータの起動時に動作しディスク上のOSなどを起動（ブート）するプログラムです。普段はあまり意識することはありませんが，ディスクからLinuxなどのOSを読み出して起動するために必要なプログラムで，通常は電源投入後に自動的に実行されます。また，ストレージ（HDDやSSD）の他のパーティションにインストールされているWindowsをブートしたり，再構築を行った新しいカーネルを試してみたいときなどにも利用します。

ここでは，Linuxで一般的に利用されているGRUB2というブートローダのリカバリモードを使って，シングルユーザモードで起動する方法を説明します。

GRUB2の起動画面

GRUB2の起動画面を表示させるにはコンピュータの電源をONにすると同時にShiftを押し続けます[†5]。すると，図A-4のようなメニューが表示されます。

白黒反転しているところが現在選択されているメニューで↑↓で選択することができます。Ubuntuを選択して，↵を押すと通常どおり起動します。ストレージに複数のOSがインストールされている場合にはこのメニューから選択して同様の手順で起動することができます。

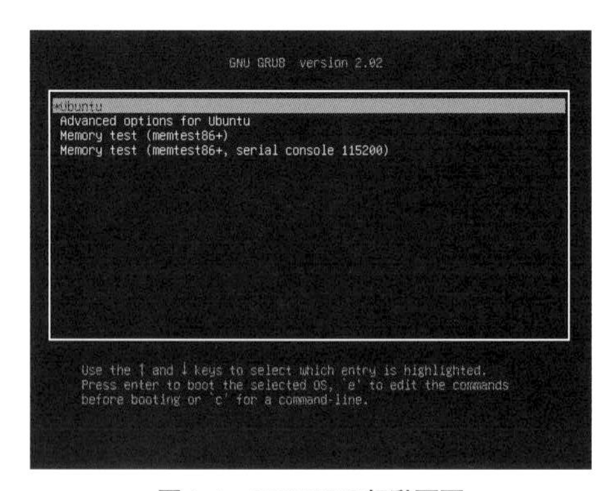

図A-4　GRUB2の起動画面

†5：環境によってはShiftキーを押さなくても表示されます。

シングルユーザモード（読み込み専用）での起動方法

GRUB2からシングルユーザモードで起動するには，起動画面で“Advanced options for Ubuntu”と書かれた項目を選択し［↵］を押します。さらに，行末に“recovery mode”と書かれている項目を選択し，［↵］を押します（図A-5）。すると，図A-6のようなリカバリメニューが表示されますので，［↑］［↓］で“root”と書かれた項目を選択し，［Tab］で“OK”に移動して［↵］を押すとシングルユーザモードで起動します。

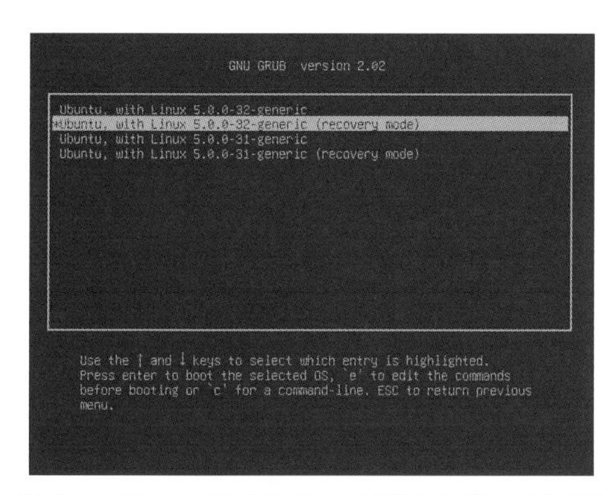

図A-5　Ubuntuのアドバンスト起動オプション画面

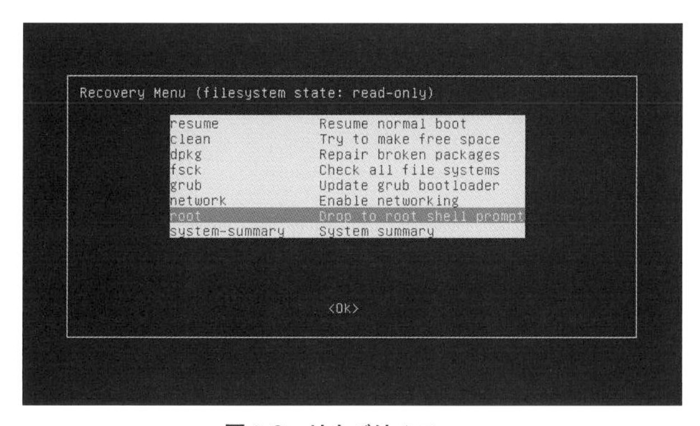

図A-6　リカバリメニュー

画面の下部にスーパーユーザのプロンプトが表示され，コマンドが入力できるようになります。この起動方法では読み込み専用なので，設定の確認はできますが，ファイルの編集などはできません。

 シングルユーザモード（読み書き可）での起動方法

Ubuntuでのシングルユーザモードでの起動はデフォルトでは読み込み専用になっています。ファイルの編集が必要な場合は起動オプションを編集して書き込みも可能な状態にしましょう。まず，読み込み専用のときと同様に“recovery mode”と書かれている項目を選択します。この状態で e を押すと，図A-7のような画面に切り替わります。

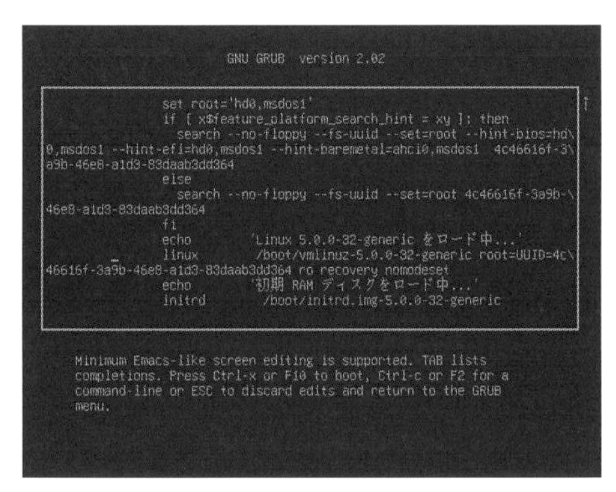

図A-7　起動オプションの編集画面

この画面のテキストエディタで起動オプションを編集することができます。このエディタの使い方はemacsに似ていますが，エディタとしての機能は最小限のものです。行末の“\”は長い行を折り返して表示していることを示している記号です。このなかから，次のように書かれている行を探しましょう。

●起動オプション（読み込み専用）●

```
    ⋮（略）
linux /boot/vmlinuz-5.0.0-32-generic root=UUID …（略）ro …（略）†6
    ⋮（略）
```

---

†6：vmlinuzの後の数字は環境によって異なることがあります。

この行の“ro”という部分が読み込み専用（read only）ということを示しています。読み書きができるようにするには“ro”を“rw”と書き換えます。

● 起動オプション（読み書き可）●

```
    ：（略）                                        roからrwに変更
linux /boot/vmlinuz-5.0.0-32-generic root=UUID …（略）rw …（略）
    ：（略）
```

編集が終わったら Ctrl ＋ x もしくは F10 を入力するとブートが開始され，図A-6の画面が表示されます。その後は，読み込み専用のときと同じように，“root”を選択してシングルユーザモードで起動してください。

Column ●仮想化とクラウド

コンピュータの**仮想化**とはCPUやメモリといったコンピュータの資源（リソース）を複数のOSやアプリケーション実行環境で共有するための技術です。仮想化技術を使うことで，特定のOSでしか動作しないソフトウェアを使うことや別のOSを簡単に試すことができます。また，高性能なCPUの能力や大容量のメモリを複数のOSに分配できること，設置スペースや消費電力を減らすことができるといったメリットもあります。

仮想化の方式は，**ホスト型**，**ハイパーバイザ型**，**コンテナ型**に大別できます。

ホスト型の仮想化では**ホストOS**の上で**ゲストOS**を動作させます。手軽に利用できる一方，ホストOS上で仮想的なコンピュータ（**仮想マシン**）を動かしているので，ゲストOSの動作がやや緩慢です。ホスト型の有名な仮想化ソフトとして，VMWare WorkstationやVirtualBoxなどがあります。

ハイパーバイザ型の仮想化はOSのインストール以前に**ハイパーバイザ**をインストールし，ハイパーバイザの上でゲストOSを動作させます。ホスト型の仮想化よりもハードウェアを直接的に制御することができるので，コンピュータの性能を引き出しやすいというメリットがあります。ハイパーバイザ型の有名な仮想化ソフトとして，VMWare vSphere，Xenなどがあります。

コンテナ型の仮想化はホストOSのリソースをコントロールして，ゲストOSに対応したアプリケーションを**コンテナ**（仮想マシン）上で動かす仕組みです。コンテナ型の仮想化ではゲストOSのインストールは不要です。また，アプリケーション動作のためのリソースの多くをホストOSと共有するため，ディスク使用量がほとんどなく速度の低下がほぼ存在しないという特長があります。しかし，コンテナ型ではWindowsとLinuxを同じハードウェアの上で共有することはできません。コンテナ型の有名な仮想化ソフトとして，LXCやDockerなどがあります。

このような仮想化技術を利用したサービスとして**クラウドコンピューティング（クラウド）**があります。クラウドではコンピュータのハードウェアを自前で用意せずとも，ネットワーク上の大規模なサーバにある仮想化されたOSやアプリケーションなどを利用することができます。Amazon Web ServiceやMicrosoft Azureなどのサービスでは，コンテナ型やハイパーバイザ型の技術を利用して，コンピュータ環境を提供しています。

索引

◆記号

◆A

◆B

◆C

◆J

◆K

◆L

◆M

◆N

◆O

◆P

◆R

◆S

◆T

◆U

◆V

◆W

◆X

◆た

◆ま

◆や

◆ら

◆わ

■著者紹介

川口拓之（かわぐち ひろし）

1980 年生まれ。静岡県出身。慶應義塾大学理工学研究科修了。博士（工学）。週末は娘たちのためにケーキを焼いています。

田谷文彦（たや ふみひこ）

1975 年生まれ。神奈川県出身。慶應義塾大学大学院理工学研究科修了，大阪大学大学院医学系研究科修了，博士（医学）。シンガポール在住。二児の父として格闘中。

三澤明（みさわ あきら）

1973 年生まれ。東京都出身。プライベートでは FreeBSD 派。

●本書のサポートページ
https://isbn2.sbcr.jp/02826/

Linuxコマンドブック ビギナーズ 第5版

2003年10月4日 初版第1刷発行
2006年2月24日 初版第6刷発行
2007年4月25日 第2版第1刷発行
2009年2月5日 第2版第3刷発行
2010年5月4日 第3版第1刷発行
2014年2月28日 第3版第6刷発行
2015年4月10日 第4版第1刷発行
2019年2月4日 第4版第5刷発行
2020年4月1日 第5版第1刷発行
2023年2月9日 第5版第4刷発行

著　者：川口拓之，田谷文彦，三澤 明
発行者：小川 淳
発行所：SBクリエイティブ株式会社
〒106-0032 東京都港区六本木2-4-5

組　版：クニメディア株式会社
装　丁：mill inc.
印　刷：株式会社シナノ

Printed in Japan　ISBN978-4-8156-0282-6